VIÚVA DE FERRO

XIRAN JAY ZHAO

VIÚVA DE FERRO

Tradução de Caroline Chang

intrínseca

Copyright do texto © 2021 by Xi Ran Zhao
Arte de capa © 2021 by Ashley Mackenzie
Publicado em acordo com Penguin Random House Canada Young Readers, uma divisão de Penguin Random House Canada Limited.

TÍTULO ORIGINAL
Iron Widow

PREPARAÇÃO
Angélica Andrade
Thais Entriel

REVISÃO
Carolina Vaz
Thaís Carvas

DIAGRAMAÇÃO E ADAPTAÇÃO DE CAPA
Julio Moreira | Equatorium Design

DESIGN DE CAPA
Talia Abramson

DIREÇÃO DE ARTE
Terri Nimmo

CIP-BRASIL. CATALOGAÇÃO NA PUBLICAÇÃO SINDICATO NACIONAL DOS EDITORES DE LIVROS, RJ

Z61v
    Zhao, Xiran Jay
    Viúva de Ferro / Xiran Jay Zhao ; tradução Caroline Chang. - 1. ed. - Rio de Janeiro : Intrínseca, 2022
    480 p. ; 21 cm.   (Viúva de Ferro ; 1)
    Tradução de: Iron widow
    ISBN 978-65-5560-531-0

    1. Ficção chinesa. I. Chang, Caroline. II. Título. III. Série.

22-75327   CDD: 895.13
                                          CDU: 82-3(510)

Meri Gleice Rodrigues de Souza - Bibliotecária - CRB-7/6439

[2022]
Todos os direitos desta edição reservados à
Editora Intrínseca Ltda.
Av. das Américas, 500, bloco 12, sala 303
22640-904 – Barra da Tijuca
Rio de Janeiro – RJ
Tel./Fax: (21) 3206-7400

Atenção: este livro contém cenas de violência e abuso, ideação suicida, alcoolismo e tortura, além de discutir e fazer referências a situações de assédio sexual (embora não haja descrições explícitas no enredo).

Viúva de Ferro não é uma fantasia histórica nem se trata de uma história alternativa; é, na verdade, uma história futurista, que se passa em um mundo totalmente diferente, inspirado em elementos da história chinesa, e que apresenta figuras históricas recriadas em circunstâncias de vida muito distintas. Liberdades criativas consideráveis foram tomadas na recriação desses personagens, tais como alteração de seu contexto familiar e idade, uma vez que o objetivo da obra não é a precisão quanto a uma época específica. Para ter uma visão autêntica da história da China, consulte fontes de não ficção.

Para Rebecca Schaeffer, que me apoiou durante todo o tempo em que eu me transformava de estatística a sobrevivente forte o bastante para escrever esta história.

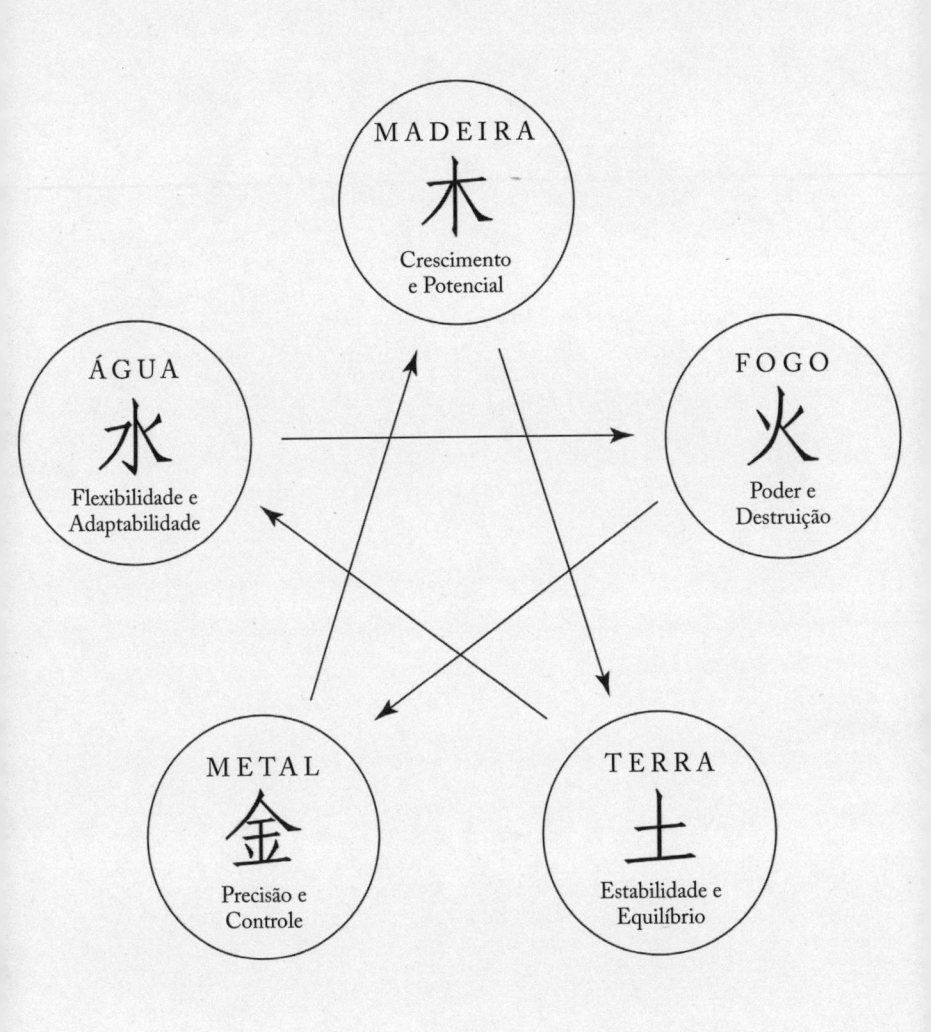

```
                    MADEIRA
                       木
                  Crescimento
                  e Potencial

   ÁGUA                                    FOGO
    水                                       火
 Flexibilidade e                          Poder e
 Adaptabilidade                         Destruição


         METAL                    TERRA
           金                        土
       Precisão e              Estabilidade e
        Controle                  Equilíbrio
```

⟶ VANTAGEM SOBRE

PRÓLOGO

Os hunduns estavam a caminho. Uma manada inteira deles, ribombando pelas planícies e levantando uma tempestade negra de poeira noite adentro. Seus corpos circulares, desprovidos de rosto e feitos de metal primordial, cintilavam sob a meia-lua prateada e o céu cravejado de estrelas.

Um piloto menos experiente teria que subjugar o próprio medo para travar uma batalha com eles, mas Yang Guang não se abalou. Na base de sua torre de observação, do lado de fora da Grande Muralha, ele chamou sua crisálida, a Raposa de Nove Caudas, à ação. Era tão alta quanto um prédio de sete ou oito andares, com uma superfície verde áspera. Suas garras metálicas esmagavam a terra, fazendo-a tremer.

Uma crisálida não era uma máquina de guerra qualquer. Yang Guang não a manobrava a partir de volantes ou alavancas, como faria com uma carruagem elétrica ou um aerobarco. Não, ele *se tornava* a máquina. Enquanto seu corpo mortal ficava instalado no cockpit, com os braços em volta da piloto-concubina que ele tivesse levado à batalha daquela noite, sua mente comandava psiquicamente todas as partes da Raposa de Nove Caudas, fazendo-a investir contra a manada que se aproximava no horizonte. Ao longe, de ambos os lados, também avançavam as silhuetas de outras crisálidas em ação.

Com o auxílio de agulhas de acupuntura tão finas quanto fios de cabelo, que saltavam ao longo do assento de piloto e penetravam sua coluna, Yang Guang canalizava o *qi*, sua força vital, para energizar a Raposa. *Qi* era a essência vital que sustentava tudo no mundo, do brotar de pequenas folhas ao flamejar do fogo e à revolução do planeta. Ele não apenas colhia o próprio *qi*, como também penetrava no elo psíquico da crisálida e sugava o *qi* de sua piloto-concubina. A mente dela não era forte o suficiente para apresentar qualquer resistência e perdia-se profundamente na mente dele. Fragmentos de lembranças da piloto fluíam através dele, mas Yang Guang fez o possível para ignorá-los. Era melhor não saber muito sobre suas concubinas. Só precisava da adição do *qi* dela ao seu, o que multiplicava sua pressão vital, possibilitando que ele comandasse uma crisálida tão imensa.

Alguns poucos hunduns comuns chegaram até Yang Guang primeiro, como imensos besouros de metal ansiosos para entrar na Raposa e matá-lo. Suas cores variadas pareciam opacas sob a luz das estrelas. Mas alguns se iluminaram, lançando de seus corpos *qi* em forma de rajadas luminosas e raios crepitantes, suas principais armas. Se Yang Guang os enfrentasse como humano, teriam se avultado ao tamanho de casas e o vaporizado de imediato, mas, quando ele pilotava a Raposa, os hunduns eram pequenos demais para machucá-lo. Quando os esmagava com as garras da Raposa, emoções desconhecidas irradiavam por seu corpo — tristeza, horror e raiva, tão turbulentos quanto energia estática. Ele não sabia como, exatamente, as crisálidas eram feitas a partir da casca de hunduns — apenas os engenheiros que ocupavam posições da mais alta hierarquia eram autorizados a ter esse conhecimento —, mas mesmo séculos de aprimoramento não tinham conseguido impedir os pilotos de sentirem seja lá o que fosse que os hunduns sentiam quando sua casca era atravessada.

Os pilotos não falavam muito sobre o assunto em público, mas resistir a essas emoções era uma parte extremamente severa da batalha. Yang Guang era um dos pilotos mais poderosos precisamente porque conseguia se desvencilhar dessas distrações muito bem. Avançando no violento embate mental, ele não parava de socar os hunduns. As nove caudas da Raposa sibilavam e estalavam atrás dele como nove membros novos, golpeando os hunduns maiores com sons estridentes e ressoantes.

Yang Guang não tinha piedade. Os hunduns eram invasores vindos do cosmo que aniquilaram o ápice da civilização humana, cerca de dois mil anos antes, e reduziram a humanidade a tribos esparsas. Não fosse o Soberano Amarelo, um líder tribal lendário que inventara as crisálidas com ajuda dos deuses, a civilização humana nunca teria se recuperado e o planeta pertenceria aos hunduns.

Drones equipados com câmeras zuniam em torno da Raposa como moscas. Alguns pertenciam ao Exército de Libertação Humana, e outros eram de empresas de mídia privadas que veiculavam a batalha para toda a Huaxia. Yang Guang se mantinha hipervigilante, sem se permitir qualquer erro, para não frustrar os fãs.

— *Raposa de Nove Caudas, há um de categoria Príncipe na manada!* — gritou um estrategista do Exército pelos alto-falantes do cockpit da Raposa.

Yang Guang se pôs imediatamente em alerta. Um hundun categoria Príncipe era um oponente raro, de peso igual ao da Raposa. Se conseguisse abatê-lo causando o mínimo de dano, ele poderia ser transformado em uma nova crisálida categoria Príncipe ou ser ofertado aos deuses em troca de oferendas mais vultosas, como manuais de vanguarda de tecnologia ou de medicina. Além disso, a vitória o elevaria muito no ranking de batalha. Talvez ele finalmente ultrapassasse Li Shimin, aquele assassino condenado que não merecia ter o título de melhor piloto de Huaxia.

Para aumentar suas chances de vitória, Yang Guang precisaria mudar a Raposa para uma forma mais complexa.

— Xing Tian, me dê cobertura! — gritou para o companheiro mais próximo pela boca da Raposa, com o *qi* levando sua voz por todo o campo de batalha. — Vou me transformar!

— Entendido, coronel! — gritou Xing Tian, dentro do Guerreiro Sem Cabeça, uma crisálida com olhos amarelos brilhantes onde os mamilos deveriam estar e com uma boca cintilante no ventre. Ele aterrissou com força diante da Raposa, atingindo o enxame de hunduns com um machado de metal primordial. Eles morreram em meio a esguichos de luz.

Resguardado, Yang Guang lançou seu *qi* através da Raposa com a pressão vital mais forte que pôde gerar. Rachaduras radiantes apareceram no exterior verde e áspero da Raposa.

As crisálidas podiam ser construídas a partir das cascas de hunduns, mas eram superiores sob todos os aspectos. Os hunduns eram tão estúpidos que não conseguiam liberar o potencial do próprio metal primordial de que eram feitos para se tornarem qualquer outra coisa que não bolhas redondas.

Mas os humanos conseguiam.

Yang Guang imaginou a Forma Humanoide da Raposa, e ela se metamorfoseou. Seus membros se tornaram finos e compridos, a cintura se retraiu e os ombros se elevaram para trás, deixando-a ligeiramente mais parecida com um humano. As nove caudas ficaram tão afiadas quanto lanças e se abriram num leque na base de suas costas, como raios de sol, do mesmo modo como verdadeiras raposas de nove caudas eriçavam os rabos para intimidar os inimigos. Yang Guang ergueu a Raposa, deixando-a ereta; com o *qi* elevando sua pressão vital ao máximo, ele tinha controle e habilidade suficientes para equilibrá-la sobre duas pernas, o que deixava as garras dianteiras da Raposa livres para usar uma arma.

Levando um dos braços às costas, Yang Guang envolveu uma das lanças da cauda da Raposa com uma garra e a arrancou. Correu pela manada agitada de hunduns de diferentes tamanhos até avistar o de categoria Príncipe, então se abaixou e pulou. A lança cortou a noite, arremessando um brilho de luar, antes de atravessar o corpo redondo do hundun, do qual brotavam seis pernas minúsculas de inseto. Metal primordial se fragmentou com um som espetacular, como se um armazém de porcelana estivesse indo pelos ares. Yang Guang se preparou para a onda de raiva e medo do hundun enquanto a luz do seu âmago alimentado pelo *qi* piscava.

As demais crisálidas que rechaçavam o mar de hunduns cintilantes comemoravam, felizes. Drones com câmeras davam zoom na casca do hundun de categoria Príncipe, e Yang Guang já imaginava os cidadãos comuns, atrás das telas, comemorando por toda a Huaxia. Cheio de empolgação, ele fez a Raposa se reclinar, tirando a lança do hundun. Porém, mesmo após remover o contato, um medo estranho permaneceu em sua mente.

Vinha de sua concubina, crescendo nele como uma onda.

Sabia, como de costume, que atingira o ponto em que a mente da concubina não conseguiria voltar ao próprio corpo. Subconscientemente, ele estava controlando tudo nela, até mesmo seu batimento cardíaco. No momento em que se desconectasse, não restaria nada para fazer o coração dela continuar batendo, e a concubina cairia no além. Não havia saída.

O importante era que sua família receberia uma bela recompensa. Sabendo disso, sua alma descansaria em paz na Fonte Amarela.

Ele não lembrava o nome da concubina. Tentava não lembrar. Já passara por tantas pilotos-concubinas que contá-las seria uma distração inútil. E ele não podia se dar ao luxo de se distrair. Tinha um mundo a proteger.

Ela sabia no que estava se metendo. Tomara a decisão de se alistar para ele.

Yang Guang se concentrou em esmagar e lancetar o restante da manada, garantindo aos fãs que a pátria deles continuaria segura.

O nobre sacrifício da concubina não seria em vão.

PARTE I

O CAMINHO DA RAPOSA

"Há uma espécie de criatura na montanha, com a aparência de uma raposa de nove caudas, cujo som é como o choro de um bebê. Ela se alimenta de carne humana."

Clássico das montanhas e dos mares (山海经)

CAPÍTULO UM

UMA BORBOLETA QUE É MELHOR NÃO SER MINHA IRMÃ MORTA

Durante dezoito anos, minha monocelha me salvou de ser vendida para uma morte dolorosa e aterrorizante.

Hoje é o dia em que vou liberá-la de seu gentil serviço.

Bem, não *eu*. Yizhi é quem vai manipular as pinças que minha irmã deixou. Ajoelhado na esteira de bambu aberta sobre o solo úmido da floresta, ele ergue meu queixo enquanto arranca pelo por pelo. Minha pele queima como se estivesse se incinerando aos poucos. Os riachos pretos cor de nanquim de seu cabelo meio preso roçam em sua veste de seda pálida. Meu cabelo, bem mais opaco e ressecado, está preso em um coque frouxo sob um trapo sujo. Embora o trapo cheire à gordura, mantém as mechas soltas longe de meu rosto.

Tentei parecer indiferente, mas cometo o erro de olhar para as feições suaves e concentradas de Yizhi por tempo demais, tentando gravá-las na minha mente para ter algo a que me agarrar nos últimos dias de minha vida. Meu estômago se revira, e uma pressão quente inunda meus olhos. Tentar segurar as lágrimas só faz com que elas escorram pelo meu nariz. Sério, isso nunca funciona.

É óbvio que Yizhi percebe. Ele para tudo a fim de verificar qual é o problema, embora não tenha motivo para acreditar que seja qualquer coisa além de uma reação ao ataque a meus poros.

Não tem ideia de que esta é a última vez que nos veremos.

— Você está bem, Zetian? — sussurra, com a mão suspensa em meio ao redemoinho diáfano de umidade oriunda da cascata não muito distante do nosso esconderijo.

O riacho gorgolejante ao lado das árvores baixas sob as quais estamos aconchegados abafa sua voz, impedindo que nos descubram.

— Com certeza não vou ficar, se você continuar parando o tempo todo. — Reviro os olhos. — Vamos lá. É melhor acabar com isso de uma vez.

— Tudo bem.

Sua expressão contrariada se metamorfoseia em um sorriso que quase acaba comigo. Ele seca meus olhos com as mangas de seu requintado traje de seda, depois as recolhe novamente à altura dos cotovelos. São mangas de pessoas ricas, longas e largas demais para serem práticas. Faço piada sobre isso sempre que ele me visita. Embora, verdade seja dita, não seja culpa de Yizhi que seu pai não permita que ele — nem seus vinte e sete irmãos — saiam da propriedade da família vestindo qualquer coisa que não pertença a uma marca luxuosa.

Um sol cristalino, recém-saído após dias de chuva, adentra em feixes o nosso mundo secreto de umidade e folhas balançantes. Uma miscelânea de retalhos de luz e sombra mancha os antebraços pálidos de Yizhi. O cheiro exuberante e verde da primavera domina o ar, tão forte que sentimos seu gosto. Seus joelhos — ele se senta de forma empertigada e solene — mantêm uma pequena mas intransponível distância das minhas pernas, dobradas de modo casual. Os trajes de seda sob medida contrastam absurdamente com a aspereza gasta de minha túnica e de minha calça, ambas feitas em casa. Até conhecê-lo, eu não fazia ideia de que um tecido podia ser tão branco e tão macio.

    Ele começa a arrancar os pelos mais rápido. Dói bastante, como se minha sobrancelha fosse um ser vivo sendo desfiado aos poucos; é bem provável que eu chore de novo.

    Gostaria de não precisar envolvê-lo nessa situação, mas sei que, depois de certo ponto, seria doloroso demais encarar meu reflexo e continuar fazendo isso eu mesma. Só conseguiria enxergar minha irmã mais velha, Ruyi. Sem o excesso de pelos que mantiveram baixo meu preço de mercado, vou me parecer muito com ela.

    Além disso, não confio em mim para desenhar duas sobrancelhas iguais a partir da minha monocelha. Como vou me voluntariar para morrer se minhas sobrancelhas estiverem diferentes uma da outra?

    Para me distrair da dor excruciante, rolo a tela do tablet no colo de Yizhi, lendo as anotações que ele fez na escola desde que me visitou no mês anterior. Cada rolagem parece mais escandalosa do que estar sozinha com ele em uma montanha longínqua, envoltos pela paisagem verdejante e pelo calor da primavera, respirando os mesmos redemoinhos espessos de ar terroso intoxicante. Os anciãos de minha aldeia dizem que garotas não devem tocar nessas invenções celestiais porque as macularíamos com, não sei, algo mau e feminino. Foi só graças aos deuses do céu que tecnologias como esse tablet foram reconstruídas após a época maldita em que a humanidade fugia dos hunduns. Mas não ligo se devo algo aos anciãos ou aos deuses. Se não me respeitam só porque faço parte da metade "errada" da população, eu é que não vou respeitá-los.

A tela brilha como a lua sobre os trajes de Yizhi, sombreados pelas folhas, me tentando com um conhecimento que não devo possuir, um conhecimento muito além de minha miserável aldeia nas montanhas. Artes. Ciências. Hunduns. Crisálidas. Meus dedos estão coçando para aproximar mais o tablet, embora nem ele nem eu possamos nos mexer — um cone de luz neon está saindo de uma reentrância no aparelho, projetando as sobrancelhas matematicamente ideais no meu rosto. Yizhi e suas maravilhosas engenhocas da cidade nunca decepcionam. Ele lançou mão do aparelho poucos minutos depois de eu mentir sobre a minha família ter me dado "um ultimato" a respeito da monocelha.

Pergunto-me se ele vai me odiar muito depois que descobrir o que está realmente me ajudando a fazer.

Uma gota trêmula cai dos galhos sobre nós, salpicando sua bochecha. Ele está tão concentrado que nem percebe. Com as costas da mão, limpo a pequena marca úmida em seu rosto.

Seus olhos se arregalam num sobressalto. A cor brota na pele bem cuidada, quase transparente.

Abro um sorriso involuntário e viro a mão para tocar seu rosto com a ponta dos dedos.

— Ora, ora. Minhas novas sobrancelhas já estão irresistíveis?

Yizhi solta uma risada mais alta do que o normal, cobre os lábios com os dedos e olha ao redor, embora estejamos bem escondidos.

— Pare — diz, mais baixo, com a risada ficando leve como uma pluma. Ele desvia do meu olhar. — Deixe-me trabalhar.

O calor crescente e inegável em suas faces me inflige um pouco de culpa.

Conte a ele, minha mente pede.

Mas só afasto a mão do modo mais despreocupado possível e passo para outra parte das anotações escolares, um tópico de estudos sociais sobre as dinâmicas estatísticas dos ataques de hunduns.

Por que eu deveria colocar em risco minha missão e contar a verdade a ele? Independentemente de como Yizhi encara nossa relação, eu nunca cometi o erro de levá-la a sério demais. Ele é filho do homem mais rico de Huaxia, e eu sou só uma garota da fronteira que ele conheceu por acaso enquanto aproveitava um momento de paz e tranquilidade no lugar mais distante que conseguiu alcançar em sua bicicleta flutuante. Se alguém nos pegasse juntos, não era ele quem seria enfiado em uma grande gaiola e afogado em nome da honra da família, mesmo que nunca tenhamos cruzado nenhum limite proibido.

Minha atenção vagueia até seus lábios, perdendo-se nas curvas delicadas, e sou levada de volta ao dia em que expressei em voz alta meu fascínio por eles, sobre como pareciam macios. Ele admitiu que aquilo se devia a uma rotina de esfoliação de quatro etapas e hidratação, e eu chorei de tanto rir enquanto tocava seus lábios. De repente, fiquei séria, encarando-o, perto demais.

Então recuei de imediato e mudei de assunto.

Uma parte de mim, em carne viva, frágil, dói quando penso no que nunca terei com Yizhi, mas não desconsidero — nem poderia — a possibilidade de que tudo isso seja apenas um jogo para ele. De que não sou a única garota camponesa que ele visita nos dias livres. De que no primeiro momento após eu ceder, ele recolocaria o cinturão de seda de seu traje impecável e riria da minha cara, riria do fato de algo significar tão pouco para ele e, ao mesmo tempo, ser uma questão de vida ou morte para mim.

No entanto, eu ainda ficava hipnotizada por seus sorrisos doces e suas palavras sussurradas.

Talvez minha cautela tenha sido o que tornou tudo isso ainda mais excitante, o que o fez aparecer todo fim de mês nos últimos três anos.

Nunca saberei seus verdadeiros motivos. Tudo bem. Desde que eu não ceda às emoções, não perderei qualquer jogo que possamos estar jogando.

Embora, para ser realista, mesmo se minha aldeia inteira desse de cara com a gente neste exato segundo, minha família não me afogaria, não agora. Estou finalmente fazendo o que eles querem: me embelezando para que possam me vender para o Exército como piloto-concubina. Exatamente como fizeram com minha irmã.

É óbvio que eles não sabem nada sobre meus planos mais grandiosos e letais.

Enquanto Yizhi passa para a linha inferior das sobrancelhas, meu dedo paira sobre a imagem de uma batalha de crisálidas e hunduns nas anotações de aula dele. A crisálida, a Tigre Branco, parece tão definida e de cores tão vivas que ninguém jamais imaginaria que um dia fora a casca redonda e insípida de um hundun. Representada na Forma Heroica, sua mais gloriosa transformação, parece um tigre guerreiro humanoide feito de vidro opaco e leitoso. As peças couraçadas são cortadas em linhas verdes e pretas radiantes, com as cores se borrando no movimento ao levantar um machado-punhal mais alto do que uma árvore. É uma das armas favoritas do Exército para anúncios oficiais, e na verdade me sinto confortável fitando-a. O par rapaz-moça mentalmente conectado à crisálida são um Par Equilibrado. O risco de a mente dele consumir a da garota e matá-la assim que a batalha terminar é baixo.

Diferente do que acontece com as pilotos fêmeas na maioria dos casos.

Foi assim que temi que a Irmã Mais Velha morreria quando nossa família a forçasse a se alistar para um piloto categoria Príncipe, o segundo mais poderoso do ranking. Mas ela nem sequer chegou ao campo de batalha. O piloto a matou da maneira tradicional, física. Por quê, não sei. Nossa família só recebeu de volta as cinzas. Faz oitenta e um dias que estão devastados... porque não receberam a grande recompensa por morte heroica com a qual estavam contando.

É engraçado. Irmã Mais Velha passou a vida toda sendo *cuidada*.

Quando Ruyi vai se casar?
Ou Ruyi vai se alistar?
Será que Ruyi tem pegado sol demais? Está ficando meio escura.

Mas assim que a notícia de sua morte se espalhou, ninguém mais a mencionou. Ninguém sequer perguntou o que fiz com as cinzas. Apenas Yizhi e eu sabemos que ela foi levada pelo córrego ao nosso lado. Um segredinho de nós três.

Encaro uma crisálida de borboleta pendurada em um galho atrás de Yizhi. As crisálidas de batalha foram chamadas assim por causa destas, pois se diz que os pilotos mortos reencarnam como borboletas. Se for verdade, estou torcendo muito para que esta não seja a minha irmã. Espero que ela tenha ido para longe, muito longe daqui, para um lugar que não possa ser invadido por anciões vingativos, fofoqueiros barulhentos, parentes gananciosos e pilotos de merda.

Já faz um tempo que uma borboleta em vias de nascer está se agitando dentro da crisálida, livrando-se da camada mais superficial. Agora, finalmente, rompeu a membrana. Emerge, com a cabeça para baixo. Antenas aparecem, contorcendo-se. No *grand finale*, ela se livra por completo da crisálida, como uma flor em botão.

Borboletas são comuns nestas florestas, então não se trata de um acontecimento tão especial.

Só que, quando esta borboleta abre as asas, os padrões não combinam.

— Opa! — Eu me aprumo.

— O que foi? — Yizhi olha para trás.

— Aquela borboleta tem duas asas diferentes!

Yizhi também fica surpreso, o que significa que não se trata de um fenômeno normal que desconheço porque sou uma camponesa da fronteira. Ele me informa que minhas sobrancelhas estão quase prontas, então ergue o tablet para fazer um vídeo bem de perto da borboleta.

Nossos olhos não nos enganaram. Uma asa é preta com um ponto branco, e a outra é branca com um ponto preto — como o símbolo do yin-yang. Essas borboletas receberam esse nome exatamente por esse motivo, mas eu nunca tinha visto uma com uma asa yin e outra yang.

— Como isso aconteceu? — pergunto, boquiaberta.

O sorriso de Yizhi se amplia.

— Você sabe o que fazer quando tem perguntas.

— "Procurar." Entendi.

Abro o buscador no tablet de Yizhi, como ele me ensinou a fazer. Não é difícil de usar — só preciso digitar as palavras-chave da pergunta, mas é surreal e assustador usar apenas alguns cliques para acessar todo o conhecimento que os eruditos das cidades reconstruíram a partir de manuais enigmáticos que os deuses jogavam em nós sempre que fazíamos oferendas satisfatórias.

Semicerro os olhos, concentrando-me nos textos acadêmicos que surgiram nos resultados da busca. São bem mais difíceis de ler do que as anotações de Yizhi, mas estou determinada a entendê-los sozinha.

— Aparentemente, ter asas diferentes significa que uma borboleta é... macho e fêmea ao mesmo tempo. — Minha expressão atônita se desfaz. Fico boquiaberta de novo. — Isso é possível?

— Ah, sim. O sexo biológico apresenta todos os tipos de variações na natureza. — Yizhi engatinha a meu lado sobre a esteira de bambu, juntando e afastando seus trajes da terra cinza. — Existem até criaturas que podem mudar de um sexo para outro dependendo de suas necessidades.

— Mas eu pensei... — Hesito, confusa. — Pensei que fêmeas fossem fêmeas porque seu *qi* primordial é yin, e que machos fossem machos porque seu *qi* primordial é yang.

Yin e yang representam as forças opostas que agem para dar vida ao universo. Yin é tudo que é frio, escuro, lento, passivo e feminino. Yang é tudo que é quente, luminoso, rápido, ativo e masculino.

Ou pelo menos foi o que minha mãe disse.

Yizhi dá de ombros.

— Acho que nada é assim tão rígido. Sempre tem um pouco de yin no yang e um pouco de yang no yin. Está no símbolo. Agora que estou pensando sobre o assunto, tenho certeza de que há até mesmo casos em que humanos nascem como essa borboleta, quando não se pode determinar direito qual é seu sexo.

Meus olhos se arregalam mais ainda.

— E qual seria o assento dessas pessoas, caso virassem pilotos?

Toda crisálida tem o mesmo arranjo de assentos. As garotas ocupam o assento mais baixo, yin, e os rapazes ficam no assento um pouco mais alto atrás, colocando os braços ao redor das garotas.

Yizhi dá um tapinha na esteira de bambu e arqueia as belas sobrancelhas, pensativo.

— O assento do gênero com que mais se identificam?

— O que isso significa? Em que ponto um assento pararia de funcionar nesses casos? — protesto. — Por que o gênero importa tanto para o sistema, afinal de contas? Pilotar não é uma coisa inteiramente mental? Então por que é sempre a garota que precisa ser sacrificada para se obter energia?

— Eu... não sei.

Procuro uma resposta decente para a questão no tablet, mas me deparo com uma caixa de aviso vermelha.

ATENÇÃO
PERMISSÃO NÃO CONCEDIDA
RESULTADOS RESTRITOS

— Ah, não é permitido procurar coisas relacionadas à construção de crisálidas. Não podem deixar as pessoas construírem unidades piratas. — Yizhi pega o tablet.

Deixo o aparelho deslizar para longe de minhas mãos. Fico olhando para a borboleta com asas yin e yang.

Fêmea. Esse rótulo nunca fez nada por mim a não ser ditar o que posso e não posso fazer. Não ir a qualquer lugar sem permissão. Não mostrar pele demais. Não falar alto demais nem de forma brusca demais, ou mesmo falar, se os homens estiverem conversando. Não viver a vida sem estar constantemente preocupada se estou agradável ou não aos olhos dos outros. Nenhum futuro a não ser expelir filho após filho para um marido, ou morrer em uma crisálida para dar a algum rapaz a chance de alcançar a glória.

É como se eu estivesse dentro de um casulo apertado demais para tudo que sou. Se as coisas fossem do meu jeito, eu existiria como aquela borboleta, sem dar aos passantes uma oportunidade fácil para me limitarem com um simples rótulo.

— Yizhi, você acha que as garotas são naturalmente predispostas a se sacrificarem? — pergunto, num murmúrio.

— Bem, isso não pode ser verdade, porque você é uma garota e jamais faria isso.

— Ei! — Uma risada irrompe da minha melancolia.

— O que foi? Falei alguma mentira? — Ele apoia as mãos nos quadris, balançando as mangas do traje.

— Tem razão. Não falou, não.

Eu relaxo e abro um sorriso, que aos poucos esmorece.

Eu não viveria nem sofreria por outra pessoa, mas morreria para vingar minha irmã.

Yizhi sorri, distraído.

— Mas, falando sério: não tem nada errado em valorizar a própria vida. Em lutar por aquilo que quer. Acho admirável.

— Uau — falo, com uma bufada indiferente. — Minhas sobrancelhas estão tão encantadoras assim?

Yizhi ri.

— Não tenho coragem de mentir para você, então vou ter que admitir: você realmente é bem mais bonita do jeito convencional. — O sorriso dele se abranda. Seus olhos brilham na sombra fragmentada como lagos à noite, refletindo as estrelas. — Mas você ainda é a Zetian que eu conheço. Acho que é a garota mais deslumbrante do mundo, não importa sua aparência.

Meu coração se aperta e se despedaça.

Não posso fazer isso. Não posso ir embora sem contar a verdade.

— Yizhi — falo, em uma voz sombria como fumaça.

— Me desculpe, eu fui... Ah, não. Foi estranho demais? — Uma risada ecoa dele. — Numa escala de "um" a "homem-mais-velho-que-pede-para-você-sorrir-para-ele", quão desconfortável deixei você?

— *Yizhi*. — Seguro suas mãos, como se o gesto pudesse prepará-lo para o que está por vir.

Ele fica em silêncio, encarando, confuso, nossas mãos unidas. Então eu digo:

— Vou me alistar como piloto-concubina.

Seu queixo cai um pouco.

— Para qual piloto?

Abro a boca, mas não consigo pronunciar o nome daquele maldito.

— Para *ele*.

Ele me estuda.

— Para *Yang Guang*?

Faço que sim com a cabeça, sentindo que todo o sangue se esvaiu de meu rosto.

— Zetian, ele matou sua irmã!

— É por isso mesmo que vou me alistar. — Afasto as mãos de Yizhi e pego um longo grampo de madeira do meu coque, envolto em farrapos. — Vou ser a bela e abnegada concubina dele. E depois... — Arranco o grampo de cabelo, mostrando a ponta afiada — ... vou cortar sua garganta enquanto ele estiver dormindo.

CAPÍTULO DOIS

COMO ÁGUA JOGADA PELA PORTA

Caminho trôpega pelas trilhas da montanha com meu bastão de bambu, sozinha. As sombras da floresta se lançam sobre mim, entrecruzando-se em uma treliça de luar escarlate. Se eu não chegar em casa antes que o sol se ponha atrás dos picos ocidentais, minha família vai pensar que estou realizando minha última tentativa de fuga. Toda aldeia vai começar a varredura das montanhas com lanternas e cachorros latindo. Não podem deixar suas filhas pensarem que é possível fugir.

Folhas molhadas viram polpa vegetal sob meus sapatos minúsculos e surrados, que Yizhi se ofereceu para substituir inúmeras vezes. Mas eu jamais poderia aceitar seus presentes, por medo de minha família descobrir nossa amizade. Um nó se forma em minha garganta ao lembrar sua expressão horrorizada quando ficou sabendo da missão que impus a mim mesma e da tristeza em sua voz ao chamar meu nome depois que desapareci na floresta, abandonando a conversa. Eu não devia ter contado. Era óbvio que ele tentaria me impedir.

Agora aquele momento terrível será a última lembrança que teremos um do outro.

Não tenho certeza se ouvi o zumbido da bicicleta flutuante sobre a copa das árvores, mas espero que ele tenha ido embora das montanhas. Ele não pode mudar nada. Não é meu dono. Ninguém é. Podem achar que são, mas não importa o quanto me xinguem, me ameacem ou me espanquem, jamais vão conseguir controlar o que se passa na minha cabeça, e acho que isso lhes causa uma frustração sem fim.

Uma névoa sanguinolenta oriunda do pôr do sol se estende até o fim da trilha. Quando saio das sombras, meu olhar se amplia para os terraços de arroz onde cresci, encostas inteiras de montanhas esculpidas como escadarias que se erguem em direção ao céu. Em cada nível, trincheiras de água coletada da chuva brilham, nutrindo sementes de arroz e espelhando o céu escaldante. Nuvens febris se refletem na água enquanto as atravesso. Minha bengala emite sons úmidos ao se cravar nas plataformas de lama cinza. Fumaça de jantares sendo preparados se levanta das pequenas aglomerações de casas aninhadas sobre os terraços. As brumas se entrelaçam à névoa alaranjada, tingida pelo crepúsculo, redemoinhando pelos cumes mais altos.

Quando eu tinha cinco anos, em um inverno de rachar a pele, cujo frio chegava tão inescrupulosamente que os terraços de arroz congelavam, tornando-se sólidos, minha avó me forçou a caminhar sobre o gelo sem sapatos. Depois que o frio havia se cristalizado bem fundo em minha carne, deixando-a roxa, ela enxotou todos os homens da casa, fez com que eu me sentasse no chão de concreto congelado e mergulhou meus pés em uma bacia de madeira cheia de sangue de porco fervente e remédios anestésicos. Depois duas tias me seguraram firme enquanto minha avó quebrava todos os ossos dos arcos de meus pés, para dobrá-los ao meio.

A intensidade do grito que saiu rasgando de minha garganta ainda assalta minhas memórias quando menos espero, sempre me surpreendendo, independentemente do que eu esteja fazendo.

Mas a dor, não. A dor não pode me surpreender, porque ela nunca me abandonou. Um golpe relampejante dela sobe por minhas pernas a cada passo que dou.

Cada. Passo.

Eu não caminho. A última vez em que caminhei foi naquela trilha ardente sobre o terraço de arroz congelado. Desde então, meus pés se transformaram em um monte protuberante e disforme, que consegue apenas *cambalear*. Após infecções que quase me tiraram a vida, três dedos caíram, tirando meu equilíbrio para sempre. Os demais permanecem enrolados sob a sola dos meus pés, chegando ao outro lado, próximo ao calcanhar, como se estivessem tentando espremer a confusão de ossos e carne para cima, em direção às pernas. Minhas solas são menores do que a palma de minhas mãos. Um par perfeito de pés de lótus.

Que fazem maravilhas pelo meu valor de mercado.

Minha família me xingou inúmeras vezes por deixar meus pelos do rosto crescerem, selvagens, e por ter gordura demais na cintura, mas recebo os piores e mais cruéis insultos quando me rebelo contra a pressão com que meus pés são amarrados. Sobrancelhas grossas podem ser redesenhadas e massa corporal pode ser reduzida, mas pés de lótus deixam de ser pés de lótus assim que permitimos seu crescimento. E nenhum homem de uma família respeitável se casaria com uma garota cujos pés não são amarrados.

Um dia, enquanto eu guinchava e soluçava, me opondo a continuar com o ritual, minha avó gritou para mim: "Sem isso, seríamos iguais aos rongdi!". Estava se referindo aos povos que vagam pelas planícies indômitas usando a estratégia amontoe--tudo-em-cima-do-cavalo-e-corra para fugir dos hunduns. Alguns foram incorporados a Huaxia quando expulsamos os hunduns de faixas inteiras de território; outros, de terras mais longínquas, têm atravessado a Grande Muralha como gotas de água pequenas e persistentes. Morando na fronteira, somos vizinhos de muitos deles. Minha família sempre me alertou sobre ser como as mulheres desses povos, que "correm por toda parte e não têm moral, vergonha nem decência".

Quando pequena, eu aceitava essa ideia e tinha medo de me tornar *uma daquelas mulheres*. Mas quanto mais crescia, mais confusa eu ficava sobre o que havia de tão ruim nelas.

Quando passo sob um aglomerado de casas um pouco mais acima, na lateral da montanha, alguns homens que estão nos terraços, com água até os joelhos, levantam a cabeça do trabalho e me cobiçam enquanto eu cambaleio. Não ousariam vir atrás de mim — todo mundo se conhece aqui —, mas nunca deixam de expressar claramente seus desejos.

Bom, quando uma garota da fronteira minimamente bonita se alista como piloto-concubina ou é vendida a homens mais ricos das cidades, os homens da fronteira começam a ter sérios problemas para encontrar esposas para lhes dar filhos. O preço das noivas subiu até as dezenas de milhares de yuans, um valor que as famílias daqui jamais conseguiriam pagar... a menos que alistem as próprias filhas ou as vendam para homens ricos das cidades.

É um ciclo vil, que não vai terminar tão cedo. Ninguém fica na fronteira a menos que precise. A maioria de nós só está aqui porque o nosso lar ancestral, a província de Zhou, caiu nas mãos dos hunduns duzentos e vinte e um anos atrás.

Lanço meu olhar mais odioso aos homens. No crepúsculo, as piscinas dos terraços fulguram como cobre derretido, e fantasio sobre a temperatura da água aumentando de verdade, fervendo aqueles homens vivos.

Então meu bastão se quebra, e eu tropeço.

Gravidade. Um dos primeiros conceitos científicos que aprendi com Yizhi. Ela me derruba em direção à trilha de lama e quase vou parar dentro do arrozal. A palma de minha mão raspa por um chanfrado duro na lama. A densidade fria se choca contra meu nariz e minhas bochechas.

Empurro o chão com ambos os braços para me levantar. Lama e terra escura desgrudam de minha face quente e caem em minha túnica. Me preparo para ouvir gargalhadas estridentes.

Mas não ouço.

Na verdade, os homens estão vadeando pelos terraços, gritando, empolgados, ao redor de alguém com um tablet.

Uma ondulação perpassa minha confusão.

Uma ondulação nas águas do terraço, especificamente.

Minha respiração fica ofegante. Vibrações inconfundíveis percorrem o solo, agitando a água.

Além da fronteira, uma batalha hundun *versus* crisálida está começando.

Grudo minha orelha ao chão, sem me importar se vou me sujar ainda mais e molhar o trapo enrolado em meu cabelo. A Grande Muralha está a poucas montanhas de distância. Em dias límpidos, podem-se ver os picos empoeirados e sem vida que tiveram todo seu *qi* sugado pelas crisálidas por perto.

Os homens devem estar assistindo a uma transmissão ao vivo e discutindo sobre qual piloto vai conseguir mais pontos de batalha. Mas é tão mais cru, visceral e incrível sentir a força física das crisálidas pelo planeta.

Que força.

Minha garganta seca, e no entanto minha boca se enche de saliva. Fecho os olhos, imaginando a mim mesma comandando uma crisálida, avultando acima de prédios e esmagando a terra com meus membros colossais e minhas explosões de *qi* luminosas. Poderia arrebentar qualquer um que tentasse me destruir. Poderia libertar todas as garotas que adorariam fugir.

Uma onda de comemoração dos homens interrompe meu sonho diurno.

Balanço a cabeça. Torrões de terra entram em minhas mangas. Ando de joelhos, coberta de sujeira, fitando meu cajado quebrado.

Eu realmente deveria parar de ter devaneios.

⚘

Não sei se meu pai vai considerar que cheguei em casa antes do toque de recolher. Alguns últimos feixes de sol pintam nossas montanhas protetoras com um halo azul fantasmagórico, recortando-as em sombras colossais que se parecem assustadoramente com hunduns.

— Onde você estava? — sussurra minha mãe, por entre as barras da janela da cabana em que consiste a cozinha, ao lado da casa. Sua voz soa tão frágil quanto o vapor que emana da grande wok cheia de mingau que ela está preparando. Minha avó está em um banquinho atrás dela, tirando as escamas de um *luoyu*, um peixe voador que vive nas águas dos terraços. As chamas do forno a lenha cruzam as faces cansadas das duas, como se elas estivessem presas em uma masmorra pegando fogo.

— Estava na floresta.

Pela janela, entrego a minha mãe um saco de ervas e tubérculos. É por isso que passo tanto tempo na floresta, e foi assim que conheci Yizhi.

— O que aconteceu?

Minha mãe põe o saco em uma prateleira de madeira sem tirar os olhos do estado lastimável em que me encontro. Cabelos grisalhos se desprendem do trapo desbotado amarrado em sua cabeça, agitando-se às lufadas visíveis de calor.

— Tropecei. Quebrei minha vara.

Volto a cambalear pela trilha de pedras que ladeia a fileira de casas. Piso delicadamente, tentando não aterrissar sobre o teto de telhas de nossos vizinhos um nível abaixo.

— Você tem sorte por uma batalha ter começado. — Minha mãe lança um olhar para a entrada principal, em direção à casa, logo acima. Seus olhos reluzem, alaranjados, da cor das chamas crepitantes do fogão. — Vá, rápido. Não deixe seu pai vê-la assim.

— Está bem.

— E trate de lavar essas roupas amanhã. Você não pode estar imunda quando o exército chegar.

O jeito casual com que minha mãe faz o comentário crava um punhal em meu peito. Ela pode até não fazer ideia de minhas verdadeiras intenções, mas com certeza está ciente de que o alistamento vai me levar à morte, de um jeito ou de outro.

Com certeza se lembra de como tudo terminou para a Irmã Mais Velha.

Ou será que não lembra? Às vezes minha mãe finge tão bem que não há nada de errado que até me assusta, e me faz achar que sou *eu* quem está com a cabeça cheia de memórias falsas.

— Tenho certeza de que eles vão me dar roupas melhores. — Olho as faixas de luz tremeluzindo para fora da janela da cozinha.

— Mas mesmo assim você precisa estar apresentável.

Paro de cambalear e me viro para encará-la.

Fiz o possível para ignorar a única grande consequência de meus planos de homicídio: matar um Nobre de Ferro, um piloto com uma pressão vital máxima de mais de dois mil — quando a média humana é de oitenta e quatro —, desonraria três gerações de minha família. Minha mãe, meu pai, meu irmão de dezessete anos, Dalang, meus avós, minhas tias e meus tios. Todos eles seriam executados também. Simplesmente porque pilotos como Yang Guang são importantes demais para o esforço de guerra.

Me dê uma razão para protegê-la. Encaro minha mãe. *Me faça parar.*

Só preciso de um sinal de que eles são dignos da minha misericórdia. Um sinal de que valorizam minha vida tanto quanto se espera que eu valorize a deles.

Já que no momento não faz nenhum sentido me controlar, vocifero meu pensamento mais incandescente:

— É sério que você está mais preocupada com minha beleza do que com minha partida para uma guerra?

O fogo crepita e salta ao lado de minha mãe. Ela me fita com os olhos semicerrados através da fumaça e do vapor aromático. Então um sorriso brota em seu rosto como uma flor selvagem num terreno baldio em chamas.

— Suas sobrancelhas. Você finalmente nos deu ouvidos. Você está linda.

Viro a cabeça e me arrasto para a frente, mesmo que cada passo seja como pisar em um fio desencapado.

É como se ela nem sequer tivesse ouvido o que falei.

Lanternas elétricas piscam por toda a aldeia, iluminando janelas como os olhos brilhantes que as crisálidas possuem e os hunduns, não. Uma brisa varre os terraços de arroz, misturando um cheiro de musgo e junco ao perfume de assados dos jantares humildes.

Luz da cor de trigo se derrama pelas portas principais de nossa casa. No anoitecer, os gritinhos de um comentarista de batalhas ecoam do tablet concedido à minha família pelo governo de Huaxia — embora, é óbvio, apenas os homens possam usá-lo livremente. Meu avô, meu pai e meu irmão o colocaram em pé na mesa de jantar escurecida de tanto uso. Seus olhos respondem à tela, refletindo as cores vibrantes dos choques entre hunduns e crisálidas.

Aproveito para entrar em casa. Apresso-me em direção ao quarto que sou forçada a dividir com meus avós desde a minha segunda tentativa de fugir de fininho no meio da noite, anos atrás.

— ... e aí vem o *Pássaro Carmim*.

Eu paro, quase tropeçando. O sangue gela em minhas veias. Ah, não. Não *essa* unidade.

Até mesmo minha família, obcecada por crisálidas, que geralmente grita ao anúncio de cada unidade famosa, fica desconfortável, em silêncio. Ninguém quer admitir que o Pássaro Carmim é a crisálida mais forte de Huaxia no momento. Com mais de cinquenta metros de altura em sua Forma Original, é a única que temos da categoria Rei. Mas é pilotada por Li Shimin, o Demônio de Ferro, um condenado no corredor da morte, metade rongdi, que assassinou o próprio pai e ambos os irmãos com apenas dezesseis anos. Está com dezenove agora. Sua execução foi postergada de forma indefinida só por causa de sua pressão vital assustadoramente alta, a mais alta em dois séculos.

Embora sempre haja o risco de as pilotos-concubinas morrerem em batalha, a morte só é certeira quando se trata dele.

Ninguém sobreviveu após participar de uma expedição com ele.

Em breve, uma garota vai morrer.

— Ei!

De repente, meu pai interrompe meus pensamentos. Dou um pulo, apoiando-me na parede de madeira.

Sua cadeira guincha sobre o chão de concreto. Ele se levanta, com sombras cobrindo suas feições.

— Por que está tão suja?

Um suor gelado começa a brotar sob o trapo que uso no cabelo.

— Caí nos terraços.

Pela primeira vez, digo a verdade.

O estrondo do choque do metal primordial e do qi ressoa na transmissão ao vivo. Meu avô e meu irmão continuam assistindo, como se não houvesse nada de errado. Meu pai dá a volta e vem em minha direção. Seu coque, tragicamente frouxo devido ao cabelo cada vez mais ralo, pende para um lado.

— É melhor você não ter estado de fuxico com um *garoto*.

— Óbvio que não. — Recuo, com os ombros batendo na porta do quarto de meus avós.

Uma mentira apenas em parte. Na verdade, eu estava partindo o coração de um garoto.

Meu pai se aproxima mais rápido. Sua figura alta parece dobrar de tamanho em meu campo de visão.

— É melhor você passar no teste da donzela quando...

Aquela palavra irritante faz eu me esquecer de ter medo dele.

— Pela última vez, *nada nunca esteve dentro de mim*! Pare de ser tão obcecado! — grito.

Ele fica lívido de susto, mas sinto a fúria se avolumando.

Deslizo para dentro do quarto e bato a porta na cara dele.

— O que você acabou de dizer? — Seus gritos ribombam pela casa, e seus punhos batem como trovões na porta. A aldrava de latão chacoalha com tanta força que parece que algo se quebrou lá dentro.

— Estou desamarrando os pés!

Apoio as costas na porta enquanto cumpro a ameaça. Pés desamarrados são mais indecentes do que seios nus. Isso para não falar no cheiro de carne podre, que é uma arma química por si só. As garotas precisam sustentar a fantasia de uma beleza delicada, usar sempre sapatos perfumados e bordados e nunca remover as ataduras na frente de ninguém, nem mesmo de seus maridos.

Os punhos de meu pai abandonam a porta, mas seus pulmões continuam. *É uma insolente. Ingrata. Vadia.*

O de sempre.

A voz frágil como uma bruma de minha mãe emerge, tentando acalmá-lo. Meu irmão está rindo. Meu avô colocou a transmissão ao vivo no volume máximo. Uma garota está morrendo em uma crisálida em nome da humanidade.

❧

Não me atrevo a sair do quarto para o jantar.

Meu estômago ronca, borbulhando como o mingau que ele tanto quer, mas permaneço na cadeira de vime em que a minha avó tricota, com meus pés mergulhados no mesmo balde de madeira em que foram preparados para ser esmagados.

Está vendo, é por isso que não importa se você prejudicá-los, murmura de dentro da minha cabeça meu âmago apodrecido e fétido.

Tiro a tampa de madeira de uma das garrafas térmicas altas que meus avós guardam no quarto.

Eles não ligam para você.

Derramo mais um pouco de líquido fumegante no balde. Folhas medicinais e raízes redemoinham no fluxo, deixando a água amarronzada, como sangue esquecido em um canto escuro.

Você não precisa se importar com eles.

Uma lanterna ziguezagueia acima de mim. Sombras tremeluzem nos cantos escuros do cômodo, parecendo se aproximar. Solto a garrafa térmica e olho vagamente para a esteira na qual durmo, ao lado da cama de meus avós. Há um ditado em Huaxia que diz que uma filha que se casa é como água jogada pela porta. Ao contrário de meu irmão Dalang, que vai levar adiante o nome da família Wu e permanecer em casa por toda a vida para cuidar de nossos pais, nasci para participar transitoriamente da vida de minha família, receber um preço e ser comercializada. Eles nunca nem sequer se deram o trabalho de me dar uma cama.

Ouço o estalido de pauzinhos em tigelas e os sons de Dalang tagarelando, indo ao delírio por causa da batalha, abafados pelas paredes. As crisálidas venceram. Se não tivessem vencido, sirenes de alerta teriam sido disparadas nos alto-falantes das aldeias e nós estaríamos nos apressando na direção leste, do mesmo jeito que nossos ancestrais fizeram, deixando a província de Zhou.

Ninguém mais fala muito. Espero que estejam pensando em mim.

Espero que cheguem ao túmulo arrependidos pelo modo como trataram a mim e a Irmã Mais Velha.

Pessoas sentenciadas à exterminação familiar não precisam de túmulos.

Estremeço, tentando me livrar da imagem de nossos cadáveres putrefatos pendurados na Grande Muralha.

A porta se abre. Eu me encolho na cadeira, sem saber para onde olhar, torcendo para que meus olhos não estejam tão vermelhos e inchados quanto imagino.

Com os pés amarrados, minha mãe cambaleia em minha direção, oferecendo uma tigela de mingau. Pego-a, lançando-lhe um aceno desajeitado. Meus dedos frios envolvem a porcelana quente. Uma amargura semelhante a lágrimas inunda minha boca. Minha mãe se senta a meu lado, aos pés da cama de meus avós. Meu estômago embrulha com a tensão.

O que ela quer?, pensa parte de mim, enquanto a outra pensa: *Me faça parar.*

— Tian-Tian. — Ela usa meu apelido de criança, examinando as cicatrizes de algumas queimaduras antigas nas mãos. — Você não deveria ter falado com seu pai daquele jeito.

— Ele que começou. — Olho para ela, embora uma vergonha sufocante deixe minhas bochechas ruborizadas. Levo a tigela de mingau à boca para esconder o rosto.

Me faça parar, insiste meu coração pesado. *Me faça parar.*

Minha mãe apenas me olha com tristeza.

— Por que você sempre tem que tornar tudo tão difícil?

Seguro a tigela com mais força.

— Mamãe, a senhora realmente acha que sua vida sempre foi mais *fácil* só porque a senhora sempre cede?

— Não se trata de ser mais fácil. Se trata de manter a paz na família.

Eu rio com a boca na tigela. O som adquire um tom sombrio.

— Diga a ele para não se preocupar. Só vou ficar por aqui mais dois dias. Depois ele pode ter toda paz que quiser.

— Tian-Tian, seu pai só tem emoções muito fortes. Lá no fundo, ele sabe que você amadureceu, apesar dos pesares. Que você entendeu o que realmente importa. Ele tem orgulho de você. — Ela sorri. — *Eu* tenho orgulho de você.

Levanto a cabeça devagar.

— Vocês têm orgulho de mim porque estou me encaminhando para a morte?

— Você não sabe se isso vai acontecer. — Ela desvia os olhos. — Você sempre teve um temperamento forte. A equipe de testes não disse que é possível que sua pressão vital esteja acima de quinhentos? Seis vezes a média! E isso foi há quatro anos. Deve ser ainda maior agora. Você e o príncipe-coronel Yang poderiam se tornar um Par Equilibrado. Você poderia ser a Princesa de Ferro dele.

— Só existem três Princesas de Ferro em toda a nação! — Lágrimas caem dos meus olhos, borrando a visão que tenho de minha mãe. — E a pressão vital delas está na casa dos milhares! Isso é só uma fantasia pouco provável que dá às garotas a ilusão de que podem sobreviver!

— Tian-Tian, não fale tão alto. — Minha mãe lança um olhar de pânico para a porta.

— Essa fantasia a conforta também? Ajuda a senhora a dormir à noite?

Seus olhos cintilam.

— Por que não consegue aceitar que está fazendo uma coisa boa? Você vai ser uma heroína. E com o dinheiro, Dalang vai poder pagar por uma noiva...

Lanço a tigela com força no chão. A porcelana se despedaça, e o mingau se espalha em uma explosão viscosa e fumegante.

— Tian-Tian! — Minha mãe fica em pé, desequilibrada. — Seus avós dormem aqui!

— Ah, é? E o que eles vão fazer? — grito, de propósito, para a porta. — Vão me dar uma surra para Yang Guang me recusar por causa dos hematomas? Vão me fazer dormir no chiqueiro para afugentá-lo com meu fedor? Se todos vocês querem tanto assim o dinheiro, não podem fazer mais nada contra mim!

— Tian...

— Saia!

Você não pode falar assim com ela, censura uma voz em minha cabeça, soando dolorosamente como a Irmã Mais Velha. *Ela é sua mãe. A mulher que lhe deu a vida.*

Mas uma mãe que me decepcionou tanto não é minha mãe.

Meu peito arfa. Eu me inclino para a frente, com as mãos agarrando os joelhos. Minha voz consegue sair da garganta, junto com um soluço.

— Na próxima vida, espero que não tenhamos nada a ver uma com a outra.

CAPÍTULO TRÊS

A VIDA QUE VOCÊ QUER

Quando alguém da minha família me dirige a palavra novamente, é para gritar meu nome na manhã do alistamento.

Sento-me na cama de palha, onde passei a noite sofrendo de dor no estômago e virando meu grampo de madeira nas mãos como se fosse um *kuàizi* enorme.

— Tian-Tian! — A voz de minha avó se aproxima da porta. — Tem um *rapaz* aqui!

Hesito ao me levantar. Tento me apoiar na borda de madeira da cama de meus avós.

Um rapaz...

Não. Não pode ser...

Vou até a porta, atordoada. Uma expectativa perigosa toma conta de meu peito, como um alerta. Meus batimentos cardíacos, trovejantes, fluem da palma de minha mão até a porta enquanto a abro.

A claridade fere meus olhos e obscurece minha visão. Então as manchas desaparecem, e lá está ele. Yizhi. Em pé sob a luz resplandecente do sol, na porta da frente, implorando aos meus familiares, que se recolhem, como criaturas das cavernas, nas sombras da casa. Seus trajes de seda branca, bordados com estampas douradas de brotos e folhas de bambu, praticamente reluzem como se fossem sobrenaturais.

Nunca o vi fora das sombras flutuantes da copa da floresta. Por um momento, fico desorientada — é mesmo ele? Mas o tom suave de sua voz é inconfundível.

— Tias, tios, acreditem em mim, pago qualquer preço. — Ele mostra à minha família o metal que é seu documento de identidade. — Então, por favor. Permitam que eu me case com sua filha.

Meu coração gela como se eu tivesse dado um passo em falso ao descer as escadas que ladeiam os terraços de arroz.

O choque toma conta de minha família. Bocas se abrem. Mãos são levadas aos lábios. Minha avó, que está mais próxima de mim, lança um olhar atônito para nós dois. Sinos de negociação devem estar disparando como fogos de artifício na mente deles à visão do nome da família de Yizhi e de seu endereço na capital de Huaxia, Chang'an.

Na verdade, é possível que me proíbam de embarcar na nave flutuante.

Sem falar nem pensar, avanço. Abro caminho entre meus familiares e pego Yizhi pelo pulso, então o arrasto para dentro da casa escura. Ele abre a boca, surpreso. Quase tropeça no limiar da porta. Mas depois seus olhos encontram os meus e brilham com uma intensidade que é como uma bordoada em meu peito.

Arrasto-o para o quarto de meus avós. Até mesmo seus sapatos fazem um som diferente ao roçar o chão de concreto encardido.

— *Não entrem* — aviso à minha família antes de bater a porta, levantando um redemoinho de poeira.

Viro-me para Yizhi. Uma faixa de luz do sol que entra pela janela o fatia como uma lâmina etérea, deixando seus trajes de um branco lunar e sua pele, translúcida.

— Esta é a minha casa. Meu lar. — Minha voz quebra o silêncio. A imagem dele contra as paredes de madeira escurecidas é tão errada que talvez eu esteja sonhando. — Você não deveria nunca, jamais, aparecer aqui... Para começar, *como você me achou?*

— Os registros oficiais. — Ele engole em seco, e seus olhos de cílios grossos esmorecem. — Zetian, posso levá-la a Chang'an.

— *Não, não pode!* — interrompo, porque minha família com certeza está ouvindo atrás da porta. — Você está falando sem pensar. Seu pai nunca permitiria que se casasse comigo.

— Ele tem mais catorze filhos. Vai se acostumar à ideia.

— É mesmo? Será que ele não preferiria casar você com a neta de algum oficial de alto escalão? Duvido que ele tenha se tornado o homem mais rico de Huaxia perdendo oportunidades!

— Então vamos criar nossas próprias oportunidades. Vamos pensar nisso juntos. Desde que estejamos vivos, há esperança. — Yizhi ergue meus dedos para a luz da janela. Suas palavras estão trêmulas e caem como neve no inverno. — Mas, sem você, qualquer vida que eu construa vai ser insignificante.

A luz estremece em meus olhos. O rosto dele se torna turvo.

Sei ser magoada. Sei apanhar, sei ser insultada, sei ser posta de castigo, dobrada e jogada fora como lixo. Mas isso?

Não sei lidar com isso.

Não parece real.

Não pode ser real.

Não vou cair nessa.

— Me poupe. — Puxo minha mão para longe da dele. Lágrimas quentes queimam o canto dos meus olhos. Uma risada seca quebra minha voz. — Garota camponesa da fronteira se casa com filho da mais rica família de Huaxia? Será que você consegue ser um pouquinho realista? Não sou uma criança de quatro anos para você me enganar.

Os olhos de Yizhi parecem se umedecer.

— Zetian...

— Pare de fingir que sua família iria permitir que eu fosse qualquer outra coisa além de uma concubina. — Recuo um pouco, com passos instáveis. — Isso nunca vai funcionar. Vamos arranjar problemas quando eu me recusar a me ajoelhar diante do porco do seu pai. Quando eu me recusar a servir à esposa que inevitavelmente vão arranjar para você. Quando eu me recusar a lhe dar um filho... porque eu *nunca* vou permitir que a prole de alguém inche o meu corpo e me prenda para sempre, nem mesmo a sua. E você não vai poder impedir nada disso. Afinal, mal completou dezoito anos, e qualquer dinheiro e poder que você tem *é* graças ao seu pai. Agora, se você tivesse coragem, a gente poderia fugir, poderia passar a vida como humildes trabalhadores migrantes em alguma cidade pequena, mas, como eu não conseguiria fazer o que quero, *eu* seria infeliz. Ficaria sempre pensando sobre como teria sido melhor se eu tivesse *me voluntariado para morrer* em vez de fugir com você. É isso o que você deseja? É essa a vida que você quer, Gao Yizhi?

Minhas palavras dão lugar a um silêncio asfixiante.

Yizhi me olha como um lindo ser imortal que desceu flutuando da Corte Celestial só para descobrir o conceito de canibalismo.

De repente, o silêncio cessa.

Um estrondo reverbera além da janela. Ventos fortes atravessam as montanhas, farfalhando as árvores. No quintal, os porcos e as galinhas se agitam, guinchando e cacarejando no curral.

Aquela, sim, deve ser a nave.

Já ouvi esse barulho antes, no dia em que minha irmã foi levada. Na época, eu não sabia que era para ela, até que a nave flutuante pairou sobre a nossa casa, com o bólido de aço reluzindo como fogo branco. Um soldado com um coque no alto da cabeça e uniforme verde-oliva deixou cair uma escada de corda até o nosso quintal. Todo mundo guardara segredo de mim. Inclusive ela. Sabiam que não conseguiriam prever o que eu faria para evitar que a levassem se tivesse descoberto de antemão.

Naquela ocasião, não pude impedir ninguém.

Agora, ninguém pode me impedir.

— Zetian... — Yizhi se inclina para mim, sussurrando, com os olhos se arregalando. — Tem que haver outro jeito de matar Yang Guang. Minha família tem contatos no...

— Se houvesse qualquer coisa que você pudesse fazer, você já teria feito — sussurro por entre os dentes cerrados. — Não dá para atingir um piloto tão poderoso e tão popular, Yizhi. Simplesmente não é possível.

— E a família dele? — A voz de Yizhi se torna mais baixa, mais grave. Seus olhos se escurecem com um fervor ameaçador que só vi de relance algumas vezes. — Eles não são intocáveis. A gente só teria que...

— *Não!* — respondo, sôfrega. Yizhi deve estar mesmo desesperado. — A culpa não é deles. Qual seria o sentido?

— Então simplesmente deixe-o morrer em batalha. É raro até para os pilotos homens passar dos vinte e cinco anos.

— Você não entende. Precisa ser eu. Eu preciso fazer isso. Preciso vingar a Irmã Mais Velha com minhas próprias mãos.

— Por quê? — Suas sobrancelhas bonitas se unem. — O carma vai cuidar dele.

— O carma não existe — falo, pronunciando cada sílaba como se quisesse esmagá-la com os dentes. — Ou, se existe, com certeza não dá a *mínima* para pessoas como eu. Alguns de nós nasceram para serem usados e descartados. Não podemos nos dar ao luxo de simplesmente viver a vida, porque nada neste mundo foi criado, construído ou estabelecido a nosso favor. Se queremos algo, precisamos pressionar tudo à nossa volta e tomar à força.

Yizhi não tem nada a dizer, apenas olha para mim, com linhas exauridas escarvadas em volta dos olhos. Mechas de seu cabelo parcialmente preso caem à frente dos trajes impecáveis, balançando à medida que o vento mordaz se intensifica e entra pela janela.

— De qualquer forma, um dia vamos todos morrer — digo, em um tom mais suave. — Você não gostaria de, pelo menos, morrer realizando um sonho?

— O... — A boca de Yizhi se abre e se fecha. Seus lábios ficam pálidos. Não consigo parar de olhar para eles. — Meu maior sonho é estar com você. Sem precisarmos nos esconder. Sem sentirmos vergonha.

O lugar mais recôndito de meu coração parece dar um nó.

— Então você precisa mesmo sonhar mais alto, Yizhi.

O zunido da nave flutuante aumenta. Um som agudo percorre a casa, fazendo as paredes vibrarem.

— Nada de arrependimentos? — Yizhi se aproxima ainda mais. — Você realmente não vem comigo?

— Vou lutar a mesma luta, só que numa cidade, e *não* numa aldeia — murmuro, sem conseguir parar de encarar o movimento de seus lábios. Um novo tipo de tensão surge dentro de mim.
— Estou cansada. Só isso.
— Mas a gente poderia...
Agarro o rosto dele e elimino o espaço entre nós. Sua súplica se cala entre nossos lábios.

Uma calidez que nunca senti brota em meu corpo. Um calor se infiltra em meu sangue, e eu poderia jurar que ele se tornou fluorescente. No começo, os lábios de Yizhi estão tensos pela surpresa, mas depois se moldam ao formato dos meus. Sua mão se ergue, tremendo e acariciando meu pescoço como se tivesse receio de me tocar, de que nada disso seja verdade.

Quando me afasto, entrelaço os dedos na parte de trás de seu cabelo e encosto a testa na dele. Nossa respiração irrompe em lufadas quentes, circulando entre nosso rosto.

Talvez, se as coisas fossem diferentes, eu poderia me acostumar àquilo. Ser aninhada no calor e na luz dele. Ser acalentada. Ser amada.

Mas não tenho fé no amor. O amor não pode me salvar.

Escolho a vingança.

Retomando o autocontrole, me afasto totalmente e o empurro para trás.

— É isso que você estava querendo, não é? — digo, sem emoção, ignorando sua aparência desalinhada e a dor em seus olhos. — Você conseguiu. Agora deixe-me ir. Se você, de algum jeito, recuperar meu corpo, queime-o e espalhe as cinzas no córrego. Para que eu possa encontrar a Irmã Mais Velha, esteja onde estiver.

Linhas úmidas rompem a barreira de seus olhos, brilhando à luz do sol.

Não consigo mais olhar. Eu me viro e me dirijo à porta.

Mas, antes de chegar, faço uma pausa.

— Uma última coisa — digo, por cima do ombro, baixo demais para minha família entreouvir em meio ao ronco da aeronave. — Não pense que não percebi que você veio até minha casa e quase frustrou meus planos, apesar de saber como são importantes para mim. Se você me delatar para o Exército, seja como for, eu me mato assim que me prenderem e depois volto para assombrar você.

Escancaro a porta e o deixo para sempre.

CAPÍTULO QUATRO

PRONTA PARA SERVIR

Uma câmara pouco iluminada sob a Grande Muralha. Uma plataforma de metal atulhada de equipamento para testes. Uma tela de jogo colorida no teto, na qual preciso me concentrar enquanto sou lançada de um lado para o outro em uma mesa de inclinação.

Juro que estou prestes a vomitar em meus novos e etéreos trajes de concubina quando a mesa de inclinação finalmente sacoleja e para. Coloco uma mão sobre o estômago enquanto baixo o controle grudento. Meus sentidos ficam inertes. Dá para ver por que este teste deveria ter sido feito assim que chegamos, mas a máquina estava dando problema, então decidiram nos enfeitar primeiro.

— Seiscentos e vinte e quatro! — grita Tia Dou, uma servente sênior, anunciando o valor de minha pressão vital oficial, detrás do brilho espectral das telas. O número reverbera pelas paredes de metal.

Fico em choque, e outras cinco garotas, sentadas no banco da plataforma de testes, deixam escapar sussurros de surpresa.

Até então, a maioria dos valores de pressão vital ficou na casa dos dois dígitos, com uma exceção de cento e dezoito.

Quando eu tinha catorze anos, uma equipe móvel de testes foi à aldeia e testou todas as crianças, mas eu não imaginava que a estimativa aparentemente grandiosa que fizeram de minha pressão vital fosse precisa. Pressão vital é uma medida de poder mental, calcula o nível de força que uma pessoa pode usar para canalizar seu *qi*. Apenas cerca de três por cento das pessoas passam da marca de quinhentos, o mínimo requerido para ativar uma crisálida. Eu quase dou risada do absurdo.

Se eu fosse um garoto, estaria vivendo um sonho. Poderia combater aliens-mecha em minha própria máquina mutante de guerra, ser amado, elogiado e me tornar uma celebridade, sendo servido por uma torre de vigia cheia de concubinas.

Mas não sou um menino, e o valor de minha pressão vital significa apenas que eu sobreviveria algumas batalhas a mais do que a maioria das pilotos-concubinas.

E esse não é o meu objetivo.

Tia Dou cambaleia de uma tela para a outra, depois vem até mim. Seu cabelo está preso em um coque alto e bastante apertado. Sua sombra cresce na parede ao fundo à medida que ela se aproxima. As bainhas douradas e os nós que formam os botões de sua túnica verde-escura reluzem sob o holofote da tela do jogo.

— Parabéns, srta. Wu — diz ela enquanto remove os sensores com fios ligados à minha cabeça. — Você vai ficar à serviço do príncipe-coronel Yang como consorte pronta para voar.

Hum. Até mesmo a Irmã Mais Velha ficou na categoria Concubina; meu salário inicial vai ser quatro vezes maior. Minha família vai ficar extasiada.

Pelo menos por alguns dias. Rá.

— Lembre-se de que essa medição não é absoluta. — Tia Dou repete a mesma ladainha que falou para as outras. — As coisas podem ser diferentes quando você entrar numa crisálida, dependendo de quão bem você combinar com o príncipe-coronel Yang. Seu desempenho pode ser prejudicado devido a alguma inabilidade de se conectar com a mente dele. Ou você pode passar por uma metamorfose e se aproximar do valor dele. Meu conselho é que você tente entendê-lo, apoiá-lo e ajudá-lo, por mais difícil que seja a batalha. Se fizer sua parte, talvez até se torne a Princesa de Ferro dele.

Quase não consigo reprimir uma bufada. Mesmo diante de números concretos, ela está tentando fazer com que avancemos para a morte com sorrisos encantadores, acreditando que poderíamos ser uma exceção especial.

Largo o controle do jogo e tiro as pernas da mesa de inclinação revestida de couro craquelado. Meus novos sapatos bordados de seda estalam como alfinetes a cada passo instável ao descer os degraus de aço da plataforma. Sinto o calor deixar meu corpo, usurpado pelo ar frio. Calafrios percorrem minha pele, mais sensível após ter sido completamente depilada. De algum jeito, um gosto sanguinolento de ferrugem surge em minha língua.

As outras alistadas estão amontoadas, abraçando o próprio corpo, sentados em um banco longo encostado na parede. A aura pálida das luzes das telas ao longe as aterroriza. Sombras se refugiam no metal brilhante mais ao fundo, como predadores prontos a atacar.

A próxima garota a ser testada torce as mãos e se levanta. Passamos uma pela outra, com os *ruquns* deslizando em direções opostas, como um borrão em tons pastel de verde, amarelo e branco — as cores de Yang Guang. O traje largo é consideravelmente mais vívido e diáfano do que a vestimenta das tias, flutuando como aquarela sobre nossos corpos esfregados, depilados, examinados e perfumados. Com a gola decotada na altura do peito, o *ruqun* expõe mais pele do que já mostrei diante de outras pessoas. Uma grinalda de seda verde esfumaçada cinge nossos braços, caindo às costas.

Ondas de náusea me contorcem por dentro, mas aguento o desconforto. Não posso demonstrar qualquer sinal de não estar pronta para isto. Posso estar começando como uma consorte, mas Yang Guang poderia tranquilamente favorecer e promover outra garota. Se eu não atraí-lo, é provável que seja esquecida entre a horda de serventes de sua torre vigia.

Seria muito mais difícil ter uma oportunidade de trucidá-lo.

Vocês estão aqui para confortar e fazer companhia a um dos maiores heróis de nosso tempo. O discurso introdutório de Tia Dou fica se repetindo em minha mente desde quando formamos, trêmulas, uma fila à sua frente pela primeira vez. *Deste dia em diante, vocês existem para agradá-lo, para que ele possa estar no ápice da condição física e mental a fim de travar batalha com os hunduns que ameaçam nossas fronteiras. O bem-estar dele deve ser a prioridade de vocês. Vocês vão levar refeições quando ele estiver com fome, servir-lhe água quando estiver com sede e participar dos hobbies dele com muito entusiasmo. Quando ele falar, vocês vão prestar total atenção, sem interromper nem argumentar. Não vão ficar de mau humor nem ser pessimistas ou indiferentes, e — o mais importante — não vão reagir de modo negativo ao toque dele.*

Sento-me no maior espaço que encontro entre as outras garotas. O aço frio queima a parte de trás de minhas coxas. Cruzo as pernas com força, tentando acalmar meus batimentos. Minha mente se perde numa tempestade de pensamentos — me pergunto se Yang Guang reconhecerá os traços de minha irmã em meu rosto, sobre se ele realmente me escolheria para servi-lo, sobre se a lâmina em meu grampo é afiada o suficiente para cortar sua jugular.

Todas ficam em silêncio. Não falamos muito desde que as tias aplicaram os testes de virgindade horas atrás. Uma garota não passou. Ela jurou, aos gritos, que nunca fez nada com um menino — o que me fez duvidar da acurácia do sistema de testagem —, mas foi oficialmente desqualificada e impedida de se tornar uma piloto-concubina, então levaram-na embora. Para onde, não sei. Espero que não tenha sido de volta para a casa dela. A família provavelmente a afogaria no chiqueiro.

Estremeço ao imaginar o que poderia acontecer se de algum jeito eu também tivesse sido reprovada pelo crivo arbitrário deles. Não consigo esquecer a minha família metralhando perguntas sobre Yizhi enquanto eu abria caminho aos empurrões para chegar à escada de cordas da nave que pairava sobre nosso quintal.

"Nunca passei do limite com ele." Foi a única coisa que respondi, com as bochechas pegando fogo.

Não sei como Yizhi lidou com minha família depois que a nave me levou embora. Mas não importa, já que eles não podem mais me alcançar.

Sinto uma dor física por saber que, três meses atrás, a Irmã Mais Velha também passou por tudo isso. Por tudo isso. Um dia inteiro de banhos, depilação, penteado, maquiagem, leitura de regras e sessão de fotos para divulgação em novos canais.

Yizhi vai ver essas fotos. Vai ver os comentários, falando apenas sobre minha aparência e julgando se sou digna ou não de estar com Yang Guang.

Espero que fique enojado o suficiente para me esquecer.

Os guinchos e estrondos terríveis da mesa de inclinação ressoam pela câmara novamente. Banhadas por uma luz azulada emitida por vários equipamentos, eu e as outras voluntárias observamos a garota ser lançada de um lado para o outro enquanto tenta controlar uma borboleta na tela instalada no teto. Ela tem dez minutos para avançar o máximo possível em um túnel de obstáculos. As cores do jogo flutuam em todas as paredes de metal. Não entendo por que acham que essa é a melhor maneira de testar nossa pressão vital. Talvez tenha algo a ver com o esforço que precisamos investir em nos concentrar enquanto somos arremessadas.

Mantenho uma das mãos sobre o estômago. A ansiedade se agita dentro de mim como o rabo de um cachorro. Não sei se quero que o tempo passe mais rápido ou mais devagar. A ideia de estar pronta e enfileirada diante de Yang Guang me faz querer deixar de existir neste exato momento, mas os preparativos levaram bastante tempo. Agora já deve ser bem tarde. Yang Guang fica acordado à noite — a maioria dos ataques dos hunduns acontece à noite.

Sem pensar, coloco a mão em meu penteado, que é uma maravilha da engenharia — consiste em duas voltas oleadas no topo da minha cabeça, como orelhas de raposas, cujo volume se deve aos apliques de cabelo presos por baixo do meu. Lírios brancos como cristal fazem o papel de "pelos" no meio das orelhas, e grampos prateados com pingentes brilhantes fixam tudo no lugar. Passo um dedo no grampo que trouxe de casa, a única coisa opaca na panaceia brilhante.

— Você tem certeza de que esse grampo combina com nosso novo estilo? — sussurra a garota ao meu lado de repente.

Um arrepio me perpassa como se eu tivesse sido jogada em um lago congelado.

Será que ela percebeu alguma coisa? Será que a parte da lâmina ficou para fora?

Acaricio a parte onde a lâmina poderia ter aparecido. Continua escondida. Graças aos céus.

— É uma lembrança da minha mãe.

Lanço a mentirinha deslavada que funcionou com as tias. Minha mão cai lenta e casualmente, embora meus dedos tenham ficado tão frios quanto o banco em que estamos sentadas.

— É, mas você não acha que está meio deslocado? — pergunta ela, com a mão no queixo.

O pó branco que cobre nossas imperfeições mancha sua palma. Nossos lábios foram pintados e envernizados como frutas vermelhas e frescas, e nossos olhos receberam linhas felinas e sombras cor de pêssego.

— Onde eu iria guardá-lo? — Franzo o cenho, provavelmente estragando o lótus escarlate pintado entre as sobrancelhas. — Este vestido não tem bolso.

— Você poderia deixá-lo com a Tia Dou. Tenho certeza de que é muito importante para você, mas não parece valioso o suficiente para ser roubado.

Lembro o nome da garota — Xiao Shufei. Ela é a que tem cento e dezoito de pressão vital.

— É melhor aqui — sibilo, apesar de saber que não deveria me arriscar a criar problemas. Ela precisa parar de tocar no assunto. — Por que você se importa?

— Ei, só estou tentando ajudar. — Ela se empertiga, e o rosto embelezado se transforma em uma carranca.

— E quem pediu a sua ajuda? Cuide da própria vida.

Ela fica boquiaberta.

— Você se acha melhor do que a gente ou algo assim? Acha que temos inveja de você?

As outras garotas ficam espantadas com a situação, e três pares de olhos pintados brilham de medo, iluminados pela luz das máquinas.

— Bem, *agora* acho que têm. Senão, por que você falaria isso? — Semicerro os olhos. — Do que você tem inveja? Da minha pressão vital?

— Ah, por favor. Ninguém precisa de uma pressão *tão grande* para ser uma boa concubina. — Ela me lança um olhar malicioso de cima a baixo, avaliando meu corpo, que, graças aos lanchinhos trazidos por Yizhi, nunca afinava muito, apesar das tentativas de minha família de me matar de fome.

Uma garota leva a mão à boca, em choque.

Mas não ligo. Dou risada. É triste, simplesmente.

— Você acha que seiscentos e vinte e quatro é alto? — Minha boca se repuxa num sorriso severo. — Você sabe que a pressão vital de Yang Guang é *seis mil*, certo? Eu não sou nada. Todas nós não somos nada.

Xiao Shufei se mexe, desconfortável. Seus dedos apertam a roupa.

— Não chame nosso senhor pelo nome.

O termo me atinge como um soco no estômago. Cerro os lábios, e meus olhos soltam faíscas, transbordando de fúria. Centenas de palavras sobem pela minha garganta, mas as reprimo. Não posso me dar ao luxo de insultá-lo em voz alta.

Olho de esguelha para Tia Dou, que ainda está concentrada na aplicação do teste, mas vamos acabar chamando sua atenção desse jeito. Soltando uma lufada de ar tenso pelo nariz, dou as costas para Xiao Shufei.

O que só eleva sua audácia.

— Não acredito nessa sua atitude — diz ela, ainda mais alto. — Estamos aqui para servir a um piloto categoria Príncipe. Você realmente vai se limpar toda e deixar esse grampo feio no cabelo? Não poderia disfarçar um pouco sua origem de lixo camponês?

— Todo mundo aqui é lixo camponês! — sussurro, olhando de volta para ela. — Incluindo ele! Gente rica não deixa os filhos se alistarem! O título de nobreza, os trajes bonitos, as joias extravagantes... são só distrações reluzentes para fazer com que a gente se sinta melhor pelo fato de que vamos morrer jovens. E vamos mesmo! Talvez seja justamente por isso que você está tentando me irritar, mas deixa eu te falar uma coisa: o que você deveria estar fazendo de verdade é aproveitando o pouco tempo que lhe resta. Vamos, sinta-se tão classuda e digna quanto quiser. — Agito meus dedos junto aos enfeites de pingente no cabelo dela. — Porque o único motivo para lhe darem tudo isso é porque você não vai usá-los por muito tempo!

Um silêncio gélido recai sobre nós. Uma feição de choro faz um vinco na testa e na boca de Xiao Shufei. Por um segundo, a culpa me assola.

Então ela arranca o grampo de meu cabelo.

O choque quase me derruba. Desvio os olhos, em pânico. Mal tenho coragem de olhar para trás. Mas o grampo, milagrosamente, continuou inteiro. O que me tranquiliza um pouco, mas não impede que todo o fluxo de calor e de adrenalina em meu sangue vire gelo e se quebre.

Levanto o queixo. Olho por cima do nariz para essa garotinha idiota, que fita o grampo em sua mão como se estivesse surpresa com o próprio ato. Ela se afasta, fugindo de meu olhar.

Golpeio o banco, que emite um estrondo.

— Eu devolveria o grampo se fosse você. — Uma voz risonha de homem ecoa da porta. — Ela *não* parece o tipo de garota com quem você deva arranjar problemas.

Nossa cabeça se vira ao mesmo tempo, mas o terror toma conta de mim antes que eu o veja parado ali, com os braços cruzados, encostado na parede.

Aquela voz causa um impacto em mim. Foi gravada a fogo em minha mente pelas entrevistas e pelos vídeos a que minha família assistia inúmeras vezes, admirada, antes de forçar a Irmã Mais Velha a se voluntariar para ele.

E aqui está ele.

O rapaz que devo matar.

CAPÍTULO CINCO

ERRO FATAL

— Senhor. — Todas nós nos levantamos e fazemos a reverência que nos ensinaram.

Até eu faço. Falo. Digo a palavra, embora fira minha boca como uma brasa crepitante, porque ela me deixa um passo mais perto de lavar as mãos com o sangue dele.

— Ah, não é necessário… De verdade, continuem.

Yang Guang acena com a mão enluvada para Tia Dou, que, atrás das telas, se levanta. Ele está com sua armadura vital, uma fração tirada de sua crisálida que ele consegue controlar sem uma copiloto. A quantidade que está usando é impressionante. A maioria dos pilotos só consegue comandar sozinha uma quantidade de metal primordial suficiente para cobrir as partes desejadas com uma malha permeável. Seu traje inteiro e sólido, constituído de peças ásperas, cintila toda uma gama de tons de verde, como se esculpido a partir de pedras. Uma coroa feita do mesmo metal primordial — áspera como se fosse forrada de pelos e conspícua como as orelhas de uma raposa — reluz em volta de sua cabeça.

Até duzentos e vinte e um anos atrás, antes da unificação dos vários povos das Planícies Centrais sob o nome de Huaxia, os pilotos eram reis guerreiros. Lideravam e defendiam os povoados permanentes, que haviam se multiplicado depois que o Soberano Amarelo e sua esposa, Leizu, inventaram as crisálidas, há cerca de sete séculos — ou pelo menos é o que dizem. Yizhi me explicou que os historiadores questionam se eles realmente existiram. Hoje em dia, tudo o que há de nobreza e realeza nos pilotos é resquício da tradição.

À minha frente, Xiao Shufei treme tanto que seus pingentes prateados tilintam emitindo o som de uma garoa batendo contra um vidro. Ela aperta meu grampo de cabelo com as mãos. Dou um grito por dentro. Por instinto, sou tomada pela necessidade de pegá-lo de volta, mas não posso arriscar. Um puxão errado, um faiscar da lâmina interna enquanto Yang Guang está *ali*, e é o meu fim.

— S... senhor — gagueja Xiao Shufei. — Nós... não estávamos esperando por você tão cedo.

Ele cai numa gargalhada, límpida e alegre, que inunda a câmara como a água de uma nascente em um balde de lata. Com um empurrão, se descola da parede e desce da plataforma à frente da porta.

Sua armadura vital faz um ruído, e a longa capa de pelos de raposa atada às ombreiras sussurra nas escadas de metal. No centro vazio da coroa verde, um enfeite alto de bronze adorna o coque impecável. Se ele fosse um garoto comum, não seria permitido que amarrasse todo o cabelo antes dos vinte anos, mas as tradições e os rituais de maioridade não se aplicam aos pilotos. Todos arrumam o cabelo como homens adultos. Embora tenha apenas dezenove anos, Yang Guang já está na categoria Coronel, o que significa que serviu mais de cinco anos. Mas, de qualquer forma, o Exército só deve fazer uma grande comemoração quando ele fizer...

Não... No que estou pensando? Ele não vai fazer vinte anos, *nunca*.

— Quem pode me culpar? — Covinhas surgem em suas bochechas enquanto ele se aproxima. — Simplesmente não aguentei esperar para ver as novas e adoráveis moças que vão fazer parte da minha torre de vigia. Mas espero que vocês não estejam se aproveitando desta última oportunidade para criar problemas.

— Não! — exclama Xiao Shufei. — A gente estava só... só...

— Só vamos ter problemas se esse grampo não voltar para a minha mão em três segundos. — Estendo a palma. É tarde demais para encenar qualquer uma das personalidades falsas que estive forjando em minha cabeça.

Xiao Shufei praticamente esmaga o grampo em minha mão. Está grudento com o suor dela. Eca.

— Obrigada. — Eu o coloco novamente, atravessado em meu penteado de orelhas de raposa, esforçando-me para parecer mais calma do que realmente estou.

Yang Guang se aproxima. Chega perto o bastante para que eu o estrangule.

Fico realmente impressionada com sua aparência juvenil. Mandíbulas estreitas, sorriso travesso, olhos irrequietos. Meu coração trepida quando vejo os dois aros em sua coroa — um lembrete constante de que todo piloto aguarda seu Par Verdadeiro. As outras garotas também parecem transfixadas, e sei que estamos todas pensando na mesma coisa: Yang Guang metamorfoseando um dos aros em uma segunda coroa e colocando-a sobre nossa cabeça em uma luxuosa Coroação de Par. Uma de minhas lembranças mais vívidas é a de quase desfalecer com as meninas da aldeia enquanto nos amontoávamos em volta da grande tela em que temporariamente éramos autorizadas a assistir a uma dessas transmissões.

Mas isso foi quando eu não sabia de nada.

Afasto essa fantasia.

— Então... — Yang Guang me olha direto nos olhos. — Você costuma aterrorizar as pessoas, minha bela?

— Só se elas me encherem o saco — respondo de modo casual, embora meu coração acelere, reverberando por todo o corpo.

— Esta é a consorte Wu! — Tia Dou cambaleia para perto, sorridente, apesar de a mesa de inclinação ainda estar guinchando e baqueando a coitada da garota na plataforma.

Sinto o estômago revirar quando a atenção se volta para meu nome de família, apesar de Wu ser bastante comum nas províncias de Sui e Tang. Não sei dizer se Yang Guang se lembrou de minha irmã. Mesmo se lembrasse, não tocaria no assunto. Ninguém fala sobre concubinas mortas. Estou contando com o fato de ele nem sequer considerar a possibilidade de uma garota condenar três gerações da própria família para matá-lo.

— Consorte? — Ele lança um olhar confuso em minha direção. Suas íris se acendem, ficando da cor amarelo neon.

Vacilo, embora saiba que é só um sinal de que seu *qi* está sendo canalizado pelo metal primordial da armadura. Ter passado a vida vendo pilotos apenas em telas fez com que eles parecessem seres fantásticos que não são exatamente reais, mas isto... isto com certeza não é algo gerado por computador.

— Ah, estou sentindo agora! — Ele assente, com os olhos ondulando uma luz dourada na penumbra. — É uma baita pressão vital. *Hum.* — Seu olhar luminoso desliza sobre mim como mel quente. — Você é mesmo interessante.

Experiente, Tia Dou encara um e depois o outro, alternando.

— Então, jovem mestre, veio aqui escolher a companhia para o próximo turno?

— Acho que já encontrei. — Ele estende a mão coberta pela armadura para mim, e os elos dourados de suas íris brilham mais forte.

Eu me esforço para controlar os dedos trêmulos enquanto os posiciono na mão dele, com a pele nua sobre metal quente. Minhas entranhas se contorcem como se eu estivesse na mesa de inclinação outra vez.

Estou tocando-o. Tocando a mão que deu fim à vida da Irmã Mais Velha.

Cheguei pensando apenas no brilho das lâminas e em assassinato, no entanto, ele está sorrindo para mim como se eu fosse mais um brinquedinho, pronto para agradá-lo.

Esboço um sorriso. A cabeça de Xiao Shufei está abaixada numa reverência, e mesmo assim vislumbro sua expressão confusa e furiosa, e sinto uma fisgada de compadecimento.

Ele não vale a pena, quero dizer a ela. *Vou mostrar para você.*

Mas meu sorrisinho desaparece assim que a pressão da mão de Yang Guang envolve meus dedos.

Não tenho nenhuma chance de subjugar sua força enquanto ele estiver acordado. Precisarei esperar até que durma.

Antes de cortar sua garganta, vou ter que agir como seu brinquedinho.

Nas fotos aéreas promocionais que vi da fronteira Sui-Tang, as torres de vigia são construídas do lado de fora da Grande Muralha, na base das últimas montanhas antes das planícies indômitas dos hunduns. Uma crisálida descansa agachada à frente de cada torre. Em serviço, os pilotos moram em lofts na forma de pires no topo da torre de vigia que lhes foi designada, que se sobressaem como penhascos arredondados acima das crisálidas.

Yang Guang me leva ao seu loft pelo elevador, uma coisa com que, felizmente, não precisarei me acostumar. É tipo uma cesta de metal rangente içada por espíritos malévolos. Ele me carrega no colo, com as mãos protegidas por manoplas pressionando meus trajes diáfanos contra meus ombros e coxas — seus braços parecem ganchos de ferro em volta de mim. Por causa da regra que proíbe uma reação negativa ao seu toque, não pude contrariá-lo quando ele me ergueu. Quando o elevador finalmente para emitindo um tinido, me dou conta de que estive me agarrando a ele com força demais — meu antebraço está cravado nos pelos laranja-amarronzados de sua capa. Minha respiração acelerada vai direto ao encontro da bela curva de sua mandíbula. Diminuo a força do aperto, com as bochechas se aquecendo dolorosamente.

Está tudo bem, digo a mim mesma enquanto engulo o calor da vergonha. Dá um toque especial à minha atuação, e qualquer coisa que contribua para meu plano não é um movimento equivocado.

A luz prateada das estrelas inunda o loft circular e se derrama sobre os móveis. A lua nova do mês ainda não reencarnou no céu, então as estrelas tremeluzem como um mar de chamas crepitantes além das janelas que vão do chão ao teto. Lá embaixo, a paisagem árida dos hunduns se estende até o esboço negro de montanhas no horizonte. Quando penso que estou além da proteção da Grande Muralha, um arrepio me percorre. Mas se eu fosse à janela e olhasse para baixo, poderia ver, com meus próprios olhos, a Raposa de Nove Caudas — o símbolo da resistência humana — e talvez outras crisálidas. Uma espécie de euforia transborda em meu peito.

Então a culpa a atravessa.

Não. Não posso pensar na guerra. Não posso ligar para isso. Não quando estou aqui para matar um dos defensores mais fortes de Huaxia.

Yang Guang tira brevemente a mão de meu ombro para acionar um interruptor de metal. Um anel de lanternas pintadas se acende em volta do teto, banindo as estrelas e mergulhando a paisagem do lado de fora na escuridão.

Não consigo evitar olhar ao redor enquanto ele me carrega pelas esteiras de junco que cobrem o chão. Nunca estive em um lugar tão limpo, de bom gosto e imaculado. Há um sofá de madeira vermelha esculpida e uma tela enorme de frente para as janelas. No centro do espaço aberto, há uma mesa de jantar com discos de jade pendendo acima dela. Um altar para Chiyou, o deus da guerra, se ergue contra a parede curva de aço escovado, com um incenso em uma tigela de oferendas. Cortinas de seda pendem de um trilho curvo...

Eu me forço a parar de olhar, com a pele pulsando, quente e fria.

A cama deve estar atrás das cortinas.

Meus cílios se agitam como se eu estivesse bêbada, e pego Yang Guang olhando para mim. A luz fluorescente das lanternas forma um arco sobre o enfeite cor de bronze em sua cabeça e dança na coroa e na armadura verde-oliva enquanto ele caminha. Ele abre aquele sorriso de covinhas, então me coloca nas almofadas do sofá.

Parte de mim ainda está estalando como madeira seca colocada no fogo, na esperança de sobreviver, enquanto tento pensar em como fugir depois de cravar uma lâmina no pescoço dele. Mas é só um instinto irracional. Qual seria a saída?

Olhe pelo lado bom, digo a mim mesma. *Depois disso, posso morrer. Finalmente.*

Estar viva foi doloroso, exaustivo e decepcionante.

Escuto um farfalhar enquanto Yang Guang desafivela a capa de pele. Ele a estende sobre o encosto do sofá esculpido e se senta ao meu lado. Seu peso, com a armadura, esmaga a almofada quase completamente, fazendo-a se curvar abaixo de mim.

— Quer dizer que você é bem desconfiada sobre esse negócio de pilotagem, não é? — começa ele.

— E se eu for? — Consigo retrucar de primeira, sem gaguejar.

— Bem... — Um brilho dourado surge novamente em seus olhos.

Uma pequena rede de luz amarela se fragmenta por sua couraça peitoral. Com um som baixo de arranhão, espirais de metal primordial se desprendem da armadura, formando uma flor.

Meu queixo cai.

— Entendo o que quer dizer, mas isso pode ser meio mágico, não acha? — Ele colhe a flor em botão, que continua conectada à armadura, sob seu controle por um fio finíssimo, depois a oferece a mim, com um sorrisinho quase constrangido.

Deixo escapar uma risada enquanto pego a flor, mas faço uma nota mental para lembrar que aquilo não é mágica. É só o *qi* dele sendo bombeado para a armadura por meio de agulhas finíssimas como fios de cabelo que estão cravadas em sua espinha dorsal, estimulando o metal primordial.

Como tudo no mundo, *qi* e metal primordial — que não passa da forma pura, cristalizada, do *qi* — são governados por cinco subdivisões de yin e yang: Madeira, Fogo, Terra, Metal e Água. Do mais yang para o mais yin, nessa ordem. São mais metafóricos do que literais, e interagem entre si formando inúmeras combinações. A Raposa de Nove Caudas foi confeccionada a partir de uma casca de hundun de tipo Madeira, o que não significa que se assemelhe nem de longe à lenha, apenas que é muito condutora e dinâmica, da mesma forma que as árvores crescem sem parar e por toda parte. Quando Yang Guang influencia sua armadura com o *qi* dourado dominante em seu corpo, o tipo Terra — a força vital que fornece estabilidade e equilíbrio —, é óbvio que ele consegue facilmente forjar coisas. Não tem nada impressionante nisso.

Mas, mesmo tentando usar a lógica para me conter, é difícil ficar tranquila estando tão próxima dele. Todas as minhas células se agitam não só com alarme, mas com algo mais. Procuro freneticamente algo para dispersar a tensão estranha que está crescendo à nossa volta. Um monte de pôsteres eletrônicos bem coloridos em uma das extremidades das janelas chama a minha atenção. No maior, uma silhueta está de pé no topo de um dragão dourado e sinuoso, erguendo um dedo em direção aos céus.

É Qin Zheng, o único piloto categoria Imperador que existiu fora das lendas. Ele tinha uma pressão vital simplesmente intestável dois séculos atrás. Sua autoridade e seu poder asseguraram a unificação de Huaxia. No entanto, sua morte repentina devido à varíola das flores, uma praga da época, criou um vácuo de poder entre humanos e hunduns que levou à queda da província de Zhou. Isso foi o bastante para finalmente convencer as pessoas de que ter pilotos como governantes era uma ideia ruim e ultrapassada. É por esse motivo que, nos dias de hoje, os pilotos não passam de soldados-celebridades com títulos pomposos.

— Então, você acha mesmo possível que o imperador-general Qin tenha congelado a si mesmo no Dragão Amarelo para esperar uma cura para a doença dele? — pergunto, para mudar de assunto, tocando a flor de metal primordial da couraça peitoral de Yang Guang. Aos poucos, a flor se recolhe com uma ondulação de luz amarela, como se nunca tivesse existido.

Yang Guang fica sério.

— Bem, dizem que o *qi* tipo Água do imperador era tão frio que ele poderia congelar manadas inteiras de hunduns em um segundo, sem nem sequer tocá-los, então essa possibilidade realmente existe. O problema seria manter um fornecimento infinito de *qi*. Mas o Monte Zhurong existe, não é mesmo? Sabe, o vulcão nas montanhas Kunlun? Ouvi estrategistas teorizando que o Dragão Amarelo seria forte o suficiente para ser mergulhado no magma lá dentro sem derreter. Seria como mergulhar direto no *qi* do planeta. — Yang Guang traça no ar o corpo sinuoso do dragão, igual ao do pôster.

— Então ele poderia mesmo estar na fronteira com Zhou apenas esperando alguém acordá-lo? Será que os estrategistas conseguiram confirmar?

— Não. Nada consegue voar tão longe com hunduns por toda parte. Mas eu juro — ele se inclina para perto de mim, com a expressão ficando mais sombria —, não vai demorar até retomarmos a província.

— Quer dizer que um contra-ataque finalmente está acontecendo? — Trato de piscar, controlando a respiração para conter os batimentos cardíacos acelerados por causa da proximidade com Yang Guang.

— Espero que sim. A balança de forças está pendendo a nosso favor. Desde que... Bem, desde que Li Shimin apareceu.

— Ah... — digo baixinho, de forma vaga.

— Eu sei. — Yang Guang estala a língua. — Ninguém está feliz com o fato de uma pessoa que assassinou a família ser o mais forte de nós. Mas há coisas mais importantes do que as questões individuais. — Seu olhar volta para o pôster com a imagem de Qin Zheng. — Ainda há alguns dos nossos em Zhou, escondidos como rongdi, esperando que nós os resgatemos. Com nossa força atual, nunca estivemos tão perto de conseguir libertá-los.

Sinto uma onda de enjoo, que se insinua sob meu rosto.

Levanto-me, incapaz de continuar sentada e parada. Cambaleio em direção ao pôster de Qin Zheng sob o pretexto de prestar-lhe mais uma reverência.

Uma pilha de coisinhas na escrivaninha mais próxima capta meu olhar. São peças de uma crisálida montada pela metade, feita de madeira, vidro e metal — um kit de modelagem de última geração vendido pela divisão de jogos da empresa do pai de Yizhi. Ao lado da escrivaninha, há um armário de vidro cheio dessas figuras, só que finalizadas.

Entro em pânico. Não consigo olhar para elas. Fico imaginando Yang Guang comprando os kits e montando as pecinhas com uma empolgação infantil, o que torna tudo *muito mais confuso*.

Pensei ter certeza do tipo de pessoa que ele é. Pelo jeito como Yizhi congelou quando falei que minha irmã havia sido levada para as reservas da torre de vigia de Yang Guang. Pelo olho roxo dela durante a única videochamada que fez com minha família, um machucado que supostamente tinha ganhado ao "bater em um drone". Pelo modo como morreu, sem que tenhamos sido avisados sobre nenhuma doença.

Mas, durante todo esse tempo, Yang Guang não mostrou nenhum sinal de ser um monstro que assassinaria uma concubina fora de batalha.

Será que cometi um erro?

Supus algo errado?

Se supus algo errado, estaria condenando não apenas a mim e a minha família em vão, mas também a esperança de retomarmos a província de Zhou.

Ouvi coisas ruins sobre ele. As palavras sussurradas por Yizhi afloram em minha mente. Mas, ao contrário das outras vezes, uma segunda parte ecoa. *Se bem que ele recusou vários contratos de mídia com a empresa do meu pai, então pode ser que eu tenha ouvido opiniões um pouco suspeitas.*

Eu juro, Tian-Tian, realmente bati em um drone. A voz da Irmã Mais Velha confunde ainda mais meus pensamentos.

Tudo está indo rápido demais. Cambaleio sem rumo, tão perturbada que me esqueço de evitar meu reflexo na janela.

O que me faz parar, atônita.

É a primeira vez que me olho desde que Yizhi fez minhas sobrancelhas, dois dias atrás.

Vejo um rosto oval e pálido, retocado de forma impecável com pó, olhos úmidos parecendo ter duas vezes o tamanho habitual graças ao delineador preto e à sombra cor de pêssego, um nariz pequeno de traçado fino e reto e lábios pintados como pétalas de rosa laqueadas... Estou tão bonita quanto todo mundo disse que ficaria se me conformasse ao padrão vigente.

Estou tão bonita quanto a Irmã Mais Velha.

Yang Guang se aproxima pelas minhas costas, com um sorriso gentil. Nossa aparência é de quem também poderia estar em um pôster. O charmoso Príncipe de Ferro e sua adorável concubina.

Exceto pelo grampo de madeira em meu penteado serpenteante de orelha de raposa.

Toco o grampo esculpido com que a Irmã Mais Velha me presentou anos atrás e que depois eu secretamente modifiquei, transformando-o em uma arma. Detesto admitir, mas Xiao Shufei tinha razão. Parece mesmo muito deslocado.

— Me diga, qual a história por trás disso? — Yang Guang coloca os dedos sobre os meus, tocando também o grampo.

Caio em mim. Felizmente, minhas vestes largas escondem os sinais de pânico.

Tenha foco, ordeno a mim mesma. Ele *deve mesmo* ter matado a Irmã Mais Velha... Quem mais poderia ter se safado de uma coisa assim?

— É sobre isso mesmo que você quer passar a noite conversando? Grampos de cabelo? — Levo a mão ao seu rosto, tocando a bochecha enquanto encaro nossos reflexos na janela.

Não consigo acreditar em como soo sedutora. Não consigo acreditar em como meu olhar parece atraente.

Ele abre a boca, surpreso, depois se inclina para mim, quase acariciando minha orelha.

— Você vai direto ao ponto. Gosto disso.

Seu hálito quente no lóbulo de minha orelha dispara algo visceral em meu corpo. Os músculos se retesam, como se estivessem sendo puxados por uma corda. A respiração fica mais curta e mais rápida. O sangue corre para lugares inacreditáveis, e preciso reprimir minha própria surpresa.

— Gosta mesmo? — digo, baixinho.

A atenção dele se volta para nosso reflexo.

— Você tem algo de especial. Você enxerga além, mais do que a maioria das garotas. A maioria é tão tímida, tão esquiva sobre as coisas que passam pela cabeça delas. Você, não. Você admite tudo abertamente.

— Você não faz ideia. — Acaricio seus lábios, embora o que eu realmente queira tocar é a coroa.

Detesto o fato de ter me transformado no que as pessoas pensam que uma garota deveria ser: pronta para agradar, pronta para servir.

No entanto, adoro o poder que isso me traz. Um poder que reside em ser subestimada, em usar as suposições como disfarces.

Ele pega minha mão e beija a ponta de meus dedos. Com um suspiro longo e premeditado, me viro em seus braços e encaixo seu rosto entre as mãos, como fiz com Yizhi pela manhã.

Sinto uma dor no peito ao pensar que isto não está acontecendo com *ele*, mas meu corpo é meu, e só meu. Escolhi usá-lo para assassinato e vingança. E vou conseguir, custe o que custar.

Conduzo Yang Guang para o segundo beijo de minha vida. Um menos delicado, menos tímido. Menos casto.

Quando a lâmina quente que é sua língua abre meus lábios, não consigo evitar o nervosismo. Sua boca se movimenta de um jeito mais agressivo do que antes, confundindo meus pensamentos. Suas mãos, ainda protegidas pela armadura, descem pelas minhas costas, e eu sinto cada vinco de meus trajes contra a pele. Minha cabeça pende enquanto ele me pega no colo de novo. Seus passos rangem nas esteiras de junco em direção às cortinas de seda que contornam a cama.

Então é isso. Está acontecendo. A coisa que minha família sempre mencionou como sendo o pior dos crimes. A entrega do que supostamente é "o bem mais precioso" que eu poderia dar a um garoto.

Pelo menos vou descobrir o que essa coisa tem de tão especial antes de matar a nós dois.

Só sinto calor quando Yang Guang me coloca na cama. O leito fica dentro de uma estrutura de madeira esculpida de forma elaborada, que parece um armário muito fundo sem as portas da frente. Os pingentes em meus cabelos tilintam nos lençóis frios de seda. Ele sobe logo depois, com um joelho de cada lado de meu corpo, chanfrando o colchão. Seu perfume metalizado me desconcentra. Fico hiperconsciente de que ele ainda está usando a armadura vital. Pergunto-me como um piloto faz para tirá-la. Ele precisa usar as mãos ou as peças saem deslizando, como uma verdadeira crisálida, a um comando mental?

Yang Guang deixa uma trilha de beijos no meu pescoço. Num reflexo, jogo a cabeça para trás. Um formigamento percorre meu corpo como eletricidade, acionando sensações que eu não sabia que podia experimentar, ameaçando me desfazer. Reprimo um gemido. Não quero perder o controle.

Mas se quero que ele baixe a guarda à noite, vou precisar fazer isso.

Imagino que é Yizhi me tocando, me beijando, e ouso relaxar um pouco, mesmo enquanto meu coração golpeia minhas costelas como se estivesse tentando escapar de uma jaula em chamas. Olho vagamente para a luz da lanterna que brilha através das vinhas esculpidas na estrutura da cama. Eu poderia entrar em ebulição e virar vapor.

Então Yang Guang recua, acaricia meu queixo com o nó dos dedos e olha em meus olhos.

— Tem certeza, garota curiosa? — sussurra.

Saio do transe.

Abandono minha determinação, minha certeza.

Minha boca se mexe, mas nenhum som sai.

Foi você mesmo que matou minha irmã?, é a pergunta que não posso fazer, mas para a qual preciso encontrar a resposta desesperadamente.

Estudo seus olhos. Precisam deixar de ser tão sinceros. Tenho que me decidir. Tenho que...

Um alarme estridente rompe meu fluxo de pensamento. Luzes vermelhas se acendem no teto.

Yang Guang xinga, endireitando-se.

— *Hunduns.*

CAPÍTULO SEIS

VAMOS DANÇAR

Não. *Não.* Este trecho da Muralha já foi atacado dois dias atrás. Isto não era para estar acontecendo.

Por que está acontecendo?

Yang Guang verifica alguma coisa em uma pulseira, cuja pequena tela ilumina seu rosto, então faz eu me sentar na cama.

— Está tudo bem. — Ele massageia meus ombros enquanto o encaro, incrédula. — Vai ficar tudo bem. Acredite em mim. Acredite em *nós*.

Nós.

Quando chamado à batalha, um piloto deve levar a concubina que estiver mais perto.

Grito, tropeçando para fora da cama.

— Não! Calma!

Ele me puxa de volta.

A dor irradia pela lateral de meu corpo quando bato na guarda da cama. Mas não paro de gritar. Não paro de chutar, bater e morder.

Com um suspiro profundo, ele me joga de cara no colchão e coloca o joelho em minha coluna. Sob seu peso, meus gritos se transformam em um crocitar.

— Me desculpe por isto. — Ele amarra meus braços agitados com a guirlanda do vestido.

Arquejo e engasgo, com a bochecha roçando nos lençóis cada vez mais molhados de lágrimas, que desmancham a maquiagem.

Uma gaveta se abre. Ouço um farfalhar. Algo é rasgado.

A mão dele ressurge e tapa minha boca com um pedaço grande de fita adesiva. Tento gritar, de todas as formas, mas não consigo emitir qualquer som.

Enquanto ainda estou em choque, ele me joga por cima do ombro. Puxo o ar apenas pelo nariz, desesperada. Minhas pernas pendem inúteis contra sua armadura. Enfeites de cabelo caem nas esteiras de junco. Meus olhos estão embaçados demais para ver se meu grampo assassino caiu também. Lágrimas escorrem por minhas bochechas, queimando, e encharcam a borda da fita adesiva. Ele atravessa as cortinas em direção a uma barra vertical atrás do sofá, enquanto me debato, presa. Agarra a barra de metal e depois chuta uma peça metálica circular que há em sua base, abrindo-a. Um vento forte traz o almíscar das planícies. Abaixo, uma luz amarela e fraca ilumina uma ponte de grades de aço. Ele engancha uma perna na barra vertical, se apoia com uma das mãos e pula.

A armadura risca faíscas no metal enquanto mergulhamos na noite, e o cheiro de terra invade meus sentidos. A torre de observação de concreto fica para trás rapidamente. Ele aterrissa com um impacto contundente que reverbera por toda a ponte.

Na outra extremidade, reluzindo como um mineral verde sob as estrelas e tão grande que nem sequer parece real, vejo a nuca da Raposa de Nove Caudas. Abaixo, está o restante da crisálida, empoleirada em sua Forma Dormente, com as nove caudas enroladas como pétalas de tulipa em torno do corpo.

Já assisti a vídeos dela em batalhas. Já a vi esmagar hunduns do tamanho de casas com uma só pata. Já rosnei para cartazes promocionais de Yang Guang posando em cima de sua cabeça, apoiado em uma orelha da altura dele, enquanto, abaixo, um olho reluzia por uma fresta que mal aparecia no enquadramento.

Mas nada me preparou para isto.

O medo se torna cada vez mais profundo, mas meus gritos tortuosos e abafados não detêm Yang Guang. Ele atravessa a ponte e escancara uma escotilha na nuca da Raposa.

No cockpit escuro e arredondado, mal dá para ver os assentos yin e yang: um baixo e um alto, um preto e um branco, ambos posicionados como um amante abraçando o outro por trás. O segundo traje de armadura vital da Raposa está aberto no assento yin, mais baixo, com as peças largas e um pouco curvas.

Não é projetado para me proteger.

É projetado para me prender.

Exatamente como fez com tantas outras garotas antes de mim.

Outro grito abafado tensiona meus pulmões. Yang Guang me coloca no chão, o que causa uma explosão de dor em minhas pernas, depois rasga minhas roupas e as arranca. O frio da noite atinge meu corpo, nu a não ser pelas roupas íntimas. Tento me cobrir, mas meus braços ainda estão presos pelos trapos que sobraram do traje. Ele joga os tecidos rasgados para o lado e faz eu me encaixar nas peças da armadura do assento yin. Metal primordial frio se cola na parte de trás de minhas coxas.

Com a sensação de terror alcançando um auge animalesco, chuto e me debato. Ele se joga no assento yang sem me soltar. Seu *qi* dourado do tipo Terra acende através da armadura e ilumina as paredes do cockpit verde como o outono faz com a folhagem das árvores.

— Vamos lá, não torne tudo tão difícil — diz ele, entre dentes. — Tem uma invasão acontecendo.

Com os calcanhares, ele encaixa minhas pernas nuas nas grevas da armadura. Ao seu comando mental, as peças se fecham, irremovíveis, o que permite que ele desamarre meus braços e os prenda nas manoplas de apoio, que também se fecham, e depois ele me empurra em direção ao encosto. Minha espinha dorsal se choca com uma coluna de pontas gélidas — as agulhas de conexão, prestes a me perfurar.

Nas extremidades de meu campo de visão, surgem manchas mais claras do que o cockpit. Algo pontudo penetra meu crânio. Meu estômago convulsiona incontrolavelmente. Luto para inalar ar o suficiente pelo nariz, mas não consigo.

Não consigo me mexer. Não consigo gritar. *Não consigo fazer nada.*

O restante das peças da armadura se move e se fecha com um clique em torno de meu corpo. As pernas de Yang Guang se acomodam em ambos os lados de meu assento. Seu peito pressiona meu encosto. Seus dedos protegidos pela armadura se entrelaçam aos meus com uma firmeza incontestável.

— Não tenha medo — sussurra ele em meu ouvido, por cima de meu ombro. — Vamos dançar.

As agulhas penetram minha coluna.

CAPÍTULO SETE

NO MEIO DA FLORESTA

Ao abrir os olhos, vejo uma cobertura espessa de folhas molhadas. O ar está úmido com um calor pungente e abafa minha mente, tornando-a apática e lenta. Quando tento mexer os braços, vinhas pegajosas se grudam neles. Asas que não enxergo farfalham por entre as folhagens, agitando-as. Coaxos molhados e fracos soam de dentro das sombras.

Pelos céus, o que é isto?

Onde estou?

Faço força para me mexer em meio às vinhas. Um lodo morno gorgoleja em volta de meus membros. Como um espírito da floresta, a voz de Tia Dou surge em meus pensamentos nebulosos.

Às vezes você pode acordar em um reino mental, uma manifestação onírica do subconsciente de seu mestre.

Sonho. Isto aqui parece real demais para ser um sonho.

Sinto-me cada vez mais sufocada. Mal consigo respirar o almíscar da floresta. Frutas estranhas, cor de carne, salientam-se entre ramos úmidos de vinhas. Arrepios percorrem meus ombros.

— Socorro — suplica uma voz de criança no pesadelo repleto de vegetação. — Me ajude.

Eu me debato com tanta violência que finalmente consigo romper uma das vinhas.

— Estou indo!

A intenção morre em minha língua.

Siga seus instintos para acalmar o reino mental.

Tia Dou também disse isso. Provavelmente dá o mesmo conselho a todas as pilotos-concubinas.

Então isso não deve me ajudar a sobreviver.

Preciso fazer o oposto. Preciso...

Meu fluxo de pensamentos se perde, girando e colidindo entre si. Tento manter o controle, mas algum tipo de impulso impede que eu me concentre.

Eu preciso...

Preciso...

Onde estou?

O que estou fazendo aqui?

— Socorro — suplica uma criança em meio à vegetação densa. — Por favor.

Tudo bem. Ele precisa de mim!

Contorcendo-me e agitando as pernas, consigo me desvencilhar do emaranhado de vinhas. O limo viscoso e morno continua grudado em mim. Atravesso o lodo liso abrindo caminho entre as vinhas para tentar alcançar o garoto. Enquanto as súplicas se tornam mais audíveis, minha mão acidentalmente encosta em uma fruta cor de carne em meio à folhagem espessa.

Uma lembrança surge em um flash. A lembrança de uma menina. Em um segundo, está sorrindo; no outro, chorando.

Minha mão fica para trás. Tropeço e caio nas vinhas, mas a confusão me faz entender o que está acontecendo.

A lembrança não é minha. Estou no reino mental de Yang Guang. Como pude esquecer?

Em meio às folhas, a fruta cor de carne me encara de volta como um olho sem pupila.

Seria uma das concubinas dele?

Minha atenção vai de um lado para outro na floresta repleta de frutas cor de carne. Seguro outra.

É a memória de mais uma garota. Quando aperto a fruta com mais força, as lembranças da menina vêm na minha direção como folhas acertando meu rosto enquanto cambaleio por uma floresta.

Você tem algo de especial. Você enxerga além, mais do que a maioria das garotas.

Por um segundo, penso que o som não pertence àquela lembrança, que está vindo das memórias de Yang Guang sobre *mim*. Mas a garota reage às palavras. Enrubesce e desvia o olhar. Do ponto de vista da lembrança, a mão de alguém se ergue e, com uma carícia, coloca uma mecha solta de cabelo atrás da orelha da garota.

Meu corpo congela e formiga. Com dedos nervosos, estendo a mão para outra fruta. Para todas que consigo alcançar.

Isso pode ser meio mágico, não acha?

Tem certeza, garota curiosa?

Vai ficar tudo bem. Acredite em mim. Acredite em nós.

A flor de metal primordial aparece repetidas vezes. A mesma conversa fiada e as mesmas artimanhas para garotas diferentes.

Sou tomada por uma náusea arrebatadora, mas continuo avançando, em busca de uma prova de que isso não esteja nem perto do mal que ele é capaz de fazer.

Quando finalmente consigo arrancar uma lembrança de Yang Guang pegando uma garota pelos cabelos e batendo seu rosto contra a parede, tenho a confirmação de que precisava.

Sinto que não existo. Eu me curvo, baixando a cabeça. Minhas próprias lembranças me dilaceram, trazendo à tona os momentos em que duvidei de mim por causa da calidez que ele me provocava. Curvo-me e vomito, embora nada saia de meu corpo, seja lá do que é feito agora.

— Me ajude — suplica a criança mais uma vez, de repente ao meu lado.

Levanto a cabeça rapidamente. É *ele*, muito, muito mais novo.

— Me ajude — diz, com olhos vazios, assombrados. — Não consigo sair daqui.

Sua voz é baixa, mas me inunda como uma onda purificadora. Ameaça acabar de novo com minha racionalidade. As lembranças das garotas voam para longe como pétalas de flor de lótus em direção a uma queda d'água.

Mas não devo deixá-las partir. *Preciso me lembrar delas.*

Com um uivo, agarro o pescoço do menino e o derrubo nas vinhas.

— Esta é a *sua* mente. — Esmago a garganta do garoto. — Foi você quem armou uma armadilha para si próprio!

Ele se engasga e geme, mas não o solto. Mesmo quando tudo grita para que eu tenha piedade e que *não posso matar uma criança*, aperto sua garganta com mais força. A cada segundo, me forço a lembrar como as pilotos-concubinas morrem: suas mentes são tão absorvidas pela mente do piloto que, assim que o elo de batalha se rompe, elas não conseguem mais sustentar os próprios batimentos cardíacos.

É o que vai acontecer comigo se eu mostrar uma gota de misericórdia.

À medida que a luz deixa os olhos dele, o reino mental se desestabiliza. As vinhas se desintegram, apodrecendo até formarem poças de um visgo imundo. As frutas cor de carne caem e desaparecem.

Grito enquanto também me desfaço, com os ossos se batendo, os músculos rasgando e a pele descamando. Meu espírito, libertado, se eleva e vai para longe.

Pisco.

No momento seguinte, estou em um reino muito mais abstrato, face a face com o Yang Guang adulto. Ao nosso redor, só há preto e branco. Yin e yang. Eu do lado yin, negro; ele do lado yang, branco. Algo sólido como vidro cintila sob nós. Os sons da batalha, de metais primordiais colidindo, ecoam ao longe, embora eu não consiga ver nada no mundo real. A sensação fantasma de se locomover dentro da Raposa de Nove Caudas paira em minha mente, mas uma força repressiva me impede de influenciar seu curso.

— O quê... — Yang Guang olha embasbacado ao redor, depois para mim. — Você conseguiu sair.

Minha boca se abre e se fecha. Olho para baixo, para o que parece ser uma forma espiritual de mim mesma, tentando entender o que está acontecendo.

— Mas você veio aqui para me matar. — Ele semicerra os olhos, fumegando de raiva sombria.

Eu me eriço.

Entrei em sua mente. É óbvio que ele também pode ter vasculhado a minha.

Então é isso. Não precisamos mais esconder nada.

— Você assassinou a minha irmã! — Voo com o punho em direção ao seu rosto.

Ele se encolhe, mas correntes brotam do chão e prendem minhas pernas, minha cintura, meus braços e meu pescoço. Sua expressão fica surpresa, então ele faz menção de desferir um golpe com a mão. Com um puxão ríspido, as correntes me deixam de joelhos e fazem com que eu me curve, deixando-me prostrada diante dele, no ponto exato onde o preto encontra o branco.

Yang Guang está ofegante, embora esboce um sorriso enquanto me debato contra as correntes. Com cuidado, ele coloca um joelho no chão, observando-me.

— É por isso que você estava tão ansiosa para ficar a sós comigo.

Sua voz se torna suave e baixa, quase um pouco triste. Ele ergue meu queixo com a mão protegida pela armadura. A corrente em volta de meu pescoço se retesa.

A fúria arde em meu peito. Os elos da corrente queimam minha nuca e apertam meus membros, parecendo mais sólidos quanto mais eu resisto. Mas nada disto é real, então como ele está me mantendo amarrada?

E por que está usando uma armadura vital, e eu não? Meu corpo físico está do mesmo jeito, então não deve ter nada a ver. Meus olhos se arregalam, capturando cada contorno da armadura vital de Yang Guang. Se ele consegue criar coisas aqui, por que eu não conseguiria? Até onde sei, também é sua primeira vez neste reino.

Qual é exatamente a diferença entre a mente dele e a minha?

— Você tem mesmo algo de especial, garota — murmura, inclinando a cabeça para o lado. — Eu queria ter tido uma chance. A gente teria sido uma dupla incrível. — Ele acaricia minha bochecha. — É realmente uma pena que você precise morrer.

Devagar, encontro seus olhos. Percebo que, embora não esteja nem perto de qualquer uma de minhas fantasias, este é o momento pelo qual estive esperando desde que soube da morte da Irmã Mais Velha, oitenta e três dias atrás. Lembro como deixei uma cesta de ovos recém-coletados cair no chão quando as palavras devastadoras me atravessaram, fazendo com que toda a força abandonasse meu corpo. Lembro como meu pai me pegou pelo cabelo e enfiou meu rosto nos ovos quebrados, cego por causa da raiva que sentia por não sermos elegíveis para uma recompensa por morte em combate. Desde então, nos últimos oitenta e três dias, este confronto com Yang Guang tem ocupado incessantemente parte de minha consciência, latejando como um segundo batimento cardíaco e se desdobrando de dez mil maneiras diferentes.

Tudo isso só para morrer nas mãos dele, nua, amarrada e silenciada?

A Irmã Mais Velha não me perdoaria.

Eu me concentro na forma de espírito que estou tomando. Então, com um grito que desejei dar durante cada minuto sufocante dos últimos oitenta e três dias, conjuro toda força que acreditei que teria neste instante.

Em uma explosão, contornos de armadura como a dele brotam da minha pele.

Ele recua aos tropeços, boquiaberto.

Eu me levanto. As correntes me pressionam, depois se quebram. Minha armadura vital estremece — ele está tentando fazê-la desaparecer.

Acho que estamos travando um duelo mental em um reino criado e mantido por ambas as imaginações no elo de batalha. Só precisamos de força de vontade para criar qualquer coisa.

Por sorte, ele está distraído por causa dos hunduns, mas eu não. Dando um grito de guerra para criar uma distração a mais, invisto contra ele.

— Para trás! — grita ele, erguendo a mão.

Bato em uma barreira sólida, que me impede de cruzar para o lado branco yang. Ele abre um sorriso maníaco de alívio.

Mas se posso criar qualquer coisa...

Dou um tapa na couraça peitoral, me concentro e procuro o âmago do metal primordial, do mesmo jeito que vi crisálidas fazerem para tirar armas da própria armadura.

Feixes de luz emanam de minha mão. Luz branca, a cor do qi do tipo Metal, que representa a firmeza, a persistência, a precisão e o controle. Deve ser o que há de dominante em mim. É perfeito para esculpir armas afiadíssimas a partir de metal primordial. Meus dedos se cravam na couraça sobre meu peito, empunhando o cabo de uma lâmina.

Numa explosão de faíscas brancas, arranco um punhal do peito.

Com um impulso vigoroso, levo o punhal à barreira que protege Yang Guang. As rachaduras formam o desenho de uma teia de aranha e então a barreira explode em milhões de cacos brilhantes. Mergulho sob a chuva cristalina com uma velocidade e uma firmeza que jamais teria obtido na vida real.

— Não! Não faça isso! — Ele recua. Vagamente, como se estivesse rememorando uma sensação, sinto a Raposa de Nove Caudas tropeçar em algum lugar além deste reino. — Estou no meio da batalha! Você vai matar nós dois!

— Ótimo! — grito, sem perder o ímpeto.

Derrubo-o e agarro seu pescoço, exatamente como fiz com seu eu infantil. Cravo o punhal bem ali, como sonhei em fazer por tanto tempo. Seu grito gorgoleja, embora não haja sangue. Rindo incontrolavelmente, continuo apunhalando. De novo. E de novo.

Uma quentura toma conta de mim, libertando-me novamente. As sensações da Raposa de Nove Caudas se tornam mais intensas e nítidas. A mente de Yang Guang fracassa ao tentar impedir que eu as domine...

Estou atônita em um campo de batalha caótico sob estrelas incandescentes. Meus sentidos são estranhos, errados e diferentes, mas acho que...

Assumi o controle da Raposa.

CAPÍTULO OITO

BEM-VINDOS AO SEU PESADELO

A luz das estrelas cintila em dezenas de crisálidas que combatem manadas de hunduns, chutando, socando, apunhalando e disparando explosões luminosas de *qi*. A cada passada estrondosa, nuvens escuras de pó se elevam da terra.

A visão é atordoante, diferente demais de minha visão normal: mais ampla de um jeito assustador, como se alguém tivesse arrancado minhas pálpebras. Tento fechar bem os olhos.

Não consigo.

Sinto o terror me atravessar. Não consigo fechar os olhos. Não consigo piscar. Não consigo isolar o mundo lá fora, nem mesmo por um milésimo de segundo.

O barulho também me bombardeia. Gritos, que parecem surgir dentro da minha própria cabeça.

Raposa de Nove Caudas! Raposa de Nove Caudas, responda!

Coronel Yang! Qual é o problema?

Por instinto, tento cobrir as orelhas. Mas meus braços estão tão pesados que a tentativa faz tudo ao redor girar. Só consigo erguer as mãos — as *patas* — até a altura do torso. Ambas terminam em três grandes garras de mineral verde, pintadas de amarelo-dourado.

Olho para baixo. Em algum momento durante minha missão no reino mental de Yang Guang, a raposa, sobre um joelho só, assumiu a Forma Humanoide. O contorno do metal primordial, normalmente de tipo Madeira, foi temporariamente transmutado para o tipo Terra e ficou esguio e esquelético, como se fosse feito de gravetos. Sua cintura está minúscula comparada ao peito em forma de escudo. Uma fileira de pregos verdes e dourados desponta nos ombros. Sinto, mais do que vejo, as nove caudas sólidas se erguendo da base de suas costas. Ondas do qi dourado do tipo Terra de Yang Guang se movem abaixo da superfície cheia de pelos, energizando a transformação. Mas é um processo passivo, e não mais uma ameaça.

Ele deve estar perdido seja lá no que for o reino de minha própria mente. Seu qi é meu, e posso fazer o que quiser com ele.

Se soubesse como.

— Coronel Yang, o senhor está tendo problemas de conexão? — grita uma crisálida branca à frente, com menos da metade de meu tamanho.

É o Coelho da Lua, uma crisálida categoria Conde. Por ser do tipo Metal, seus contornos são límpidos e sua superfície é lisa como porcelana. A cabeça e as pernas traseiras são desproporcionalmente grandes, e as orelhas parecem cutelos erguidos. Com uma arma em forma de pilão, ela esmaga um enxame de hunduns que desliza em nossa direção, parecendo besouros de tamanho descomunal. Ao morrerem, seus centros cheios de qi explodem como fogos de artifício.

— Coronel? — grita novamente o Coelho da Lua, com os olhos brilhantes como rubis e a boca pequena vazando o *qi* vermelho do tipo Fogo de seu piloto para fazer barulho.

Não sei como responder. Literalmente. Não sei como falar. Quando me concentro na mandíbula pontuda da Raposa, consigo fazê-la se abrir, mas não tenho pulmões. Nenhum ar sai, nenhuma voz, é como se eu estivesse embaixo d'água.

O Coelho da Lua não está matando os hunduns rápido o bastante. Eles nos alcançam como rios de insetos. Inúmeras pernas minúsculas precipitam-se Raposa acima, rajando o pelo de metal aceso das costas e me imobilizando com uma sensação de picadas cada vez maior. Minúsculas faíscas de luz estalam enquanto tentam atacar com o *qi*. Minha... não, a mandíbula *da raposa* se abre num grito mudo. Já vi crisálidas serem dominadas dessa forma. Se os hunduns chegarem à cabeça, vão se infiltrar no cockpit e me matar.

Tento jogá-los para longe, mas cada movimento atinge minha consciência como uma enxaqueca. Os hunduns se espalham pelos braços e pelas costas da raposa. Esforço-me para agarrar, golpear e afastar todos eles.

— *Coronel Yang, pelos céus, responda!* — As vozes se tornam mais frenéticas. — *O que está acontecendo aí dentro?*

Calem a boca!, quero gritar. Devo precisar de *qi* para emitir uma voz, mas não sei canalizá-lo e não consigo me concentrar, com tudo o que está acontecendo. Para piorar, moscas começam a sobrevoar a cabeça da raposa...

Espere aí. Não são moscas. Drones com câmeras.

Drones que devem ser tão grandes quanto o tronco de uma pessoa zumbem ao meu redor como pontinhos pretos num torvelinho.

Isso faz com que o tamanho que estou corporificando entre, de repente, em perspectiva, mais do que qualquer outra coisa. Minha mente gira, em pânico.

É demais para mim. Além da conta.

Preciso gritar. Preciso respirar. Preciso falar. Preciso piscar... Meus olhos estão *queimando*!

Tarde demais, me dou conta de que uma pressão real surgiu atrás das minhas pálpebras.

Dois feixes de *qi* frio e branco do tipo Metal são disparados dos olhos da Raposa. Os raios acertam o chão, continuamente, ziguezagueando ao acompanhar meu olhar atônito. Bloqueiam minha visão, embora eu consiga ouvir hunduns explodirem durante a varredura.

As vozes em minha cabeça ficam mais altas e confusas, tagarelando coisas sem sentido sobre a ineficácia e o desperdício de *qi*, mas as ignoro para tentar me acalmar.

É um começo. Eu consigo. Consigo controlar isso.

Identifico mentalmente de onde as explosões estão vindo, a origem precisa do *qi* que meu corpo e o de Yang Guang estão emanando e as agulhas de conexão em nossas colunas. Impeço o *qi* fluindo pelos olhos da Raposa por um momento, depois desvio uma nova onda em direção às vozes incessantes.

A explosão destrói algo.

Ouço um estrondo violento. Um zumbido que cessa aos poucos.

Finalmente minha cabeça está silenciosa.

Silenciosa o bastante para que meus ouvidos notem as pernas metálicas dos hunduns arranhando os ombros da Raposa, tentando ultrapassar a fileira de pregos.

Volto a golpeá-los e arrancá-los.

— Ei, coronel! — chama o Coelho da Lua enquanto continua a espancar hunduns como se estivesse triturando sementes medicinais em um pilão. O *qi* do tipo Fogo do piloto, o *qi* da força e da destruição, brilha em sua arma como uma brasa atrás de um vidro leitoso, aumentando o dano cometido. — Os estrategistas estão perguntando por que você jogou fora os alto-falantes dos comandos!

Ah... Então foi *isso* o que eu fiz.

— Sério, coronel, pelos céus, o que está acontecendo com...

O mar de hunduns se abre. Uma massa vermelho-escura de textura áspera, menor do que a Raposa mas maior do que o Coelho da Lua, ou seja, um hundun categoria Duque, avança em nossa direção sobre seis patas de inseto. Seu brilho vermelho-fogo se acende como um olho malévolo sob a superfície rugosa.

Com um grito estrangulado, o Coelho da Lua se ergue nas patas traseiras e levanta o pilão, que se transforma em um escudo curvado bem a tempo de defender a explosão vulcânica de *qi* vermelho. O ponto da colisão estremece e fica cada vez maior e mais brilhante. As patas traseiras do Coelho afundam no chão novamente. Hunduns comuns infestam a superfície branca como baratas multicoloridas sobre porcelana. Tento freneticamente afastá-los de nós dois.

— Xian Tian, nos ajude! — guincha o Coelho da Lua. — Acho que o coronel Yang está travado!

Passos pesados e lentos fazem o chão estremecer à medida que se aproximam. Há um brilho e um ruído massivo de metal, então um machado dourado se crava no hundun categoria Duque. Seu *qi* explode e transborda, crepitante, e ele tomba de lado, mas não está morto. O Coelho da Lua cai também, com o escudo repleto de marcas semelhantes a horríveis anéis derretidos.

— O que há de errado com o coronel Yang? — grita a nova crisálida enquanto levanta o machado com outro rangido alto. É um guerreiro do tipo Terra, lento e robusto, quase do tamanho do hundun categoria Duque. Seus olhos reluzem no peito e a boca se mexe na barriga: o Guerreiro Sem Cabeça.

O Coelho da Lua transforma seu escudo em um pilão de novo.

— Não sei, mas a coisa vai ficar feia se ele não se recuperar! Acho que vou ter que me transformar também!

Estremeço dentro da crisálida.

Migrar para a forma superior é a causa mais comum de morte de pilotos-concubinas.

Com a força de vontade crescendo como a ponta de uma adaga em meu interior, esmago o pescoço do Coelho da Lua com as patas da Raposa e o forço a olhar para mim. Sua mandíbula cai, e seus olhos vermelhos brilham com ainda mais intensidade, cintilantes. Mesmo sem pulmões, sem ar, minha voz não pode mais ser contida.

— Chega... de... matar... garotas... — rosno, emitindo um som demoníaco que só pode ter saído de um pesadelo.

— Então... então faça algo, coronel!

Isso. Preciso encerrar esta batalha.

Solto o Coelho da Lua e uso a mesma pata para pegar impulso, levantando-me totalmente. O metal primordial range, e meus sentidos se aguçam, frenéticos. Hunduns continuam subindo por toda a superfície da Raposa, mas resisto e dou o primeiro passo.

Não dói.

Uma euforia surreal me percorre.

De uma só vez, infinitas possibilidades se abrem para mim. Isso mesmo, não sou mais humana. Fui libertada do meu corpo alquebrado, aquela casca de carne e ossos que ao longo de toda a sua existência foi preparada para servir aos caprichos e prazeres dos homens.

Não, agora sou a Raposa de Nove Caudas, uma máquina de guerra mais alta do que um prédio de oito andares.

Não preciso piscar. Não preciso respirar. Se um furacão se aproximasse, eu não sairia do lugar. Se um terremoto fizesse o solo tremer, eu permaneceria imóvel. *Eu* sou a força que faz a terra tremer.

A cada passo estrondoso, me acostumo melhor a comandar esta forma enorme. Os irritantes hunduns comuns caem sozinhos quando meus movimentos se tornam vigorosos. Enquanto avanço em direção ao hundun categoria Duque, me viro para trás e arranco uma das caudas-lança da Raposa.

Gostaria de ter sido mais forte antes de tudo isso, forte o suficiente para ter assistido a mais gravações das batalhas de Yang Guang, então eu teria uma ideia melhor do que fazer agora. A última coisa de que me lembro é ele dando um salto após pegar impulso e cravando uma lança no âmago de um hundun.

É o que tento fazer quando alcanço o hundun categoria Duque. Minha lança assovia no ar e perfura sua casca. O som que o metal primordial emite é como mil janelas se quebrando. Tudo treme. Mas a lança é menos afiada do que eu gostaria, e devo ter errado o âmago, que é onde sua senciência tem origem.

Enquanto ele recua, uma onda de emoções perturbadora me inunda. Luto. Tristeza. Raiva. Eu me repreendo por ter dado um passo em falso, mas assim que caio para trás, deixando a lança cravada no hundun, os sentimentos desaparecem.

É muito estranho, mas não tenho tempo para isso. Um brilho vermelho surge enquanto o hundun prepara outra explosão de *qi*.

Eu me esquivo. O brilho vermelho me persegue, varrendo a noite, e só é cortado quando o Guerreiro Sem Cabeça barra o hundun com seu machado.

Está bem. Assim não vai dar certo. Algo não está funcionando. A Raposa evoluiu para se adequar a Yang Guang — meus atributos de *qi* são completamente diferentes.

Preciso criar minha própria forma.

Enquanto o Coelho da Lua une forças com o Guerreiro Sem Cabeça, espancando os hunduns com o pilão, tento encontrar a faísca de transformação que deve existir em mim. Por ser uma crisálida do tipo Madeira, o *qi* mais condutor, a Raposa deveria ter mais facilidade para atingir formas superiores.

Nas lendas contadas com amor a meu irmão, a palavra *hundun* originalmente se referia a um ser do caos primordial. Um dia, seus amigos divinos ficaram com pena de sua falta de sentidos e decidiram esculpir nele olhos, orelhas, narinas e uma boca. O hundun acabou morrendo, mas um novo universo surgiu dos novos orifícios.

As crisálidas são exatamente isto: hunduns transformados mediante potencial humano. Aposto que eles nunca imaginaram isso quando desceram dos céus para dominar nosso mundo.

Uma pressão forte lateja até as superfícies entalhadas da Raposa. Um brilho branco atravessa suas fissuras.

O Coelho da Lua me olha atônito enquanto salta para se esquivar de um ataque do hundun categoria Duque.

— A Forma Heroica! — grita o Guerreiro Sem Cabeça, maravilhado, a partir da boca localizada na barriga. — A Forma Heroica!

Só vi crisálidas assumirem esta forma — uma transformação de terceiro nível —, quando pilotadas por um Par Equilibrado. Mas só acontece quando a garota também pode controlar conscientemente o metal primordial. É óbvio que aprimorar a transformação de Yang Guang teria o mesmo efeito.

Em pulsações de luz que abrem fissuras e se solidificam, formando um metal primordial mais suave, os membros da Raposa se expandem com meu *qi*. Luzes brancas se misturam às douradas, forçando as peças a assumir um aspecto mais polido, como uma tábua sendo esculpida e modelada por lâminas metálicas.

Formas Heroicas são batizadas de acordo com a aparência humanoide que assumem. Apesar disso, são mais maquinais, como uma pessoa usando uma armadura robotizada. Enquanto imagino como seria a Forma Humanoide da Raposa, suas pernas longas se tornam curtas e fortes. As patas de três garras se metamorfoseiam em mãos de cinco garras. As orelhas de raposa se curvam para trás, mais afiadas e angulares, como em um capacete. A fileira de pregos cresce e se esgarça até formar várias camadas de brafoneira. A altura segue aumentando e aumentando, até a Raposa ficar um quarto mais alta. As nove caudas, incluindo a que ela está segurando, ganham volume, formando algo maior do que lanças. Algo tipo... *espingardas*.

O hundun categoria Duque agora parece muito mais insignificante. Depois da transformação, a pressão no corpo da Raposa diminui. Sigo meus instintos e miro a arma destacada da cauda. Ela zumbe friamente em minhas mãos, e então *qi* branco metalizado jorra sincopado como projéteis luminosos e perfura o hundun, afastando-o de meus companheiros.

Fico empolgada, mas sei que consigo ser mais precisa. *Qi* do tipo Metal é precisão.

Pilotos devem ser capazes de sentir pressões vitais. A distância, sinto o âmago do hundun, a semente de vida luminosa e pulsante que nos aterroriza. Miro novamente, com mais paciência, forjando um único raio de *qi* concentrado.

Atiro.

O raio dispara, e dou um tranco para trás. Ele atravessa o hundun, explodindo seu âmago em fogos de artifício de luzes vermelhas.

Outras crisálidas soltam vivas para Yang Guang. Eu riria, se não tivesse uma batalha para vencer.

Avanço por entre a manada com muito mais determinação que antes, fazendo o solo tremer e nuvens de poeira se erguerem, levantando os hunduns comuns sempre que aterrisso. Indícios de uma angústia estranha me atravessam à medida que a Raposa esmaga os hunduns, mas consigo ignorá-los com facilidade. Disparo a arma da cauda na direção de cada hundun categoria Nobre que vejo. Assim que estiverem mortos, será fácil cuidar dos pequenos, os comuns.

Minha transformação anima as outras crisálidas, que lutam com mais ímpeto e golpeiam com mais força. Uivos exaltados e explosões brilhantes de *qi* rasgam a noite. Faíscas voejam à medida que o âmago dos hunduns se dissipa. Acima de nós, o Rio Prateado forma um arco no cosmo, como um dragão de pó de estrelas.

Depois que disparo pela quinta vez, meus passos ensurdecedores ficam instáveis. Minha mente oscila, como quando emergi na forma da Raposa. A Forma Heroica só pode ser mantida por alguns minutos. Meu *qi* está quase acabando.

Examino o campo de batalha com a visão e com o sentido vital. Resta um último hundun categoria Nobre. É gigantesco e imponente, como apenas os do tipo Terra conseguem ser, mas denso demais para fazer ataques externos de *qi*, então algumas crisálidas menores estão se amontoando ao seu redor, mantendo distância e tentando abatê-lo com explosões luminosas.

Por um momento, considero deixar o trabalho a cargo deles. Não deveria me forçar mais — eu posso realmente morrer se ficar sem qi.

Mas e se for esse lapso de torpor a causa da morte de uma piloto-concubina?

— Saiam da frente! — grito.

As crisálidas se movem, e me esforço para dar um último disparo.

Surge uma faixa de raio branco, e depois há um jorro de faíscas amarelas.

O hundun cambaleia sobre as seis pernas minúsculas, então cai para a frente com um impacto descomunal, fazendo as crisálidas em volta tremerem e engolfando-as em uma tempestade de poeira.

Não consigo energizar a Raposa por mais tempo, e ela volta para sua Forma Original, bestial. Minha mente mergulha de novo na escuridão.

⁕

A dor em meus pés é a primeira sensação humana que volto a sentir, trazendo meus nervos à vida. Vozes distantes e abafadas inundam minha cabeça.

"Aquilo foi incrível!"

"Não consigo acreditar!"

"Mandou muito bem!"

Uma luz branca fluida nas paredes do cockpit atinge minha visão. Minha respiração roça na fita adesiva dilacerada que cobre minha boca. Sinto o coração bater como se fosse um objeto intrusivo.

Mas não tão intrusivo quanto os dedos de Yang Guang, ainda entrelaçados aos meus. Recuo. Ao meu comando, minhas mãos protegidas pela armadura, antes fundidas ao assento, se livram como se eu estivesse puxando ímãs.

Seus braços se desgrudam dos meus e caem nas laterais do assento, inertes.

Uma calma fria neutraliza minhas emoções. Desta vez, quando sinto os olhos queimarem, é porque esqueci que preciso piscar.

Com cuidado, descolo toda a minha armadura do assento, então me viro para encará-lo.

Os olhos de Yang Guang estão abertos, mas vidrados. Sua cabeça pende para o lado, e trilhas de sangue, negras no cockpit escuro, escorrem das orelhas e narinas.

Apalpo seu pescoço em busca de uma pulsação.

Nada.

— Ei, coronel Yang, os estrategistas estão surtando por algum motivo! — A voz grave do Guerreiro Sem Cabeça e o som de seus passos estrondosos se aproximam. — Você está bem aí?

Encaro, atônita, o rosto de Yang Guang. Penso em lhe dar umas bofetadas. Lacerar sua carne e arrancá-la dos ossos. Mas ele é tão insignificante quanto os hunduns agora.

Apenas dou um peteleco em sua bochecha.

Nada disso parece real. Não sei se sou um ser humano que estava pilotando uma crisálida ou uma crisálida que agora pilota um ser humano.

O zunido de rotores dos drones se intensifica do lado de fora do cockpit, fazendo o metal primordial zunir. O Guerreiro Sem

Cabeça continua chamando este garoto, este corpo que nunca mais vai ouvi-lo.

Arranco a fita adesiva da boca. Arde, mas não é nada comparado à dor que sobe por meus pés quando me levanto. Uma dor que é muito pior agora que senti o que é estar livre dela. Mas preciso sair, me apresentar. Confessar o que fiz. Entender como tudo aconteceu.

Minha coluna inteira pulsa com o fluxo de um líquido fresco. Examino vagamente os braços, observando o *qi* do tipo Metal correr, branco e concentrado, sob a textura de pelos da armadura. Cerrando os punhos, projeto o *qi* pela armadura para a própria Raposa, o que me dá um pouco de controle sobre a crisálida colossal de metal primordial. Mentalmente, alavanco uma fenda no cockpit, entre seus olhos.

A luz inunda o aposento. Um monte de drones com câmeras zumbem do lado de fora, agora em tamanho normal. Ansiosos para conseguirem a imagem dos novos Príncipe e Princesa de Ferro.

Uso a força e a estabilidade inabaláveis proporcionados pela armadura para levar para fora o corpo sem vida de Yang Guang.

Refletores de uma dúzia de drones com câmeras focam em mim, tão brilhantes que não consigo enxergar mais nada. De repente, como uma represa rompendo, as emoções tomam conta de mim. Imagino a reação da audiência ao que estão vendo, e uma risada histérica emerge de minha barriga. Só consigo dar risada.

Coloco Yang Guang no chão diante de mim e um minúsculo pé de lótus sobre seu corpo.

Que surpresa. Eu realmente o matei.

Levanto a cabeça, com um sorriso desvairado no rosto. O vento forte causado pelas asas dos rotores dos drones desfazem meu penteado de raposa. Mechas de cabelo negro são arremessadas para trás, como serpentes. Outra onda de *qi* brota em minha coluna e penetra a armadura. Vi pilotos conduzirem o *qi* a toda intensidade para sessões de fotos, então sei que meus olhos e os meridianos de *qi* em meu rosto — como um segundo conjunto de veias, mais angular — deve estar fulgurando, branco-prateado.

— Vocês viveram um sonho por tempo demais! — grito para as câmeras, entre explosões de uma risada maníaca, levantando os braços. — Bem-vindos ao seu pesadelo!

CAPÍTULO NOVE

O MAIS FORTE

Luzes de segurança alaranjadas passam rapidamente por mim enquanto sou carregada por um *shuttle* que parte do topo da Grande Muralha. Uma plataforma baixa, que cruza o ar, leva a uma torre de vigia muito maior do que a de Yang Guang. Deve ser a torre de vigia Kaihuang, o centro de comando da fronteira Sui-Tang. A província de Sui é pequena, mas rica, então une recursos com a enorme província de Tang em matéria de defesa.

Os pilotos do Coelho da Lua e do Guerreiro Sem Cabeça, colegas que me protegeram fraternamente no campo de batalha, puxam meus braços para trás como se estivessem tentando arrancá-los. A pressão quase desloca meus ombros. Eles me empurram mais rápido do que consigo andar, fazendo com que meus ossos dos pés, para sempre quebrados, se esfarelem como cacos de vidro. Manchas de sangue surgem nos sapatos de concubina. As vestes que Yang Guang rasgara pendem como bandeiras esfarrapadas.

Depois de ser forçada a me desfazer da armadura vital, o tecido destroçado foi a única coisa que pude usar para me cobrir.

Mesmo assim, não adianta quase nada, expondo a maior parte de minha pele aos pilotos e aos quatro soldados que me transportam.

Nós nos espremos em um elevador na torre de vigia. Pelo menos três armas continuam apontadas para mim. Alguém está gritando algo em um fone de ouvido. Não sei do que têm tanto medo. Agora que a adrenalina se esvaiu e a exaustão de usar tanto *qi* me acometeu, não passo de uma garotinha cansada que precisa se apoiar para não cair.

No entanto, com uma voz baixa e fraca, forço-os a pensar no que aconteceu agora há pouco, algo em que eu mesma tenho dificuldade de acreditar.

— Fui eu, sabe — solto, como se fosse um palavrão, no elevador rangente, com a voz rouca por causa dos gritos que dei antes da batalha. — Eu que destravei a Forma Heroica da Raposa. Eu que abati todos aqueles hunduns. Eu que lutei ao lado de vocês.

Eles me ignoram. É como se eu não passasse de uma carga perigosa que precisa ser transportada de um ponto a outro. Mas sei que estão desestabilizados. Têm que estar.

Com um sorrisinho, relembro o horror em suas expressões ao verificarem o corpo de Yang Guang e confirmarem que ele tinha batido as botas.

Quando as portas se abrem, sou arrastada por corredores de concreto até uma sala branca cheia de telas acesas. Na maior, dois homens esperam por mim, ambos usando trajes azul-acinzentado com mangas amplas e engomadas e chapéus altos e formais de eruditos, feitos de gaze endurecida com tinta preta.

Os colegas de Yang Guang me fazem ajoelhar.

— Comandantes — começa Xing Tian, piloto do Guerreiro Sem Cabeça. Uma coroa dourada e robusta de dois anéis, com laterais altas no formato de machados, repousa acima de suas sobrancelhas. Sua voz treme de raiva. — Aqui está ela. A vaga...

— Soltem-na — diz o homem mais alto, balançando um leque de penas brancas. O objeto icônico me faz perceber que ele é Zhuge Liang, o estrategista-chefe do Exército, basicamente o comandante principal. — Não há necessidade de tratá-la assim.

— Ela matou...

— Não temos certeza de nada até que o depoimento seja tomado e os dados, analisados. Agora, por favor, saiam da sala. Todos vocês.

As mãos me libertam. Ouço as botas se afastando e me encolho para me proteger do frio dos azulejos brancos, com o cabelo solto caindo de qualquer jeito sobre meu corpo seminu. A porta se fecha com um baque, aprisionando-me com os estrategistas nas telas.

Depois que o estrategista-chefe Zhuge se apresenta — como se não fosse famoso a ponto de todo mundo em Huaxia basicamente venerá-lo —, o homem mais baixo ao seu lado une as mãos na frente do corpo e se inclina numa reverência, como os membros pretensiosos da elite costumam fazer.

— Sima Yi, estrategista-sênior do Exército de Libertação Humana — diz ele, com as mangas azul-acinzentadas se encontrando à sua frente como se fossem cortinas.

Ao se endireitar, ele parece estar dando um sorrisinho, mas talvez apenas tenha a boca torta. Não é possível que esteja feliz. Um de seus melhores pilotos está morto.

— Vocês não podem me matar — falo de repente. Não estava em meus planos viver depois desta noite, mas, se há

uma chance de isso acontecer, seria uma idiotice não tentar.
— Consegui atingir uma nova forma com a Raposa de Nove Caudas. Os hunduns definitivamente devem ter sentido. Vão atacar com mais frequência, e com manadas maiores — continuo, pensando na sequência de eventos que levaram à queda da província de Zhou. Os hunduns ficam irritados quando percebem que a balança do poder está pendendo para o outro lado. O imperador-geral Qin Zheng ficou tão poderoso que os hunduns se juntaram, desesperados, colocando em risco todo um ninho replicante para derrubá-lo. Mas ele contraiu varíola antes da batalha. Seu exército não conseguiu compensar o vácuo de poder a tempo, então, quando o ataque aconteceu, o que deveria ser uma batalha feroz se transformou em uma vitória fácil para os hunduns. Assim, eles conseguiram romper o bloqueio da Grande Muralha e tomaram toda a província. — Além disso, soube que vocês estão pensando em contra-atacar e retomar Zhou. Aposto que estavam contando com Yang Guang. Posso substituí-lo. Vocês viram como pilotei a Raposa de Nove Caudas.

— Hum. — A boca de Sima Yi se curva num sorriso. — Essa aí sabe negociar.

O estrategista-chefe Zhuge lhe lança um olhar cansado, então se dirige a mim:

— Por favor, fique calma, consorte Wu. Só queremos fazer algumas perguntas.

— Que perguntas? — Encaro-os por uma pequena fresta entre meus cabelos.

Perguntam se eu me contive de propósito durante o exame de pressão vital, se tenho parentesco com algum piloto poderoso, o que fiz no reino mental de Yang Guang.

Ao ouvir a última pergunta, aperto os lábios. É perigoso, mas não vou descobrir o que está acontecendo comigo a menos que conte a verdade.

— Estrangulei a forma infantil dele no seu reino de selva assustador e depois apunhalei umas quinze vezes sua forma adulta.

O leque de penas do estrategista-chefe Zhuge para de balançar, repousando nos trajes impecáveis.

Há um momento de silêncio.

— E por que fez isso, querida?

Agora é a hora de mentir. Vai ser melhor para mim fingir que não tinha um plano de vingança desde o começo.

— Vi algumas de suas memórias. As coisas horríveis que ele fez com as concubinas. — Meu olhar se torna severo. — Coisas das quais o Exército deve ter ficado sabendo.

Sima Yi franze o cenho.

— Você viu lembranças e então matou o que parecia ser uma criança? Como sabia que era ele?

— O que o senhor quer dizer? Era o reino mental *dele*. Quem mais poderia ser?

— Espere aí, então mesmo quando estava no reino mental, e já estava lá havia algum tempo, você tinha plena consciência de que não era real?

— Precisei ficar me lembrando disso, mas, sim, tinha.

— E você saiu de lá usando apenas sua *força*? Nada no reino guiou você?

— Não — rosno. — Eu só queria que ele pagasse pelo que fez.

— *Senhor*. — Sima Yi olha para Zhuge, depois para mim de soslaio. — Viúva de Ferro.

— Eu sei — murmura o estrategista-chefe, com o rosto empalidecendo debaixo do chapéu de gaze preta.

Um calafrio percorre minhas costas. *Viúva de Ferro*. Dá até para adivinhar o significado — uma garota que sacrifica seu parceiro para energizar crisálidas, em vez do contrário. Se há um nome, há um precedente. Mas eu nunca, jamais ouvi falar disso.

— Outras garotas fizeram isto? — pergunto, mais alto.

Sima Yi inclina a cabeça.

— Bem...

— Estrategista Sima — interrompe Zhuge, desviando rapidamente o olhar para mim. — Por favor, nos dê licença por um momento, consorte Wu. Vamos precisar consultar os Sábios.

Fico arrepiada. Os Sábios — o conselho de burocratas eruditos, velhos e cheios de rugas que vomitam "moral", "harmonia" e "valores da família" enquanto governam Huaxia — não vão ver o que fiz com bons olhos.

O estrategista-chefe Zhuge balança a manga do traje para trás para mexer em sua pulseira, o mesmo tipo de equipamento que Yang Guang estava usando. O emblema do Exército aparece na tela, uma homenagem serpenteante e estrondosa ao Dragão Amarelo. Num lapso, volto ao pôster no loft de Yang Guang e lembro como ele jurava retomar Zhou e descobrir se Qin Zheng realmente havia congelado a si mesmo. Não consigo acreditar que era...

Céus, não deve ter se passado nem uma hora. Batalhas entre hunduns e crisálidas não costumam durar mais do que trinta minutos.

Como é possível que tudo tenha mudado tanto em tão pouco tempo?

— Ei! — grito com toda a força, embora ainda não consiga fazer tanto barulho. — Me contem sobre as outras garotas!

Silêncio.

É óbvio. A quem estou querendo enganar? Por que me contariam qualquer coisa?

As paredes assustadoramente brancas da sala parecem se fechar ao meu redor. Meus olhos vão de um lado para o outro. Ao observar minhas mãos, vejo flashes delas como garras verdes de raposa.

Viúva de Ferro. Mesmo se eu não for exatamente isso, mesmo se for só uma coincidência, a mera possibilidade de existirem garotas assim faz meu coração disparar e minha cabeça rodar.

Mas o que aconteceu com elas? Será que o Exército realmente preferiria matá-las a usar seu poder?

Será que eles realmente temem mais garotas do que hunduns?

Os estrategistas voltam antes do que eu esperava.

— Os Sábios tomaram uma decisão, consorte Wu — diz o estrategista-chefe Zhuge, parecendo quase triste. — Você vai ser parceira de Li Shimin, piloto do Pássaro Carmim.

PARTE II

O CAMINHO DO PÁSSARO

Na montanha, há uma espécie de pássaro que possui apenas uma asa e um olho. Para voar, ele precisa se unir a outro pássaro da mesma espécie.

Clássico das montanhas e dos mares (山海经)

CAPÍTULO DEZ

DEMÔNIO DE FERRO

Eu me deito no chão de cimento de uma cela escura e apertada. Um raio de luz fraco entra por uma janelinha barreada na porta pesada.

Agora eu entendo as regras do jogo.

Não é que as garotas sejam piores ao pilotar crisálidas. É que sempre que aparece uma garota com uma pressão vital tremendamente alta, ela é jogada com um rapaz com uma pressão vital ainda mais alta, de forma que nenhum macho jamais seja subjugado.

Dez mil. O número rodopia sem parar em minha cabeça como pássaros em chamas. É um valor inimaginável, que só deveria ser usado hiperbolicamente — *"Uau, a pressão vital dele deve ser, tipo, dez mil!"*.

Nos últimos dois séculos, o número apareceu apenas uma vez.

Li Shimin, o Demônio de Ferro, que não tem copilotos, e sim *sacrifícios*.

A próxima batalha vai ser minha execução.

Eu me encolho mais ainda sob o cobertor áspero e fedorento que o Exército destinou a mim. Arranho e aperto a cabeça, como se pudesse esmagar o crânio e o cérebro e me ejetar da existência. Seria bom, melhor do que deixar outra pessoa ter essa satisfação.

Minha risada flui pelas sombras a intervalos aleatórios. Será que realmente pensei, mesmo por um momento, que o fato de ter conduzido a Raposa de Nove Caudas a uma nova forma faria diferença? Que me deixariam viver depois de eu ter assassinado um de seus pilotos mais populares e poderosos?

Consegui o que queria. Vinguei a Irmã Mais Velha. Deveria estar pronta para morrer... treze refeições atrás.

Esse é o único jeito de medir há quanto tempo estou trancada aqui. Poderiam ser treze dias. Espero que seja. Demora meia lua — duas semanas — para alguém que drenou o próprio *qi* recarregá-lo por completo. É o período de folga que os pilotos tiram depois de uma batalha.

Não sei por que fiz aquelas refeições. Deveria ter jogado os pratos no vaso e dado descarga, ter começado uma greve de fome como protesto. Mesmo assim, quando o primeiro prato de arroz e legumes salteados chegou pela abertura na parte inferior da porta, meu estômago, roncando, levou menos de trinta segundos para ignorar tal resolução. Viúva de Ferro, que piada.

Você precisa restaurar seu qi, meu cérebro diz a si mesmo.

Restaurá-lo para quê? Para lutar contra Li Shimin?

Céus, será que estou me tornando uma daquelas garotas que cambaleiam para a morte com a ilusão de que poderiam se tornar uma Princesa de Ferro, ser uma em um milhão?

Mas é isso mesmo que você é.

Estremeço diante da afirmação vindo de alguma parte em meu interior.

A pressão vital de Yang Guang era superior a seis mil. Eu o derrotei em uma crisálida.

Sou uma piloto categoria Princesa.

É muito estranho pensar que isso seja verdade, mas de que adianta? O Exército prefere me mandar para a morte a se arriscar a me colocar como parceira de qualquer piloto menos poderoso do que Li Shimin.

Não é à toa que progredimos tão pouco na guerra.

Não consigo parar de me perguntar quantas pessoas viram o que fiz. O Exército está infestado de propinas de empresas de mídia; quase não há restrições para transmissões ao vivo. Talvez meu avô tenha visto. Ele acorda muito durante a noite. Seria como se eu tivesse matado Yang Guang na sua frente... Esse pensamento sempre me faz abrir um sorriso de orelha a orelha.

Mas vídeos previamente gravados são outros quinhentos. O Conselho dos Sábios e seu governo cheio de burocratas eruditos têm a palavra final sobre o que é transmitido. Considerando que nunca ouvi falar de nenhuma Viúva de Ferro, há uma boa chance de que tenham decretado a destruição de todas as gravações relacionadas a elas.

A menos que as empresas de mídia tenham se recusado a fazer isso.

Estou fadada a ser a fofoca da vez; aposto que todo mundo pagaria valores astronômicos para assistir ao que aconteceu. As pessoas da cidade dariam um dia inteiro de salário para acessar um vídeo, e as da área rural juntariam dinheiro e assistiriam em grupo no tablet de alguém.

Meu legado está nas mãos dos magnatas desprezíveis da mídia agora.

Confio em você, ganância corporativa.

Bufo, então sinto um aperto no coração.

Yizhi. O pai dele é o *maior* magnata desprezível da mídia que existe. Yizhi com certeza tem acesso às gravações.

O que será que ele pensa? Será que está tão surpreso quanto todo mundo? Será que está chocado por eu realmente ter sido capaz de assassinar alguém?

Será que está orgulhoso de mim?

Gostaria de poder contar a ele que Yang Guang acabou não conseguindo o que queria de meu corpo. Não deveria importar, mas não consigo deixar de desejar que Yizhi soubesse.

Gostaria de poder ouvir sua voz uma última vez.

Ergo a mão em direção à luz que entra pela porta, fatiando a cela em faixas inclinadas. Poeira flutua na fluorescência encardida. Curvo os dedos até que projetem a sombra de garras na parede.

Tenho sonhado muito que sou grande novamente. Que me ergo contra o céu, correndo veloz sobre a terra e alcançando o cosmo.

Que estou livre da dor.

Dou uma olhada em meus trajes rasgados, que joguei em um canto. Não consegui deixá-los a meu lado depois que percebi que poderiam fornecer um meio de fuga, se eu tivesse coragem. Bastaria amarrar uma ponta do tecido no encanamento do banheiro e a outra ponta no pescoço, depois torcer até me matar.

Treze refeições atrás eu me imaginei fazendo isso. Juro que o tecido está começando a se retorcer como um emaranhado de cobras. Ouvi dizer que quanto mais brilhante uma cobra é, mais mortal é seu veneno.

Sento-me, pronta para...

Minha perna nua roça em uma mancha de sangue seco no chão. Saio do transe.

Trancaram outras garotas nesta cela. O halo das manchas, quase pretas na penumbra, são um relato de suas estadias deprimentes. Deve servir para afugentar de vez os guardas do sexo masculino, mas não estou assustada. Sou uma garota; eu entendo.

Só me pergunto o que essas meninas fizeram para acabar aqui. Será que também revidaram? Tentaram fugir? Rejeitaram as ordens de agradar a um piloto?

Será que alguma também era uma Viúva de Ferro, apagada da história à força?

Imagino os embates que ocorreram à minha volta. As vozes que se recusaram a ser silenciadas, as mãos que se recusaram a ser amarradas, os espíritos que se recusaram a ser quebrados.

Mais uma vez, tiro os olhos dos trajes e me deito, absorvendo o fantasma assustador da fúria delas.

É hilário. Os homens querem tanto nosso corpo, mas odeiam tanto nossa mente.

⁓⁓⁓

Ela aparece para mim em um sonho.

— *Jiejie* — digo, com a voz embargada, correndo em direção à Irmã Mais Velha, sem sentir dores nos pés.

É assim que sei que não é real.

Apesar disso, tento alcançá-la, quero ficar aqui para sempre. Seja lá onde ela estiver, é lá que quero estar.

— Não me siga, Tian-Tian. — Ela acaricia meu rosto, mas seus dedos se desfazem em fumaça antes que eu consiga aproveitar o calor deles. — Não há nada aqui. Não é uma solução. Não é uma fuga. Não sou livre. Apenas desapareci.

Minhas pernas fraquejam e cedem. Caio de joelhos, tentando me agarrar a ela, mas minhas mãos a atravessam independentemente do que eu faça.

— Não me importo — digo, aos soluços. — Me deixe ficar com você. Por favor. Ele está morto. Eu o matei. Vinguei você.

Suas pálpebras se fecham.

— E você acha mesmo que a vingança mudou alguma coisa?

— Como assim? — Balanço a cabeça sem parar. — É um monstro a menos no mundo.

— E existem milhares como ele.

Sinto uma dor se espalhar, fazendo todas as fibras de minha alma se contorcerem.

— Então o que devo fazer?

— O seu pior, óbvio. — Ela sorri. — Não deixe que eles enganem você, Tian-Tian. Você é mais forte do que imagina. Não fuja. Não deixe que consigam o que querem.

Os trajes dela também se desfazem, como as brumas nebulosas que pairam o ano inteiro sobre os terraços de arroz nos quais crescemos. As brumas em que imaginávamos rostos, animais e objetos enquanto nos aconchegávamos no quintal, ajudando-nos mutuamente a ignorar os gritos retumbantes em nossa cabeça e os vergões em nosso corpo.

De repente, sua figura indistinta se converte na Forma Heroica da Raposa de Nove Caudas. Dedos frios como metal agarram meu rosto e me erguem até eu ficar de pé. Olhos brancos chamejantes encaram os meus.

— *Seja o pesadelo deles, Wu Zetian.*

O som estridente das sirenes dos hunduns me acorda de repente.

Eu me sento, suando frio. A luz que entra pela porta agora é vermelha.

Não é a primeira vez que os alarmes disparam desde que fui encarcerada — a transformação de crisálidas poderosas sempre provoca novos ataques —, mas é a primeira desde que o período de duas semanas de recarga de Li Shimin e o Pássaro Carmim está completo. Num lampejo, lembro-me dos homens de minha família se aglomerando em volta da mesa de jantar para assistir à última batalha dele. É engraçado como uma memória tão supérflua pode se tornar tão significativa.

Com os olhos nos trajes amontoados na sombra, eu me levanto. A dor lancinante sobe por meus pés como sempre, mas o frio anestesiou as extremidades e evitou a putrefação. Pego o tecido do chão e o encaro por alguns segundos, apertando-o. Então, em vez de enrolá-lo no pescoço e me estrangular, cubro meu corpo.

Quando a porta se abre com um rangido, fico face a face com os soldados, que recuam rapidamente.

Estendo as mãos, indiferente. Dou apenas um breve aceno de cabeça.

Minha colaboração parece deixá-los mais irritados do que se eu me debatesse e gritasse. Com olhos cheios de suspeita, eles torcem meus braços para trás e me arrastam para fora. Quando se fica presa em uma cela gelada por tanto tempo, qualquer movimento é uma tortura, e a dor de caminhar faz surgir estrelas na minha visão, mas não deixo transparecer nada em meu rosto.

Som de botas marchando. Corredores de metal. Alarmes plangentes. Luzes vermelhas piscantes. Elevador estridente.

As portas se abrem com um ruído para o ambiente externo, deixando entrar uma torrente de luz pálida e umidade fresca.

Pisco com força por causa do golpe às minhas vistas, mas arquejo e tremo, inalando grandes lufadas de ar fresco. Meus olhos demoram para se ajustar. Uma neblina pesada tomou a paisagem. É óbvio. Hunduns nunca atacam sem que algo comprometa a visibilidade, pois não precisam da vantagem da visão, como nós.

Os soldados me carregam marchando através de uma ponte de grades de aço, como a que levava à Raposa de Nove Caudas. Mas esta é tão alta que nossa cabeça quase encosta no loft da torre de vigia que está logo acima.

Quando vejo o Pássaro Carmim, meu queixo cai. É muito maior do que a Raposa, e até mesmo do que o Guerreiro Sem Cabeça. Sua Forma Dormente parece um pássaro vermelho enorme se protegendo com as próprias asas. Sua superfície é tão rugosa e selvagem, do tipo Fogo, que parece de fato emplumada. A ponte de encaixe leva a uma nuca fina.

Imagino a mim mesma entrando e travando uma batalha real, manejando a crisálida mais forte de Huaxia. Mesmo se eu morrer, não vai ser um jeito ruim de partir.

O som das portas do elevador se abrindo novamente me tiram de minhas fantasias.

Quando me viro, fixo os olhos num laranja vivo. Um suor frio começa a escorrer por baixo dos resquícios patéticos de meu vestido.

Uma chusma verde-oliva de soldados se estende à frente do sujeito mais alto e mais parrudo que já vi. Um macacão laranja apertado se estica sobre seu corpo. Algemas grossas prendem seus braços para trás. Um saco de juta esconde sua cabeça.

Há também uma coleira em volta de seu pescoço, ligada a uma guia, e me pergunto, por um momento, se o que estou vendo é um garoto ou um animal. Os acontecimentos se embaralham em minha mente. Li Shimin deve ter dezenove anos — só um ano a mais do que eu.

Mas não posso esquecer que ele também é o Demônio de Ferro, assassino da própria família e um devorador de mentes de todas as garotas com quem pilotou. Por que sua aparência seria outra?

Com ambas as mãos, um soldado dá um puxão na longa guia de Li Shimin. Ele cambaleia à frente, com os passos retumbando ao longo da ponte. Os soldados caminham ao lado, apontando armas para ele. Meus pés se contraem, querendo recuar.

Quando ele se aproxima da crisálida, os soldados tiram o saco de sua cabeça de supetão.

Quase engasgo. Não sei o que é mais aterrorizante: a focinheira de aço escuro que cobre a maior parte de seu rosto, a intensidade em seus olhos, pretos como carvão, ou o cabelo curto.

O cabelo é considerado uma bênção preciosa recebida de nossos pais. Não temos permissão para cortá-lo, a menos que renunciemos à nossa família e nos tornemos monges ou freiras. Mas até mesmo monges e freiras o raspam totalmente. Ter o cabelo curto e revolto como o dele é a confissão física de um crime, o pior que há em Huaxia: parricídio.

Sabia o que estava me esperando, mas é a primeira vez que vejo com os próprios olhos alguém assim. Sinto a adrenalina percorrer meu corpo como se eu tivesse sido jogada no covil de um lobo.

Os soldados o empurram em minha direção.

Tento recuar de verdade agora, mas os guardas me seguram, o que me faz perceber o ridículo da situação: eles realmente me colocaram no mesmo nível de vilania *deste cara*.

Nos encaramos. O Demônio de Ferro e a Viúva de Ferro, ambos com os braços presos e um arco de canos de arma ao redor de nossa cabeça, encurralados entre soldados, neblina e sons de batalha.

Bem... ele não está olhando *para mim*. Seu olhar não perdeu a intensidade, mas está me *atravessando*.

Sem entender, me coloco em seu campo de visão.

Seu olhar furioso vaga para longe.

Minha tensão se esvai. Ergo os cantos da boca, achando uma graça delirante na situação.

— Ei — digo, porque há uma boa chance de que eu esteja prestes a morrer, então, para que me conter? — Pelo menos tenha coragem de me olhar nos olhos antes de me matar.

Ele me ignora.

Tento me virar para encará-lo. Quando sua cabeça se vira imediatamente para o outro lado, faço de novo. E de novo. E de novo.

— Pare! — grita um soldado, exasperado, depois de eu fazer uma manobra especialmente brusca.

Eles nos giram para o Pássaro Carmim. Metal primordial se espatifa ao longe, dentro da neblina espessa.

Não consigo parar de olhar para Li Shimin. Pode ser que ele seja só metade rongdi, mas seu sangue não han é realmente dominante. O rosto tem mais profundidade e dimensões do que a maioria dos rostos dos han; os olhos são mais fundos em relação às sobrancelhas espessas — parte do que torna seu olhar tão intenso. Ele não está usando uma coroa de piloto.

Quase não sinto medo, que foi substituído por um fervor vertiginoso. Posso até gostar do que vai acontecer. Ele está tão vigiado e amarrado quanto eu. Vai fazer o quê?

— Então... — Levanto uma sobrancelha. — Matou toda a família, é?

Ele olha para um ponto além de mim, com a coleira retinindo.

— Eles mereceram? — pressiono.

Li Shimin finalmente devolve meu olhar. Não há culpa, raiva nem hesitação em seus olhos, apenas uma determinação tão cristalina que me deixa sem fôlego.

Ele assente.

Meus lábios tremem. Não sei o que dizer, então solto:

— Acredito em você.

Não vejo sua reação porque os soldados começam a gritar e a nos puxar ao comando de algum sinal. Alguém abre uma escotilha na base da cabeça do Pássaro Carmim.

Enquanto nos empurram para o cockpit, os soldados abrem o zíper das costas do macacão de Li Shimin. Minha pele se arrepia quando vejo a colcha de retalhos de cicatrizes esbranquiçadas que cobre suas costas. Juro que parecem marcas do bastão elétrico usado para subjugar gado.

Com um puxão, os soldados me fazem ultrapassá-lo para nos alinhar nos assentos yin e yang. Chaves abrem as algemas. Uma nova onda de medo se espalha por mim ao ver, acima de meu ombro, Li Shimin agitando as mãos, agora livres. Mais cicatrizes estampam seus longos dedos.

Mas por que estou ficando nervosa? É inútil imaginar o pior, quando o pior seria minha morte.

Preciso tentar. Preciso lutar. Se eu não viver, ele viverá. E mais garotas serão sacrificadas.

Os soldados o enfiam nas peças da armadura vital no assento yang. Ele dá um grunhido quando as agulhas finas mas afiadas penetram sua coluna, então *qi* vermelho do tipo Fogo brilha em seus olhos e se espalha pela rede de meridianos em seu rosto. As peças se fecham ao redor dele com um estalo.

Meus músculos ficam rígidos e frios enquanto os soldados dobram para o lado a parte de trás de meu traje e me empurram no assento yin. A comichão familiar de agulhas percorre minha coluna como cristais de gelo. As peças da armadura trancam meu corpo. Os braços de Li Shimin, cobertos pela armadura, me envolvem. Não sou exatamente uma pessoa pequena, mas me sinto pequena neste momento. Mesmo com as armaduras, o calor dele me sufoca como o pior dos verões.

Quando viro a cabeça, minha têmpora roça o metal morno de sua focinheira. Isso me dá uma ideia.

— Você obviamente não acredita em regras, mas deixa que coloquem *isto* em você — sussurro enquanto as botas dos soldados ecoam para longe do cockpit. — Não acha uma piada?

Nenhuma resposta.

É lógico. A focinheira.

— Fala sério — continuo. — Já estamos aqui, faça algo diferente desta vez. Me deixe controlar. É a única maneira de libertar a nós dois.

Alguém fecha o cockpit com um baque, mergulhando-nos na escuridão.

— Me deixe controlar, Li Shimin. Me dei...

Agulhas perfuram minha coluna.

CAPÍTULO ONZE

MONTANHA DE ESPADAS ACIMA, MAR DE FOGO ABAIXO

Estou caindo, atravessando o ar quente em direção a uma montanha de espadas em meio a um mar de fogo. Meu corpo mergulha por uma fenda nas espadas, com as lâminas passando rápido por mim. Um calor escaldante se intensifica em minhas costas. Minhas mãos procuram algo para interromper a queda livre, mas só resvalam em lâminas, que cortam as palmas, causando uma dor lancinante. Ao longo da trincheira de espadas, grito para um céu vermelho-sangue acima de mim.

Eu me esforço para aguentar a agonia e reteso as pernas contra as lâminas. Uma parte visceral de mim sabe que se eu cair no mar de fogo, vou me perder e nunca mais conseguir sair.

Como todas as outras garotas que estiveram aqui.

Meu corpo resvala e colapsa até parar, com as espadas cortando cada vez mais fundo. Hiperventilando, eu me agarro a alguns relevos entre as lâminas. Sangue quente escorre pelas minhas mãos destroçadas e pulsantes de dor. Línguas de fogo lambem minhas costas. Suor enxarca minhas roupas e faz meu cabelo pesar. Minha mente ondula com o calor.

As garotas... por que elas estiveram aqui? Por que *eu* estou aqui? Por que não consigo me lembrar?

Preciso lembrar. É importante, muito importante.

Muito acima da fresta dentada entre as espadas, pássaros disparam enlouquecidamente com as asas pegando fogo, seus guinchos soando como gritos humanos. Céu rubro. Pássaros rubros. Pássaro Carmim. Crisálida?

Mas que merda é uma crisálida?

Meus pensamentos estão derretendo. Tudo está derretendo. Fogo derrete Metal. Eu sou do tipo Metal, metal dominante.

Isso significa alguma coisa. Isso pode me dar poder, desde que eu esteja vestindo...

É, em algum lugar além deste reino estou usando uma armadura que pode me dar poder. Lembro como é, por causa das infinitas fotos promocionais do Exército. A gola alta e brafoneiras como penas abertas em leque. As asas enormes. As saias longas e volumosas, como caudas de fênix.

Odeio a armadura. Sempre que surge, mata uma garota. Sou a próxima.

A menos que eu vença.

A menos que eu *mate* aquele rapaz primeiro.

Com o gemido de dor se transformando num uivo, ordeno que a armadura emerja de meu corpo. Ela rompe os músculos, brotando dos ossos. Cristais vermelhos se viram de dentro para fora da medula, espalhando-se. Estou me tornando nada mais e nada menos do que um monstro, mas tudo bem.

Só um monstro pode derrotar outro monstro.

Asas carmim surgem e se estendem de minhas costas, envolvendo meu dorso com força. Então, com um movimento explosivo, jogam as espadas ao redor para longe. As lâminas colapsam umas sobre as outras em uma onda circular.

Solto uma lufada de ar enquanto mergulho, mas cerro os dentes e bato as asas de novo. E de novo. E de novo, agitando o ar.

Em rajadas e redemoinhos de calor, as estranhas asas me carregam para cima. Pelos cantos dos olhos, vislumbro as espadas ficando para trás antes de darem lugar ao reino como um todo. Além do ar quente tremeluzente, uma ilha distorcida flutua no céu sangrento, rodeada pelos pássaros chamejantes, aos guinchos. Sigo planando em sua direção, com as asas estalando como chicotes.

Os pássaros se aproximam.

Recuo de repente, mas é tarde demais. Em um único fluxo, eles avançam e se chocam contra mim, batendo asas, açoitando e guinchando enquanto queimam vivos. Tento me proteger com os braços.

Uma explosão de ar quente me atinge primeiro, então uma tempestade de fogo de bicos e garras frenéticos me cobre. Atacam, arranham e me empurram para baixo, como se me matar fosse a única maneira de se salvar. Luto para continuar movendo as asas em meio ao bando. Penas flamejantes me queimam e me sufocam, rugindo como centenas de fornalhas.

Um arrepio me percorre quando vejo línguas humanas entre os bicos dos pássaros. Sou tomada por memórias violentas, deixando horripilantemente óbvio que nenhum dos gritos vindos da garganta dos pássaros é imaginário.

Os gritos abafados de uma menina, vindos de trás de uma porta da qual me aproximo, dividida entre medo e raiva. Os gritos de meus próprios irmãos enquanto os ataco com um cutelo centenas de vezes. Os gritos de meninos vestindo macacões laranja enquanto soco seus rostos com punhos machucados. Os gritos frustrados de minha própria boca enquanto choques elétricos percorrem todo o meu corpo à medida que empilho tijolos, com os dedos sangrando e tremendo. Os gritos desesperados e crescentes de meninas nas garras de soldados enquanto sou escoltada em sua direção por uma ponte de encaixe.

Como é possível uma única pessoa ouvir tantos tipos de gritos?

E ainda há mais. Mais, muitos mais. Mais do que posso aguentar. Infinitos sons e lembranças me bombardeiam por meio dos pássaros, me torturando e me forçando a mergulhar de cabeça no mar de fogo só para acabar com o sofrimento.

Mas por que eu faria isso? As lembranças não são minhas. Não podem ser. Eu ficaria louca se minha vida tivesse sido assim.

Não preciso lidar com elas. Vou me libertar se *matá-lo*.

Com um grito, me debato entre os pássaros e continuo planando em direção à ilha.

Quando finalmente aterrisso, ele está me esperando. O menino que preciso matar. Está sentado na beirada, usando um traje cinza cor de fuligem. Não lembro quem ele é, mas algo em seu cabelo longo, metade preso com um trapo vermelho, me faz hesitar. Não parece certo. Mesmo assim, continuo avançando em sua direção. Porque é ele ou eu. Só um de nós vai sobreviver.

— Não sei o que fazer — diz ele, sem olhar para mim.

Sua voz suave, ressoando do fundo do peito, me atinge fisicamente. Ondas de tristeza e ternura me envolvem, exigindo que eu o conforte.

— Em relação ao quê? — pergunto, com uma voz delicada que não parece nem um pouco a minha.

— Tudo. — Ondulações visíveis de calor afastam seu cabelo longo dos ombros, revelando o pescoço, marcado por cicatrizes terríveis. — Está tudo errado.

— Você não consegue consertar?

— Não sei como.

A raiva luta contra meu estupor.

Conversar não vai levar a nada.

Só um de nós vai sobreviver.

— Não posso consertar nada — continua ele. — Eu só sei destruir.

— Então *morra*.

Dou um passo adiante e o empurro da beirada. As roupas cinza se desfazem como fumaça. Vislumbro olhos negros como carvão enquanto ele se vira em pleno ar.

Do nada, o mar de fogo se ergue num rugido que ecoa por todo o reino. Chamas consomem o céu, despedaçando a ilha flutuante, comigo junto.

Meus olhos se abrem de repente. Estou face a face com Li Shimin no reino yin-yang, e as lembranças voltam com tudo. Não perco tempo.

Saco um punhal da armadura e avanço em seu pescoço.

Surpreso, ele tropeça, e nós dois caímos, desabando com força no limite yin-yang. Um calor inacreditável emana dele. Continuo a apunhalá-lo enquanto procuro mentalmente a presença do Pássaro Carmim...

A lâmina derrete até virar um toco.

Meu coração despenca. Ao olhar mais fixamente para ele, me desestabilizo — seu *qi* está sendo conduzido com intensidade máxima, acendendo seus olhos e brilhando sob a pele em veias vulcânicas. A armadura está acesa de dentro para fora, como uma brasa crepitante.

Deixo cair o punhal destruído e agarro seu pescoço. Suas mãos voam até o meu também, e ele me derruba no chão, invertendo as posições. Seus olhos escarlates e os meridianos em fogo em seu rosto bruxuleiam sobre mim, horríveis e ferozes.

É um duelo de mentes, lembro a mim mesma.

Não há nada a temer. Ele pode ser muito mais forte do que eu na vida real, mas aqui isso não significa nada.

Empurro sua testa com a minha, depois o arremesso para inverter as posições de novo, imobilizando-o.

Ele não vai me matar. Não vai me transformar numa *estatística*.

Minha vantagem não dura muito, mas também não lhe concedo nenhuma. Nós nos agarramos pela fronteira yin-yang num vai e vem caótico, incapazes de dominarmos um ao outro. Tento tomar o controle do Pássaro como fiz com a Raposa, mas a mente de Li Shimin é tão forte que não consigo subjugá-la. Mesmo quando parte de minha consciência sente minimamente a presença colossal do Pássaro, obtendo algumas sensações do mundo real e batendo uma de suas asas, não consigo sair do yin-yang. O reino me puxa de volta, tentando recapturar minha consciência. Minha mente dói como se estivesse sendo impelida para duas direções, dois pontos de vista, duas realidades. O controle que tenho sobre o Pássaro é frágil como uma respiração contida que pode colapsar a qualquer momento.

Na visão nauseante e tremida que tenho por meio dos olhos do Pássaro, um hundun do tipo Metal pula da neblina com um brilho branco. Seu corpo bate na base das garras do Pássaro, fazendo-nos tremer. O mundo balança. Meus sentidos giram como se eu tivesse sido jogada em uma tempestade de vento, ligada ao Pássaro apenas por um fio tênue. Tento desesperadamente me segurar, afugentando o hundun com a única asa que consigo mover. Mas Li Shimin faz o mesmo com a outra, e o desequilíbrio faz o Pássaro se desorientar e cambalear sem rumo.

Recue, implora alguma parte traiçoeira de mim. *Deixe-o lidar com isso.*

Não!, grita o resto de mim.

Não posso abrir mão do controle que consegui. Não me importo se nós dois morrermos.

Enquanto nossas formas espirituais se debatem no reino yin-yang, forjamos e lançamos golpes de *qi* pelo bico do Pássaro. É a única coisa que estamos fazendo juntos, mas não temos coordenação para mirar. Cuspimos raios de *qi* crepitantes para todos os lados, algumas poderosas como rugidos, outras minúsculas como jorros. Quando o hundun explode em faíscas reluzentes através da neblina densa, é quase um milagre.

— *Pássaro Carmim, você está fora de controle!*

Damos apenas um uivo estrangulado como resposta. Nossas frustrações colidem, misturando-se e sufocando nossa mente cada vez mais. O calor e a pressão chegam ao auge no peito do Pássaro. Mas não parece algo promissor, como quando a Raposa se transformou. Parece apenas que estamos prestes a explodir...

CAPÍTULO DOZE

PELA PRIMEIRA VEZ

O sangue quente escorrendo de minhas narinas me acorda de repente. Minha mente se agita como se estivesse sendo expelida de um redemoinho em águas profundas. Quero limpar o nariz, mas não consigo unir forças para mover os braços.

Dois raios de luz branca e nebulosa cortam a escuridão. Tudo cheira a metal. Será que peguei no sono num depósito de ferramentas? Por que eu...?

Algo se move atrás de mim. Ouço o tilintar de correntes.

Meus olhos sonolentos se arregalam. Lembro de repente o que aconteceu na vida real, mas nada faz sentido. Minhas mãos estão nos braços do assento yin, livres da armadura. Não há nenhum dedo gelado como um cadáver entre os meus.

Ouço um zíper se fechando com um ruído. Atrás de mim, Li Shimin se levanta e sai, esbarrando com o joelho em meus ombros.

Ele sobreviveu? E eu também?

O quê?

Como?

A batalha acabou? Um de nós não devia matar o outro?

Pensar dói, então paro. Seus passos pesados vão em direção à escotilha do cockpit, acompanhados por um tilintar ritmado de correntes. Sangue continua escorrendo de meu nariz, empoçando-se entre meus lábios, com o gosto de ferro. As palavras lutam para atravessar minha garganta.

— Ei... — Consigo murmurar finalmente, com a voz rouca, como se de fato eu tivesse sido asfixiada.

Sua passada seguinte aterrissa com um som particularmente alto.

Silêncio.

Os trapos que estou vestindo farfalham enquanto me viro para olhar por cima do ombro.

Seu macacão laranja sobressai na névoa fraca e branca que desce de dois novos buracos no cockpit, onde os alto-falantes dos comandos deviam estar. Vários segundos se passam. Ele ainda está olhando para a escotilha, sem se mover. Como se estivesse com medo de acreditar no que acabou de ouvir.

— Ei... — Tento de novo.

Devagar, ele se vira, com a guia raspando no macacão. Seus olhos se arregalam acima da focinheira e da coleira, umedecendo e brilhando no vapor claro, como se ele tivesse vivido toda a vida em preto e branco e agora estivesse enxergando as cores pela primeira vez.

Solto uma risada. Limpo o sangue do nariz.

— Surpresa.

Ele volta, atônito, com os passos mais leves do que antes. Meu sorrisinho se desfaz. A ternura visceral em seu olhar me perfura.

Ver e sentir uma emoção que não é uma variante de raiva, vindo de um garoto como ele, é de tirar o fôlego. Preciso lembrar a mim mesma que esses são os mesmos olhos perversos e vermelhos que brilharam para mim com sede de sangue no elo mental. Ele não é inocente. Não é um garoto injustiçado. Não é um menino incompreendido. Tenho certeza disso. Experimentei as profundezas chamejantes e estrepitosas de sua mente.

No entanto, não consigo desviar o olhar.

Sem entender direito o motivo, estendo o braço por cima do encosto e lhe ofereço a mão.

Quando ele a segura, um arrepio assustador em seus ossos viaja até os meus, farfalhando dentro de mim e criando raízes.

Nossos dedos se entrelaçam, de forma muito mais gentil do que quando estávamos tentando tirar a vida um do outro.

CAPÍTULO TREZE

A MELHOR APOSTA DE HUAXIA

— Bem — começa Sima Yi no telão da sala branca de comando, com as mãos na cintura. — Este é um desfecho interessante.

Ouço um ruído metálico enquanto, de soslaio, vejo um soldado destrancando a focinheira de Li Shimin. A máscara risca a pele de seu rosto, deixando uma trilha de marcas vermelhas e dentadas em sua barba incrivelmente densa, mais densa do que já vi em qualquer homem han. Uma tatuagem de criminoso com o caractere para *prisioneiro*, 囚, como uma pessoa numa jaula, se revela em seu pescoço. Meu estômago se revira quando vejo as linhas salientes e errôneas, nitidamente escarvadas com uma faca de fio gasto...

Num borrão laranja, ele agarra o soldado pelo colarinho do uniforme.

Dou um pulo. Outro soldado grita um alerta, levantando a arma, e os estrategistas na tela gritam em protesto, mas Li Shimin apenas estende a outra mão, pedindo algo. Um terceiro soldado se apressa em colocar um frasco de metal a seu alcance. Só então ele liberta o primeiro soldado com um empurrão, desenrosca a tampa do frasco e o vira como se fosse a primeira água fresca encontrada após meses no deserto.

Com os olhos arregalados e o coração martelando no peito, observo o movimento hipnótico de sua garganta engolindo, com os tendões em ação e as linhas brilhantes do líquido escorrendo pela pesada coleira de aço.

A empolgação por ter sobrevivido deve ter me feito delirar quando estava no cockpit. O fato de nós dois termos sobrevivido não é mesmo motivo de comemoração. Não importa que eu tenha feito algo impensável pela segunda vez. Não é o suficiente.

Falhei em matar Li Shimin.

Agora vai demorar pelo menos duas semanas até que eu possa lutar com ele de novo no reino libertador onde a única coisa que importa é o poder da mente. Vou passar duas semanas confinada neste corpo mortal e inútil, à mercê do Exército.

Pelos alto-falantes, ouço Sima Yi suspirar. Sua boca franzida torna difícil dizer se ele está se divertindo ou se está desesperado.

— Vá com calma, Shimin.

O frasco gorgoleja, e Li Shimin finalmente o abaixa. Ele toma fôlego entre tosses roucas, massageando a mandíbula coberta pela barba. Seu peito arfa com força. O cheiro acre, amedrontador e familiar de álcool me atinge. Recuo, protegendo o nariz com um braço enquanto seguro as roupas em trapos com o outro. Lembranças emergem das profundezas de minha mente. Lembranças de garrafas atiradas se quebrando em caquinhos brilhantes pela casa enquanto meu avô vomita insultos. O som da palma de sua mão contra o rosto de minha avó. Meu pai sentado do lado de fora, tirando longas baforadas do cachimbo, incapaz de fazer qualquer coisa contra o ancião da família. Os cortes nas mãos de minha irmã, de minha mãe e nas minhas enquanto éramos forçadas a limpar a bagunça.

O olhar de Li Shimin perscruta o meu, de esguelha. Ele olha novamente, depois se enrijece, com se eu o tivesse pegado lambendo uma ferida. Estranhamente, ele move o frasco para o lado, escondendo-o de mim, um ato tão inútil que é difícil de entender.

Olhares estranhos e enraivecidos ao seu lado chamam a minha atenção. De repente, entendo que os soldados também estão me esquadrinhando, os rostos pálidos e severos.

Os estrategistas também. Estão me observando. Examinando. Com se *eu* fosse uma criatura perigosa e volátil, que mal conseguiram dominar. Baixo os braços e relaxo os punhos e as sobrancelhas... Meus olhos estavam transmitindo raiva.

Avalio meu estado — a pele gelada e castigada, os músculos doloridos e os ossos que eles protegem. A dor em meus pés me informa que não estou sonhando nem em um devaneio. Sofri isolada por tanto tempo que comecei a perder a noção dos limites entre o possível e o impossível, entre o normal e o anormal.

Mas não. Assassinar um piloto categoria Príncipe com a mente não é normal. Sobreviver a Li Shimin, que tem a maior pressão vital desde a merda do Qin Zheng, não é normal.

Não é de admirar que olhem para mim desse jeito.

A situação é...

Hilária.

Embora o sangue lateje em minhas têmporas e em meu pescoço, jogo a cabeça para trás e solto uma risada. A tensão deles deve ter me transformado, a seus olhos, em algo maior do que sou. Mesmo que, fora de uma crisálida, eu seja tão impotente quanto sempre fui, e eles não tenham razão para me temer, cá estão, com essas expressões deliciosas.

Poderia até usar isso para me proteger.

Vou no embalo. Topo a encenação.

— E aí, o que aconteceu? — Lanço um olhar malicioso para os estrategistas, como se soubesse desde o início o que vão responder e estivesse apenas os provocando. — Vocês têm alguma ideia de por que ainda estou viva?

Eles trocam olhares severos.

— Piloto Li, você experienciou qualquer coisa diferente durante a batalha? — O estrategista-chefe Zhuge agita seu leque de penas com força.

Uau. Só "Piloto Li". Ele realmente não tem nenhum título pomposo, nem mesmo entre os colegas do Exército.

Li Shimin pigarreia, seu foco indo de mim para os estrategistas:

— A mente dela era... barulhenta — diz, com a voz desacostumada pelo pouco uso.

É muito estranho para mim ter ouvido sua voz primeiro em minha mente, depois na vida real. As sílabas ressoam do fundo de seu peito, eriçando os pelos que recomeçaram a crescer em meus braços.

Ele conta o que se lembra da luta comigo no reino yin-yang. Aparentemente, nunca esteve tão alerta durante uma batalha. O que significa muita coisa, considerando que estava tentando me matar o tempo todo.

Bem, eu tentei matá-lo primeiro. Mas como vou saber o que teria acontecido se eu não tivesse tentado?

Seus olhos, semicerrados e astutos, continuam voltando a me encarar durante sua resposta, até que ele mesmo se interrompe.

— *Quem é ela?*

— Não lhe disseram? — pergunta Sima Yi. — Ela é Wu Zetian, a menina que matou o príncipe-coronel Yang.

A tensão no rosto de Li Shimin desaparece.

— Yang Guang morreu?

Sima Yi faz uma carranca.

— Como foi que você perdeu um funeral tão grande bem no seu trecho da Muralha? Aquele maldito do An Lushan está deixando você trancafiado de novo?

Fico abalada à menção do funeral de Yang Guang. Também não me falaram nada sobre isso. Preciso descobrir mais. Como as massas reagiram à sua morte? Como reagiram a *mim*?

— Um funeral? — digo, com uma casualidade fingida. — As pessoas que foram sabem que ele *morreu feito uma garota*?

Todos voltam a olhar para mim, alarmados.

— Céus, qual é o seu problema? — grita Sima Yi, agitando o braço. — Não entendeu o que você fez? Matou um ser humano! Acabou com uma vida! Tirou um filho dos pais!

Meu sorriso se enrijece. Não porque sinta uma gota de remorso, mas porque minha raiva ferveu tão rápido que preciso tensionar todo o corpo para contê-la.

— É — retruco, com olhos inflamados. — Com certeza fiz isso.

— Você... — O rosto dele fica vermelho.

Eu poderia gritar de volta, disparando que as filhas das pessoas morrem em crisálidas o tempo todo, mas não quero mover um dedo para me justificar. Sei que sua explosão de raiva vem mais do desconforto que sente em relação a mim do que de qualquer grau de empatia com os outros. Com certeza não estava devastado desse jeito durante nossa primeira conversa, logo depois da morte de Yang Guang. Não, está tentando fazer minha cabeça e me abalar com um discurso de falsa moral, para que ele possa se sentir mais confortável com minha existência.

O problema é dele. Sou mesmo a garota de sangue frio e coração podre que ele acha que sou. E não vejo problemas nisso.

Ele que fique perturbado.

Parece estar prestes a gritar um pouco mais comigo, mas o estrategista-chefe Zhuge o silencia com um aceno cansado do leque:

— Não nos afastemos muito da questão principal, sim?

Enquanto Sima Yi se exaspera, o estrategista-chefe continua tentando obter informações de mim e Li Shimin. Respondo a contragosto.

Nenhum de nós se lembra do clímax da batalha. Depois de não conseguir extrair nada a não ser confusão à menção de nossa "estranha transformação", o estrategista-chefe nos mostra um vídeo.

A gravação abre no canto de baixo da tela grande, mostrando partes do Pássaro Carmim em meio à neblina. Ele joga a cabeça para trás, preparando uma explosão de *qi* rosa — deve ser uma mistura do meu *qi* do tipo Metal, branco, e do *qi* do tipo Fogo, vermelho, de Li Shimin —, então a cospe em um hundun, que cai sem a metade do corpo. Mas, em vez de passar para o próximo inimigo, o Pássaro cambaleia, cego, sobre as próprias garras, com as asas batendo de forma descompassada. Balança a cabeça violentamente. Pequenas manchas negras se desprendem dele.

— Esses são os alto-falantes, aliás. — Sima Yi aponta para o vídeo. — Alto-falantes que os engenheiros *trabalharam arduamente* para conectar.

Antes que eu possa afirmar com todas as letras que não vou pedir desculpas, um brilho branco estilhaça a superfície semelhante a plumas do Pássaro. O metal primordial explode e se expande com jorros intensos, mas o Pássaro não se torna mais humanoide, como formas superiores deveriam aparentar. Não consegue assumir nenhuma forma específica. Seu corpo incha, uma fervura vermelha expelindo pus branco do tipo Metal. Um pouco de amarelo do tipo Terra sai junto, mas a transformação não se completa. O Pássaro se torna uma criatura de aparência doentia tão disforme quanto um hundun. Suas asas se encolhem e meio que derretem, fundindo-se ao corpo grumoso. As garras incham até parecerem tocos grossos.

Levo a mão à boca.

Eu definitivamente não estava consciente nessa hora.

— É óbvio que há dois tipos de *qi* transmutativo em ação aqui. — O estrategista-chefe Zhuge alisa a barba longa e rala com o leque. — Porém estamos hesitantes em chamá-la de uma verdadeira transformação de nível três.

— É, não tem nada de heroico nela. — Sima Yi revira os olhos. — É mais uma... Forma Perversa.

— Todo piloto homem que se conecta a uma crisálida corre o perigo de perder sua racionalidade — acrescenta Zhuge. — A presença da piloto mulher tem o propósito de suavizar seu subconsciente e mantê-lo são. Mas vocês dois... vocês dois perderam a racionalidade.

— E por que será, não é mesmo? — Sima Yi me lança um olhar raivoso.

O vídeo termina com o Pássaro colidindo com um drone, um dos olhos vermelho e outro, branco.

Eu ergo a cabeça devagar.

— O que isso significa? Que somos um Par Equilibrado?
— Não — responde Zhuge. — É a única coisa da qual temos certeza. A julgar pelos dados transmitidos pelo Pássaro Carmim, o coração de vocês não bate em sincronia.
— Então como nós dois estávamos transformando o Pássaro ao mesmo tempo?
— Essa é a grande pergunta.

Sima Yi olha de relance para o estrategista-chefe Zhuge, que agita o leque com mais vigor.

— Nossa hipótese é que vocês dois têm um tipo muito, muito raro de espírito hiper-adaptativo — explica Zhuge. — A pressão vital de cada um de vocês conseguiu se igualar à do outro por mais que a outra aumentasse, mas, como resultado, nenhum de vocês conseguiu assumir o comando dominante, então a crisálida se deformou devido aos valores de pressão vital iguais, mas dissonantes.

— Iguais... Então quer dizer que minha pressão vital atingiu *dez mil*?

Estou perplexa. E colocar isso tudo em números tangíveis me deixa ainda mais estupefata.

— Estava mais para *dezoito mil* — diz Sima Yi, em tom de acusação. — Foi o valor transitório mais alto que obtivemos de vocês dois.

Arrepios sobem por minhas costas e fazem meus ombros estremecerem. Os soldados se entreolham, atônitos. Até mesmo Li Shimin levanta a cabeça de repente.

Com a respiração ofegante, tento entender o que o número significa. É tão grande que quase não faz sentido. Dezoito mil, quando a média é *oitenta e quatro*.

— Como é possível? — Balanço a cabeça, confusa.

Os olhos do estrategista-chefe Zhuge se iluminam.

— Embora não sejam um Par Equilibrado, são realmente um par extraordinário. Se conseguissem atingir um elo estável, poderiam mudar a dinâmica de toda a guerra. Poderiam, de fato, ter o poder para libertar a província de Zhou. O hundun categoria Imperador que defende o ninho de replicantes nas Montanhas Kunlun é do tipo Metal. Considerado que Metal é mais fraco que Fogo, uma Forma Heroica do Pássaro Carmim seria a melhor aposta de Huaxia para derrotá-lo. Ao que tudo indica, ainda é possível aprimorar muito a sinergia de vocês, que é excelente. Então, na próxima batalha, vocês poderiam, por favor, tentar não ser tão hostis um com o outro?

Não consigo evitar algo entre uma bufada e um riso de escárnio.

Eu. Li Shimin. Uma assassina. Um parricida. *A melhor aposta de Huaxia. Não sermos hostis.*

— E o que vocês me dariam em troca? — sussurro, quase ronronando. — Pelo menos todos os privilégios que um rapaz não criminoso com minha pressão vital receberia, certo?

Sima Yi solta um muxoxo.

— Querida, você não está em posição de fazer exigências. Deveria agradecer a seus ancestrais por ainda estar viva.

Encaro-o por um longo momento.

Então avanço no soldado mais próximo.

— Ei! — O soldado ergue sua arma.

Não paro. Não pisco. Nem quando a adrenalina se espalha pelo meu corpo e dispara meus sentidos como sirenes hunduns, nem quando os outros soldados começam a se mexer, nem quando o dedo dele pousa no gatilho.

Pressiono a cabeça no cano da arma.

O ribombar de sangue em meus ouvidos abafam os gritos — Sima Yi está praguejando e o chefe estrategista Zhuge, gritando.

— Não atire!

— Vá em frente — instigo, fria como o círculo de metal queimando minha testa.

O cano aparece duplicado em minha visão. Meu coração chega à garganta, martelando tanto que mal consigo ouvir minha própria voz. Eu poderia morrer. Poderia realmente morrer com uma tremida do dedo do soldado. *Bang*, e depois nada.

Mas, se eu não me livrar desse medo, vão usá-lo para me esmagar, me asfixiar e me escravizar.

E então qual seria o sentido de sobreviver?

Na verdade, sinto até uma onda de decepção quando o dedo do soldado se afasta do gatilho. Assim que o círculo frio se afasta de minha testa, um ímpeto de loucura me faz tomar a arma com ambas as mãos e segurá-la contra a cabeça de novo. O metal duro, esfriando minhas palmas, se torna a única constante em meu frenesi de pensamentos e sensações. A boca da arma balança diante de meus olhos, um buraco negro escancarado que poderia me sugar e acabar comigo.

— Você acha que isso me assusta? — pergunto, inacreditavelmente calma considerando o quão destruída e furiosa estou por dentro. — Acham que já gostei de estar viva? Vão em frente. *Façam-me este favor.*

Os outros soldados me cercam e me puxam. Depois de uma breve luta, um deles torce meu braço com firmeza para trás. Mas acho que fui clara. Capto um vislumbre da expressão estupefata de Li Shimin e me controlo para não deixar transparecer um sorriso de satisfação. A sensação de deixar um rapaz como ele nervoso é boa.

— Se querem algo de mim, é bom pagarem o que mereço! — grito para os estrategistas, inclinando a cabeça. Meu cabelo bagunçado e embaraçado cai sobre a minha bochecha, ao lado do pescoço.

— Consorte Wu... — começa Zhuge, muito mais cauteloso do que antes. — Não é que queiramos privá-la de alguma coisa. É que a situação é mais precária do que você imagina. Verdade seja dita, há bastante discordância entre nós, estrategistas, sobre o que fazer com você.

— É, não somos nós quem queremos vê-la morta, sua vagabunda desequilibrada! — diz Sima Yi, parecendo sem fôlego.

— Explique-se — exijo.

Zhuge suspira.

— Para ser honesto, houve rumores sobre você ser... como posso dizer? Um espírito de raposa. O espírito de uma verdadeira raposa de nove caudas, possuindo o corpo de uma bela moça com o objetivo de devorar os homens.

O quê?

Quase solto uma gargalhada. Mas, pela expressão dos estrategistas, até mesmo suas mentes eruditas — que deveriam saber que espíritos só fazem coisas assim nas lendas e que raposas de nove caudas são animais normais — estão com dificuldade para deixar a ideia totalmente de lado.

— Ah — digo, simplesmente. — E por que eles pensaram isso?

Sima Yi me lança um olhar maldoso.

— Não se lembra de como se comportou quando saiu da Raposa?

Em um lampejo, lembro-me de largar o corpo de Yang Guang a meus pés e rir de um jeito maníaco.

— Entendi. Os Sábios não mandaram cortar aquela parte do vídeo?

— Mandaram, mas pessoas demais assistiram à transmissão ao vivo! Só os céus sabem por que estavam acordadas tão cedo, mas, de manhã, os boatos já corriam por toda parte. Tentar cortar a cena só piorou tudo. *Aiá*, pode explicar por que *aquele* foi o seu primeiro impulso depois de encontrar o rapaz morto?

Dou de ombros.

— Me desculpe, foi coisa do momento. Acontece.

Sima Yi fecha a cara como se quisesse arrancar meus braços.

— Escute aqui, menininha que nem é tão pequena assim: sua existência está fazendo as pessoas questionarem a integridade do Exército. Tem algo errado com você, e todo mundo percebe. A única razão pela qual você ainda está viva é porque o estrategista-chefe Zhuge e eu estamos dispostos a considerar o contexto e a não desistir do seu potencial. Embora eu esteja começando a me arrepender. Então, se quer algum privilégio, é melhor provar que consegue trabalhar direito com Shimin!

O tom de sua voz pode ser nojento, mas minha mente capta a parte de que posso realmente receber os mesmos privilégios dos pilotos. Finalmente estamos nos entendendo.

— E o que exatamente tudo isso significa? — pergunto, semicerrando os olhos. — O que eu precisaria fazer antes da próxima batalha?

— Bem — diz o estrategista-chefe Zhuge —, ainda estamos negociando com os estrategistas de Sui e Tang como os treinamentos vão acontecer. Mas, no mínimo — ele sorri para Li Shimin —, você vai ganhar uma colega de quarto, piloto Li.

Meu estômago congela.

— Eu... eu não vou voltar para a cela?

— É óbvio que não. Afinal, esperamos que vocês se tornem como marido e mulher. Um marido responsável disciplina a esposa quando ela pisa em falso, e uma esposa nobre guia o marido quando ele se desvia. Essa é a ordem natural de equilíbrio do mundo. Piloto Li, consorte Wu, acreditamos que, juntos, vocês podem ser algo melhor.

Finalmente fracasso em segurar a risada.

O estrategista-chefe Zhuge ergue as sobrancelhas, confuso.

Ah, tá. Ele está falando sério.

O terror me perpassa. Olho direto para Li Shimin, que está tomando outra talagada do frasco.

Querem que eu viva com este assassino. Um condenado que, mesmo sóbrio, precisa usar focinheira e uma coleira de aço e ser mantido na mira de uma arma para cooperar.

Pelos céus, como será que ele vai agir quando o álcool fizer efeito?

CAPÍTULO CATORZE

AS MENTIRAS QUE OS RAPAZES CONTAM

Um cheiro forte de bebida alcoólica à base de cereais me atinge quando os soldados tentam abrir a pesada porta de aço que dá para os aposentos de Li Shimin. Recuo, cambaleando de volta para o saguão subterrâneo, iluminado apenas pelas luzes noturnas, mas um soldado me segura pelo braço.

Outro atravessa rápido a porta e aciona um interruptor. Uma lâmpada suja e gradeada pisca no teto, revelando uma sala diferente de tudo que imaginei para o piloto mais poderoso de Huaxia: um bunker minúsculo de concreto.

Quando o elevador desceu em vez de subir, eu soube que não seria um loft requintado como o de Yang Guang, mas isto aqui é basicamente uma cela de prisão com alguns móveis. Li Shimin entra aos tropeços por um espaço pequeno entre a cama e a parede de concreto, com uma mão apoiada na parede, o equilíbrio tão precário quanto o de uma menina, graças ao álcool em seu sangue. Ele não se encaixa neste lugar; seu cabelo curto e selvagem quase roça as grades que envolvem a lâmpada no teto.

No canto, disposta no chão, está uma fileira organizada de frascos idênticos ao que está em sua mão e que vi soldados encherem para ele pelo menos quatro vezes até agora. Provavelmente não confiam em Li Shimin e sabem o dano que ele poderia causar se tivesse uma garrafa de vidro, embora eu não entenda por que eles se dão ao trabalho de deixá-lo beber.

Bem... Descobri por que esta noite.

Meu braço pulsa de dor enquanto o soldado o segura com mais firmeza e me força a entrar no bunker.

Quando Li Shimin se vira, me dão outro empurrão, fazendo com que eu tropece para a frente e vá de encontro ao seu peito. O frasco respinga em sua mão. Fico tensa diante da solidez impressionante dele, com as bochechas em brasa e as mãos agarrando o tecido rústico do macacão.

Os soldados caem na gargalhada, tagarelando e assobiando como crianças.

Embora fique vermelha até as orelhas, resisto ao impulso de me debater para me afastar de Li Shimin. Isto é o que *eles* querem ver: eu, perturbada e em pânico. Um estado de ser feminino que faz sentido para eles, que os conforta.

O riso de escárnio dos soldados é abafado pela porta se fechando. Os guinchos e a movimentação tilintante deles a trancando por fora ecoa como golpes de martelo em meu peito.

Prendo a respiração.

Li Shimin não tem privilégios de concubinas. Seja lá de onde as moças sacrificadas a ele vieram, nunca foram dele a seu bel-prazer.

Sou a primeira que ele vê fora de uma batalha, em dois anos.

Seus músculos permanecem retesados sob minhas mãos, febris por causa do álcool. Seu coração ribomba como algo lutando para escapar de uma prisão. Minha respiração fica curta e acelerada, e preciso me esforçar para controlá-la.

Sei que não sou capaz de lutar com ele. Não tentarei. Se tentasse, obteria apenas a confirmação de que minha vontade é inútil diante de sua força. O único jeito de manter minha dignidade é agindo como se ele não fosse capaz de tomá-la de mim, independentemente do que fizer comigo.

E, afinal, não é isso a dignidade? Os limites e os valores que você decide por você mesma? Sei o que é mais importante para mim, e não tem nada a ver com qualquer coisa semelhante à "pureza". Não vou me humilhar e me rebaixar até me tornar uma criatura triste e medrosa que vive para agradar Li Shimin na esperança de merecer sua piedade.

Apesar do medo que me corrói, levanto a cabeça.

Preciso pôr em prática toda a minha disciplina para não tremer em frente à intensidade negra de seus olhos, como manchas gravadas a fogo em minha visão por ter olhado direto para o sol. A luz lúgubre da lâmpada gradeada próxima de sua cabeça lança uma sombra sob todos os ângulos proeminentes de seu rosto. Meu foco recai na tatuagem medonha de prisioneiro em sua bochecha, mas me forço a voltar a encará-lo. Fito seus olhos com frieza, transmitindo a ameaça silenciosa de que uma hora ele vai precisar baixar a guarda.

A lâmpada gradeada zumbe acima de nós. Seus braços se movem.

Eu me preparo.

Mas não é em mim que elas tocam. Em vez disso, Li Shimin deixa cair o frasco na cama, depois gira o corpo devagar para se sentar. A coleira tilinta em seu colo. As sombras deixam seu rosto, revelando uma expressão quase estranha.

Ele levanta as mãos, num gesto de entrega.

Minhas sobrancelhas se franzem em choque.

— Escute — diz ele, o fim de cada sílaba derretendo com o calor em seu interior. — Eu não vou... não vou obrigar você a fazer nada que não queira. Sei que isso — ele olha de esguelha para os frascos no canto —, tudo isso parece ruim, e que você não vai acreditar em mim, mas não vou machucá-la. Você tem a minha palavra. — Ele soluça, depois tampa a boca com o dorso da mão. — Me desculpe.

Uma sensação de que algo está errado pinica minha pele, como hunduns comuns.

Este não pode ser o rapaz que tem fogo e espadas no lugar de uma mente. Eu estive *lá dentro*... Ele sabe! Sou a primeira pessoa que viveu para contar a história sobre o que viu em seu reino mental! Ele estava lá quando o descrevi aos estrategistas! Então a quem ele acha que está enganando?

— Eu tenho... um macacão extra — continua, como se eu estivesse apontando uma arma em sua direção, embora ele nunca tenha agido desse jeito diante da mira de uma arma.

Abre uma gaveta na base metálica da cama enquanto mantém uma das mãos para cima, tira um montinho laranja fluorescente e me oferece.

A cor brilhante do tecido queima meus olhos, viva demais para ser real.

— Você pode... se trocar no banheiro. — Ele aponta para uma cabine de metal retangular próxima ao pé da cama. — Tem também umas coisas no armário da pia. Pode usar.

Sinto uma pontada no coração.

Um lugar onde posso ficar um pouco sozinha. Sim. Por favor.

Apanho o macacão e cambaleio para o banheiro o mais rápido que consigo, apoiando uma das mãos na parede.

~~~~~

Faço um escalda-pés urgente em um balde de lata com um punhado de ervas medicinais que encontrei no armário sob a pia. Usar a água congelante da torneira provavelmente não faz bem para meu fluxo de *qi*, mas água quente se tornou algo muito distante. Não sei mais como é a sensação, se algo tão calmante algum dia existiu.

É difícil permanecer sã depois de tudo o que aconteceu. Observo minhas mãos frias e dormentes esfregarem as faixas que envolvem meus pés, por entre os joelhos, enquanto a consciência de que sou eu quem está realizando os movimentos vai e volta. Gotas d'água provocam pequenas ondas hipnotizantes no balde, onde as ervas flutuam. As faixas estão imundas de sangue seco e uma secreção amarela suspeita. Pensei em usar os trajes rasgados para fazer novas faixas enquanto estas secassem, mas, para minha surpresa, também havia faixas novas no armário. E saquinhos de cinza de madeira, o tipo usado para absorver sangramentos mensais.

Não faço ideia do porquê Li Shimin teria essas coisas se nunca teve privilégios de concubina. Talvez sejam sobras de alguma moça que costumava ser mantida aqui.

Ela deve estar morta agora.

Como eu deveria estar, treze dias atrás.

Esfrego os dedos até ficarem vermelhos e começarem a fazer bolhas, mas nem isso consegue me convencer de que estou viva. De que sobrevivi a tudo que aconteceu. De que não estou mais deitada na escuridão da primeira cela em que me prenderam, completamente louca. De que Li Shimin prometeu não me machucar, ao passo que o Exército praticamente o apresentou como uma arma para me subjugar e me lembrar de que nasci para agradar e servir, não para matar e desafiar.

Não faz sentido. Se ele tivesse algum autocontrole, não seria um beberrão e um assassino. Então por que está agindo assim? Que jogo está tentando jogar?

Estou quase decidindo ficar no banheiro até os hunduns, de alguma forma, invadirem a Grande Muralha e esmagarem todos nós até virarmos pasta, mas, em determinado momento, uma batida repentina na porta me desperta.

— Ei... Está tudo bem aí? — Ouço a voz abafada de Li Shimin.

— Está. — Minhas mãos, que estavam alisando meu cabelo, se cerram em punhos contra o peito.

— Tudo bem, então. Vão desligar as luzes em dez minutos. Vai ficar escuro. Escuro pra valer. Vai ficar difícil se mover. Achei melhor avisar.

— Tá. Tudo bem.

Acho que não tenho escolha a não ser terminar o escalda-pés e sair. Quando vou para o quarto com os pés recém-enfaixados, Li Shimin está cambaleando na beirada da cama, segurando um frasco com ambas as mãos.

Olhamos embasbacados um para o outro no espaço exíguo.

— Você pode... — Ele gesticula em direção à cama, com o olhar indo e voltando para o meu. — Vou dormir no chão.

Sinto um desconforto. Não consigo me livrar da sensação de que é uma armadilha.

— Não, tudo bem. — Mantenho o tom de voz baixo. — Eu nunca nem dormi numa cama de verdade antes. Vou ficar no chão.

Ele abre a boca, surpreso, depois uma severidade turva sua expressão.

— Não posso deixar você fazer isso.

Uma raiva visceral dispara em meu interior.

— Você não decide as coisas por mim.

— Não. Estou decidindo por mim.

Ele se inclina para jogar todos os frascos vazios em uma gaveta debaixo da cama, depois se encosta na parede e desliza para o chão de concreto. Mal cabe no espaço, com a armação e a parede do bunker pressionando seus ombros.

Mordo a parte de dentro da bochecha. Estou tentada a exigir que ele volte para a cama, mas o argumento na ponta de minha língua me faz pausar. *Não seja ridículo. É o seu quarto*, quase disse. Só que não é. Também é meu agora. Então por que devo insistir em ser a pessoa que fica desconfortável?

— Tudo bem. Como quiser.

Subo no colchão. Não agradeço, pois seria admitir que ele está me fazendo algum tipo de favor. Se seu objetivo é fazer com que eu me sinta grata por algo que nunca pedi, ele vai aprender a lição rapidinho.

Seu macacão extra cabe e sobra em meu corpo como trajes de gente rica... embora eu duvide que gente rica acabe no corredor da morte. Agora sei como Yizhi se sente ao tentar fazer qualquer coisa vestindo aqueles trajes exagerados de luxo.

Sinto uma pontada de dor no coração ao pensar nele. Meus dedos apertam a cama. Será que ele assistiu à batalha de hoje? Será que sabe que fui designada para o Pássaro Carmim? Os estrategistas desviaram todas as minhas tentativas de descobrir o que foi dito às massas sobre mim.

Enquanto me acomodo, dobrando as pernas, pego Li Shimin examinando fervorosamente o frasco, com os olhos se movendo. Seus dedos escorregam pelo metal.

Fico confusa.

— O que você está fazendo?

— Estou... lendo — diz ele, fazendo uma careta no meio da resposta, como se percebesse quão absurdo soa.

— Mas... — Eu me debruço para ver melhor o frasco. Não acho um único ideograma.

— Eu... hum... tinha os Quatro Clássicos — continua. — Sabe? *Foras da lei das pradarias hundun*, *Sonho da torre de vigia vermelha*, *Romance das três províncias* e *Jornada à fortaleza oeste*. Eu li tanto esses livros que os memorizei. Se me esforçar para fingir que estou lendo, consigo ler todos eles de novo.

Tá. Então, pelo jeito, Li Shimin é doido de pedra.

Estou com tanta coisa para digerir que só observo.

— Você consegue ler livros inteiros? — pergunto, por fim.

A escrita han é composta de milhares de caracteres complicados que são, individualmente, como desenhos. Apenas pessoas escolarizadas como Yizhi sabem ler e escrever mais do que frases simples.

Li Shimin levanta os olhos cansados do frasco.

— Consigo. Eu frequentei a escola. Eles deixam, quando você é rongdi por parte de mãe, não de pai.

— Ela era tujue, xianbei ou qiang? — pergunto, semicerrando os olhos, incapaz de deduzir só por sua aparência.

O cansaço desaparece de seus olhos.

— É sério que você conhece os outros povos?

— Sou da fronteira. — Dou de ombros. — Há muitos rongdi na minha aldeia. Eles não gostam quando você os confunde com gente de outros povos. Normalmente consigo adivinhar sua origem pelo nome ou pelas roupas, mas... bem.

Ele bufa, erguendo o queixo, e sua postura adquire um ar mais leve.

— Sou xianbei. Mas não sei muito dos costumes, e só falo um pouco. Minha mãe morreu quando eu era pequeno. — Ele observa o braço musculoso e cheio de cicatrizes. — Queria que ela tivesse me ensinado mais.

Minha mente oscila, confusa pela discrepância entre o conceito aterrorizante e invencível de "Li Shimin, o Demônio de Ferro" e o rapaz no chão, desajeitado, espremido entre a cama e a parede, falando sobre a mãe.

Todo mundo sabe que as origens dos pilotos mais poderosos são as mais inesperadas. Não tem como prever onde a próxima pressão vital impressionante vai surgir — o próprio Qin Zheng era filho de uma prostituta e cresceu em um bordel, sem ter ideia de quem era seu pai. Mas não consigo imaginar um Li Shimin criancinha. Será que chorou quando a mãe morreu? Será que o pai e os irmãos tentaram confortá-lo, sem saber que iriam morrer pelas mãos dele? Será que, enquanto viviam a própria vida como uma família, dia após dia, alguma vez tiveram algum indício do que ele seria capaz?

Ou do que *eles* seriam capazes para fazê-lo perder o controle daquele jeito? Quero perguntar, mas minha voz entala na garganta como uma espinha de peixe.

Certo. Por que seria da minha conta?

— O que aconteceu com seus livros? — pergunto, em vez disso.

Seria bom poder pegar um para me distrair, embora eu não saiba ler muito bem.

— Hum. — Ele me lança um olhar culpado. — Fiz uma navalha com as páginas e esfaqueei dois soldados.

Fico boquiaberta.

— E por que fez isso? — pergunto, depois de uma longa pausa.

— Estavam me levando para a batalha, e eu não queria ir.

Ele sacode o frasco próximo à orelha; seus olhos estão vazios e distantes, opacos. Então abre a gaveta, tira outro frasco, saca a tampa e dá vários grandes goles.

— Você não gosta de lutar?

Ele fica imóvel, com a boca no frasco.

— Acha que só porque sou um assassino eu *gosto* de sacrificar meninas?

Uma onda amarga de sentimentos me inunda.

— Não sei. Os outros pilotos com certeza gostam.

— Não é verdade. Não pode ser verdade — diz ele, às pressas, com a voz tremendo. — Ninguém pode gostar disso. Nós sentimos quando elas estão morrendo. Sabemos seus últimos medos. Suas lembranças. Seus sonhos.

— Nenhum de vocês dá a mínima para isso.

— Fazem a gente acreditar que não temos autorização para dar a mínima. É diferente. — Ele me olha nos olhos dessa vez, o que se recusou a fazer antes de nossa primeira batalha.

Meu estômago se revira, fazendo bile subir pela garganta.

É a primeira vez que ouço um piloto expressar qualquer esboço de culpa pelo que fazem. Mas em vez de me sentir melhor em relação a Li Shimin, fico *mais* agitada. O comentário me perturba de um modo inteiramente novo. Porque não faz sentido. De todas as pessoas, por que logo ele se importa com as garotas, quando ninguém mais se importa?

— Eu, hã, poderia pedir os livros de novo. — Ele muda de assunto de repente, parecendo sentir as emoções conflitantes em mim. — Faz tempo. Talvez eles concordem em me dar. Eu poderia ensiná-la a ler. Se você quiser.

Fico vermelha.

— Ah, me poupe! Eu também sei ler!

Ele faz exatamente a mesma expressão que eu devo ter feito momentos antes.

— Achei que você tivesse dito que era da fronteira.

— Sou, mas eu conhecia um garoto da cidade. Ele me ensinou.

Dou um sorrisinho ao perceber a confusão que toma os traços de Li Shimin, até que ele diz:

— Onde ele está agora?

Meu sorriso murcha.

— Chang'an, acho. — Dou de ombros.

— Ele não se importou de você se alistar?

— Se importou. — Tensiono o pescoço para evitar que minha voz falhe. — Mas não interessava, porque tomei minha própria decisão.

— Coitado.

Engulo o impulso de me justificar. Não preciso fazer isso. Não deveria precisar. Fiz minha escolha e atingi meu objetivo. *Essa* é a única coisa que importa.

Antes de eu ter tempo para responder, a luz elétrica é desligada.

Imergimos na escuridão e no silêncio. Não desligaram só a lâmpada do teto; todos os outros equipamentos e fios nas paredes também pararam de operar. A completa escuridão dispara uma pontada de medo em mim, mas o domino. De que adianta ficar com medo? Na pior das hipóteses, vou descobrir muito mais rápido que esta parceria não vale a pena, então mato a nós dois. Grande coisa.

— Bem, então boa noite.

O colchão se se infla e a cama range enquanto me deito, depois fecho os olhos.

Suas correntes tilintam enquanto ele faz o mesmo.

Solto um suspiro trêmulo. Meu coração bate forte no aposento silencioso e escuro como um poço. Rezo para Li Shimin não me ouvir.

Mas *eu* consigo ouvir sua respiração. Ele inspira e exala, inspira e exala, ritmado pelo álcool. Quase consigo sentir o calor do ar circulando em seus pulmões chamejantes, intensificando-se. O cheiro acre da bebida e o odor de ferro de suas correntes chegam cada vez mais perto, de encontro a minha bochecha...

— Fique longe! — Eu me encosto na parede.

— Quê?

As correntes chacoalham no que parece um sobressalto.

Fico atônita. Sua voz ainda está vindo do lado oposto do cômodo. Nem um pouco perto de mim.

Ah, não.

Eu também sou doida de pedra.

— O que foi? — pergunta ele, nervoso.

Uma sensação amarga e fria penetra minha pele, como cristais de gelo derretendo no ácido. Minha cabeça fica leve, e manchas dançam na minha visão.

— Você... *Qual é a sua?*

— Ahn? — Sua voz fica mais baixa.

— Pare de encenação! — Dou um tapa no colchão. — Você acha mesmo que vou acreditar que você é algum sujeito incompreendido e no fundo uma pessoa sensível? Nós dois sabemos que não é verdade!

— Eu... eu não estou entendendo por que você ficou brava de repente.

— Porque você está só fingindo, e eu preferiria que não fizesse isso! — grito, quase grunhindo. — Não quero ter que lidar com você fazendo jogos para conseguir o que quer. Você é um rapaz. Vamos... — Minha voz empaca, mas a escuridão facilita as coisas. Ele não consegue ver meu rosto em chamas. — Não vamos fingir que você não tem necessidades. Não quero que você enlouqueça, então estou disposta a supri-las de uma vez, com algumas condições: nada de surpresas, nada de jogos, nada...

— Pare, pare! — interrompe ele, então sua voz se torna um murmúrio sombrio. — Acho... que mentiram para você sobre as necessidades masculinas. Não somos animais. Sim, nossos desejos podem ser bem fortes, mas não são *incontroláveis*. Não existe isso de enlouquecer por causa deles.

Uma risada amarga e penosa sai de mim, como estilhaços de vidro.

— Diga isso às garotas que estão sendo estupradas enquanto conversamos.

— Isso não é questão de autocontrole. Qualquer cara que faz algo assim sabe exatamente o que está fazendo. Tem sempre um momento em que ele conscientemente decide que vai arruinar a vida de alguém para se sentir melhor em relação à própria vida. Sempre.

— Está falando por experiência própria?

— Estou. Foi por isso que assassinei meus irmãos.

Fico gélida.

— No prédio onde minha família morava, havia uma menina — conta ele rapidamente enquanto ainda estou digerindo a mudança de assunto, tentando respirar. — Ela era uma das poucas pessoas que não tinham medo de mim, que se comportava de forma mais ou menos decente comigo. Um dia, descobri que alguns amigos do Irmão Mais Velho a estavam chantageando, então dei uma surra neles. Logo depois voltei para casa e ouvi uns barulhos estranhos no quarto que eu dividia com meus irmãos. Entrei e os vi. Com ela. E...

Li Shimin não termina a frase, e me sinto grata por isso. Senão, teria gritado, pedindo para que se calasse.

— O Irmão Mais Velho olhou para mim de um jeito... — continua ele depois de uma pausa, em um tom mais severo. — Ele estava sorrindo. De leve, bem de leve, mas o suficiente para eu me dar conta de que eles tinham um plano. Se eu chamasse os soldados do distrito, eles com certeza colocariam a culpa em mim, e todo mundo acreditaria, porque o Irmão Mais Velho... tinha uma aparência mais confiável. Não somos filhos da mesma mãe. A dele era han. Os soldados do distrito *com certeza* acatariam a palavra dele em vez da minha, e ele sabia. — Sua voz se transforma em um grunhido. — Então não chamei os soldados.

Fico deitada, imóvel na cama, curvada e com meu batimento acelerado, olhando para o breu. Não reajo. Não sei como reagir.

— Acho que ele não pensou que eu teria coragem de matá-lo. — A história de Li Shimin continua assombrando a escuridão. — Nem Yuanji, nosso irmão mais novo. Ainda estou bravo por ele ter se envolvido na situação. Ele tinha idade suficiente para saber como agir. E... quanto ao nosso pai... bem, ele chegou em casa antes que eu pudesse ir embora. Viu o que eu fiz. Pegou outro cutelo e foi atrás de mim. Eu... precisei me defender.

— E a garota? — pergunto, com os lábios e a língua amortecidos de tão frios. — O que aconteceu com ela depois?

— Ah, ouvi dizer que a família a afogou por ter sido desonrada.

Fecho os olhos com força, esperando realmente nunca mais abri-los de novo e descobrir que ainda faço parte deste mundo. Um calor úmido se insinua pelos meus cílios, encharcando-os.

— Então, não. — A voz de Li Shimin falha, com um riso pesaroso. — Eu nunca estupraria alguém. É algo que só os maiores covardes fazem. E não sou um deles.

Saio abruptamente da espiral sombria que tomou conta de mim. Por acidente, ele me deu uma dica: sua história tem um objetivo. Está tentando me convencer de que é mais nobre do que os outros rapazes. E quase acreditei, igualzinho ao que aconteceu depois daquela lenga-lenga de Yang Guang. Que por pouco não me custou tudo.

Por que eu acreditaria na história dele?

Será que é mesmo verdadeira?

Só tenho certeza de uma coisa quanto a Li Shimin: ele participou de pelo menos uma dúzia de batalhas. Então, sacrificou pelo menos uma dúzia de garotas.

Finalmente entendo por que seu showzinho de culpa me perturbou tanto. Até hoje, talvez houvesse uma parte de mim que acreditava que garotos eram fisicamente incapazes de ter empatia em relação às garotas. Li Shimin provou que eu estava errada. Eles entendem. Como ele mesmo disse, sabem exatamente o que estão fazendo. Ele sabe o que está fazendo. Ele, que, apesar de distinguir o certo e o errado, *entrou no cockpit. Todas. As. Vezes.*

— Você está errado. — Quebro o silêncio, sem expressar qualquer emoção. — Você também é um covarde.

Um ruído baixo sai de sua garganta.

— O quê?

— Quando o mandam para uma batalha, eles apontam uma arma para você e ordenam que entre na crisálida, certo?

— O que você quer...

— Então a grande pergunta é: por que você simplesmente não deixa que atirem?

— *O quê?*

— Você está aqui alegando que é melhor do que os outros rapazes, mas quais são as provas que tem? Uma vida que nem sequer chegou a salvar? — digo, com um nó crescendo na garganta. Lágrimas caem dos cantos de meus olhos. — Aquelas garotas tinham a vida toda pela frente. E você? Que motivos ainda tem para viver? *Que motivos ainda tem que valessem a vida delas?*

Meu quase grito reverbera pelo bunker.

Ouço seu macacão roçar em algo devido a um movimento violento. Suas correntes tilintam.

O medo e o arrependimento me corroem. Foi demais. Ele vai me bater agora. É assim que funciona.

Preparo-me para o impacto, mas sinto certo alívio sob efeito da descarga de adrenalina. Sabia que não ia dar certo. Vou me libertar bem mais cedo agora. Depois que ele cair no sono, posso tentar achar algo para começar um incêndio...

— Nossa — resmunga ele. — Você é uma senhorita *encantadora*.

Fico alarmada ao perceber que suas palavras se entrecortam com o que parece ser um soluço abafado, embora possa ser apenas embriaguez.

Seja o que for, ele se deixa cair sem desferir o golpe que eu estava esperando e não diz mais nada.

CAPÍTULO QUINZE

O SUPOSTO PINÁCULO DA EXISTÊNCIA FEMININA

Nas histórias sobre o imperador-general Qin Zheng, dizem que sua pressão vital era tão forte e seu domínio sobre ela, tão perfeito, que ele podia se apropriar do metal primordial dos hunduns no próprio campo de batalha para fazer sua própria crisálida, o Dragão Amarelo, crescer indefinidamente. Alguns dizem que a Grande Muralha foi inspirada no Dragão Amarelo. Então, quando era pequena, eu imaginava a Muralha exatamente como um dragão que se estendia de pico a pico, envolvendo-nos na segurança de seus braços.

Mas, na verdade, conforme descobri em minhas viagens constantes de *shuttle*, a Muralha é mais um sistema de estradas entre torres de vigia e bases do Exército. Muitos trechos do meio não são nada além de trilhos que cortam as faces estéreis de montanhas da fronteira.

O monólito imponente de aço e concreto, que parece tão reconfortante em fotos promocionais, mostra-se limitado quando se trata de conectar vales e cânions para evitar que hunduns comuns invadam Huaxia.

Nosso *shuttle* guincha enquanto desliza em direção ao campo de treinamento Jaula do Tigre, onde pilotos que gastaram todo o *qi* em batalha devem dar o seu melhor durante o período de recarga. Os trilhos fazem curvas enormes e sinuosas para se manterem nas margens das montanhas Tang. Um borrão de pedras ásperas domina todas as janelas de um lado, enquanto uma luz cinza e nevoenta cai oblíqua pela lateral que se eleva sobre as pradarias hunduns.

Meu corpo balança e chacoalha no ritmo do vagão de aço frio. Meu estômago revira, ainda desacostumado a viajar em algo tão rápido. O odor de graxa de motor e produtos químicos impregna meus pulmões, o que me torna extremamente consciente de cada respiração.

Li Shimin e eu nos sentamos frente a frente como se estivéssemos no reino yin-yang, com meus joelhos cobertos por uma vestimenta preta quase tocando os dele, cobertos por uma branca. Estamos usando os uniformes de pilotos — o meu preto com detalhes brancos, e o dele, branco com detalhes pretos. Consistem em um traje de condução bem justo para facilitar o uso sob a armadura vital com um colete longo por cima, em prol da decência, mantido no lugar por um cinto largo.

Li Shimin nunca teve o privilégio de usar esta roupa, e as garotas tecnicamente só podem usar um uniforme quando coroadas com o título de Par Equilibrado, mas o Exército foi forçado a mudar a abordagem com a gente. Sima Yi viajou desde a província de Sanguo durante a noite, irrompeu em nosso bunker às cinco da manhã e fez dois anúncios: primeiro, que o Comitê de Comando Central do Exército o designara como nosso treinador oficial; e, segundo, que deveríamos fazer uma estreia para a mídia como par. Os rumores e as especulações de pânico depois da transformação monstruosa do Pássaro Carmim saíram de controle. Jornalistas estão vindo para tirar algumas fotos casuais de mim para provar que sou uma garota normal, e não um espírito malévolo. Uma garota com uma pressão vital incrivelmente forte, mas nada sobrenatural.

Engraçado como não precisaram fazer nada disso no caso de Li Shimin... Logo ele, o assassino.

Sima Yi nos levou à torre de vigia mais próxima do bunker de Li Shimin para que as tias pudessem nos arrumar para as fotos. Parecia basicamente que estavam me preparando para ser concubina de novo. Horas de esfregação, cremes e pós cobriram os hematomas deixados pelo cárcere e pelo esgotamento do *qi*, ao mesmo tempo que fizeram parecer que eu não estava usando maquiagem. A parte da frente de meu cabelo foi torcida em coques infantis nas laterais da cabeça, e a metade de trás foi presa em um coque bem alto. Nada de pingentes brilhante e joias — decidiram me dar um visual de "garota normal". Eu poderia até iludir a mim mesma acreditando que acordei no escalão das belas e poderosas.

Encaro meu uniforme preto com padrões brancos, uma visão surreal que passei a vida toda acreditando que só veria em fotos de propagandas do Exército com Pares Equilibrados. É isto, o suposto pináculo da existência feminina. Aquilo que me ensinaram a querer, o sonho de tantas menininhas. Permitiram que eu partilhasse a glória de um piloto, em vez de meramente morrer para proporcioná-la. E mais: não sou apenas a piloto mais forte de Huaxia, estou unida ao piloto mais forte de *todos*.

Mas não é preciso pensar muito além da glória superficial para perder qualquer orgulho que eu possa ter sentido.

Isto não é poder de verdade. Tive poder de verdade quando estava na Raposa de Nove Caudas, com o cadáver de Yang Guang a meus pés, jogando conforme minhas próprias regras. Vitoriosa de acordo com meus próprios critérios. Sem contar com ninguém, a não ser comigo mesma.

Nunca vou voltar a ter essa sensação enquanto o Exército me manipular como uma marionete.

Na verdade, sou o pior tipo de esperança. O tipo que trazia grupos e mais grupos de meninas até aqui para serem embelezadas e transformadas em concubinas. Famílias apontarão para mim — a imagem domada e retocada de mim — para acalmar as filhas que pretendem vender ao Exército.

Quero vomitar. Quero arrancar os cabelos e este uniforme do corpo.

Mas não posso abrir mão da chance de voltar ao Pássaro Carmim. Pior do que ser um farol de falsas esperanças é me tornar outro cadáver de mulher facilmente apagado e esquecido. Apenas em uma crisálida posso alcançar a força e o destemor máximos.

O *shuttle* guincha e se inclina em outra curva, jogando-me contra a janela.

Li Shimin estende as mãos em minha direção.

Arqueio as sobrancelhas, olhando para seus braços, depois para ele.

Com as pálpebras tremelicando, ele volta a bebericar do frasco.

— Não beba demais — repreende Sima Yi, sentado ao seu lado. — Você não pode ficar cambaleando na frente das câmeras!

Gostaria que tivessem designado para nós o estrategista-chefe Zhuge, que parecia mais legal, mas aparentemente Sima Yi foi o primeiro treinador de Li Shimin, depois de livrá-lo do campo de trabalhos forçados dos sentenciados à morte. Não faço ideia do porquê ele não confisca a bebida.

Li Shimin responde com um grunhido, então segura o frasco junto ao peito e começa a prestar atenção na paisagem. Nuvens de condensação tremem próximo à parte inferior do vidro, tentando se segurar apesar da velocidade.

Cerrando os dentes, observo o perfil de seu rosto, a tatuagem de prisioneiro em sua bochecha. Ele ainda não me fez pagar pelo que falei ontem à noite. Isso me deixa mais ansiosa do que se ele tivesse retaliado imediatamente.

Para piorar, as tias o transformaram de forma ainda mais drástica do que fizeram comigo. Quando o vi pela primeira vez fora dos provadores, mal consegui acreditar que era a mesma pessoa. Haviam aparado sua barba, fazendo-o parecer realmente um rapaz de dezenove anos. Também colocaram um adorno de cabeça ao estilo da província de Tang, com um gorro rígido por dentro para simular um coque alto, escondendo o cabelo curto de condenado.

Mas o que me deixou mais embasbacada são os óculos ridículos que ele está usando. Li Shimin olha para a vastidão selvagem através de lentes de fundo de garrafa, que deixam as áreas em volta de seus olhos tão distorcidas que se tornam desalinhadas em relação ao rosto.

Achei que se tratava de uma última tentativa de fazê-lo parecer menos rongdi, mas na verdade são lentes de verdade. Ele é praticamente cego. Quando as portas do elevador que leva ao topo da Muralha finalmente se abriram, ele quase tropeçou, bombardeado pela visão.

Meus olhos alternam entre diferentes partes dele. É como se meu cérebro quisesse freneticamente categorizá-lo a fim de entendê-lo, mas sem sucesso. Não estou obtendo nada a não ser um monte de pistas conflitantes. Han *versus* rongdi. Perigo *versus* ternura. Criminoso bêbado *versus* piloto invencível. Demônio de Ferro *versus* garoto humano.

De repente, percebo outra coisa em seu visual tão estranhamente diferente: sua cara não está fechada como antes.

Céus, será que toda aquela expressão carregada era só ele *forçando a vista*?

— Caramba, como seus olhos ficaram tão ruins? — deixo escapar, as primeiras palavras que dirijo a ele desde a noite anterior.

Com um sobressalto, ele volta a atenção para mim.

— Forcei a vista estudando — murmura ele, com os olhos viajando por meu rosto um pouco trêmulos, como se estivesse tentando memorizar os detalhes para o caso de perder de novo a habilidade de enxergar.

Embora sua carranca — ou cara de quem está forçando a vista, ou seja lá o que for — nunca tenha me intimidado, tenho que desviar os olhos agora.

— Você precisa tomar cuidado para que ele não abuse dos óculos desta vez — diz Sima Yi, lançando-me um olhar de esguelha.

— Como é que se abusa de óculos? — pergunto, sarcástica.

— Bem, *supostamente* você quebra as lentes, afia o maior caco no chão do bunker, esconde-o sob a coleira e tenta abrir a garganta de um soldado com ele. — Sima Yi balança a cabeça para Li Shimin, que se volta para a janela com um olhar mais vazio do que antes. — Sério, não vou conseguir outro para voc... — Sima Yi interrompe a fala para me olhar. — Não fique tão impressionada!

— O qu... Não estou impressionada! — Abro as mãos rapidamente. — Eu... Por que *eu* sou responsável pelo comportamento *dele*, afinal?

— Você é praticamente a esposa dele agora! É o seu dever.

Uma sensação de exaustão intensa contorce meu rosto, meu cérebro, meus ossos, tudo. É sério, as pessoas não conseguem decidir quem deve ser tratado como uma criança inocente que não pode ficar sem supervisão: os homens ou as mulheres.

— Estrategista Sima — grunhe Li Shimin, com os traços do rosto tremendo com uma exaustão surpreendentemente similar à minha. — Deixe-a fora disso. Ela não é responsável por nada que me envolva.

— Isso aí! Por acaso eu tenho cara de quem é capaz de controlá-lo? — pergunto.

Sima Yi bufa.

— Poupe-me. Ele pode ser um animal com todas as outras pessoas, mas é gentil com suas garotas. Deveria tê-lo visto com a última parceira. Eu quase não consegui suportar tanta delicadeza.

Fico em choque.

— A última *o quê*?

"Parceira" é um termo usado estritamente para Pares Equilibrados. Uma piloto-concubina *nunca* seria chamada assim.

Uma onda de dor invade o rosto de Li Shimin.

— Estrategista Sima...

— Ah, sim. O assunto nunca foi de conhecimento público. Bem, havia uma garota que nós pensamos...

— *Sima Yi!* — Li Shimin levanta a voz, que ribomba de seu peito e atravessa o ar frio e monótono.

Eu me encolho no assento. Sua voz nunca passou de um murmúrio, e agora sei por quê. Os soldados que estão nos vigiando dão um pulo, alertas, nos assentos à volta, empunhando as armas.

O *shuttle* passa por algum buraco, fazendo-nos chacoalhar. Meu sangue pulsa sob a pele fria.

As sobrancelhas de Sima Yi se arquearam, mas ele recobra o controle em um segundo, acalmando os soldados com um aceno de mão.

— Não fale sobre ela — diz Li Shimin, então se volta para mim. — Ela morreu.

Embora perguntas faísquem em minha cabeça — como é possível que ele tenha tido uma parceira se nenhuma garota sobreviveu a uma batalha ao seu lado antes de mim? —, a aura de perigo ao redor dele me faz calar a boca. Seus dedos apertam o frasco com firmeza, a pele se esticando em volta das muitas cicatrizes que as cobrem de enigmas. Estremeço. É nessas horas que eu tenho um vislumbre desconfortável do nível de fúria e violência que ele está contendo. A qualquer momento, pode estourar. Estou cometendo um erro ao desafiá-lo constantemente, testando-o.

Duas semanas, lembro a mim mesma, tentando relaxar os músculos. Só preciso aguentar duas semanas, então terei minha revanche.

Rasgar nossa carne mortal e pulverizar nossos ossos. Seja lá o que existir para nós dois, existe com a mesma ferocidade.

Não vou falhar pela segunda vez.

CAPÍTULO DEZESSEIS

O REI SEM COROA, A RAINHA SEM CORAÇÃO

— Shimin, coloque o braço nos ombros dela — diz Sima Yi enquanto o elevador desce tremendo pela Grande Muralha. — É hora do show.

Quando a mão de Li Shimin roça meus ombros, faço o possível para engolir o pânico. A manga justa de seu traje de condução, por baixo do colete de piloto, reluz a cada curva de seus músculos como uma tinta branca espessa, produzindo um contraste gritante com meu uniforme negro. O calor e o peso de seu braço e a proximidade sufocante fazem todas as minhas células encolherem em minhas veias pulsantes.

Mas, mesmo se reclamasse, eu não teria escolha. Um soldado precisou me arrastar por toda parte para que eu acompanhasse o ritmo de Sima Yi. Não me deixam usar uma bengala porque... não sei, estão com medo do espírito de raposa ou algo assim. Agora Li Shimin precisa assumir a tarefa porque os soldados não devem aparecer nas imagens com a gente, senão nos fariam parecer perigosos demais. A coleira em seu pescoço é prova de que ele está sob controle, enquanto seu braço em volta dos meus ombros é prova de que *eu* estou sob controle.

É um equilíbrio delicado.

Com pés amarrados, você aprende o valor dos elos entre a família. A voz de minha avó soa na minha cabeça como um disco arranhado. *Ninguém consegue fazer tudo sozinho. Todos nós precisamos contar uns com os outros.*

É. Agora preciso deixar que homens estranhos me toquem quando quero ir a algum lugar. Obrigada, Avó.

Bufo, tentando passar a mensagem de que, não, não fui "domada", mas assim que as portas do elevador se abrem com um rangido, revelando um vale cheio de prédios e pessoas prontas para escrutinar todo e qualquer movimento que faço, eu congelo, sentindo um frio calmante que aciona um circuito completamente diferente em meu cérebro: o circuito da vingança cozida em banho-maria.

Para acalmar os oficiais do Exército que querem minha execução imediata, sigo as instruções de Sima Yi: me encolho e mantenho os olhos no caminho pavimentado de pedras que atravessa o campo, fazendo o papel de acessório de Li Shimin.

Torna-se difícil quando, depois de alguns momentos, fica óbvio que não sou a única que precisa se esforçar para andar em linha reta. Li Shimin também apoia seu peso em mim, dando passos perigosamente cambaleantes. Sou obrigada a firmá-lo com uma das mãos em suas costas.

— Ele disse para você não beber demais! — sussurro, e imediatamente me odeio por soar como uma Esposa Desesperada.

— Sinto muito — diz Li Shimin de maneira arrastada, arfando.

— Não, não sente! Senão não teria bebido!

Ele não responde. Seu olhar turvo simplesmente flutua para algum lugar muito, muito além.

Foco em acompanhar seu ritmo e equilíbrio, para que não passemos pela humilhação de cair de cara no chão. Enquanto as linhas pretas da calça branca de seu traje de condução somem dentro de botas pesadas, as linhas brancas da minha continuam em direção a um par de sapatinhos que parecem uma piada, com um punhado de borboletas deformadas porcamente bordadas com linha preta.

Em ambos os lados da passarela, os telhados dos prédios de treinamento fulguram como garras contra o aglomerado de nuvens de tempestade. Não há tantas pessoas à toa se amontoando do lado de fora — a maioria é de pilotos fumando cachimbos —, mas elas chamam umas às outras por trás das janelas, e grupos grandes de rostos com expressão de cobiça se apressam em direção às vidraças. Iluminadas por dentro pela fluorescência, mais brilhante do que o tempo lúgubre, elas apontam, exclamam e passam os olhos repulsivos por cada detalhe em mim. Inalo golfadas longas e tranquilizantes do ar frio, carregado por causa da chuva iminente. O som de um *shuttle*, agora tão distante e irreal quanto o lamento de um fantasma, atrai minha atenção e me faz olhar por cima do ombro.

Esta parte da Grande Muralha é uma daquelas realmente impressionantes, cuja silhueta se eleva a uma altura desconcertante contra as nuvens sombrias, tomando toda a entrada do vale. Os *shuttles* que estão se movimentando sobre ela parecem tão pequenos quanto enguias. A torre de vigia Kaihuang se projeta para fora como um gigante que espia a humanidade, abrigando os mais importantes estrategistas e equipamentos da fronteira Sui-Tang. Deixo meu olhar se fixar nela por mais um momento, como se estivesse gravando a imagem a fogo na retina, antes de virar a cabeça.

Quando Sima Yi abre as portas duplas do refeitório, um calor opressivo nos acomete, repleto de vozes tagarelantes e barulhos de metal. Eu me encolho — nunca vi tantas pessoas em um só lugar ao mesmo tempo.

Então os flashes das câmeras começam a disparar.

Repórteres com coques e roupas da cidade impressionantemente limpas enxameiam em nossa direção. Os soldados gritam, ordenando que mantenham distância, enquanto Sima Yi nos guia à fila da comida. Embora esteja surtando por dentro, como um espírito atordoado por fogos de artifício no Ano-Novo, mantenho a expressão inalterada.

Conforme passamos, recebemos olhares de relance das pessoas nas mesas, mas devem ter sido orientados a ignorar nossa presença. Suas reações são muito mais controladas do que as do pessoal do lado de fora.

Aqui dentro também há muitos outros tipos de funcionários, o que me faz perceber o tamanho do esforço colaborativo necessário para manter a Muralha funcionando. Soldados com uniformes verde-oliva engolem tigelas enormes e fumegantes de macarrão ensopado e mingau de arroz, como se tivessem apenas dez segundos para terminar de comer. Operários da manutenção vestindo coletes de cores neon sobre as túnicas devoram tigelas ainda maiores. Estrategistas e estudantes de trajes azul-acinzentados discutem com os respectivos tablets em mãos enquanto a comida esfria.

É óbvio que os pilotos são as estrelas principais, com sua fala despreocupada e alta e suas risadas explosivas. As coroas de anel duplo reluzem sob as luminárias engorduradas: chifres estilizados de animais, barbatanas de peixes, asas de borboletas e outros adornos. Todo mundo abre espaço ao ver um deles passar por entre as mesas, imponente, ainda mais quando se trata de um Nobre de Ferro poderoso o suficiente para comandar uma quantidade considerável de armadura vital. Sinto o estômago revirar sempre que reconheço um piloto das imagens promocionais da mídia, mas lembro a mim mesma que não tenho motivo para estar impressionada.

Afinal, agora sou mais poderosa do que todos eles.

Só vejo outras mulheres quando entramos na fila para pegar comida: senhoras com aventais manchados, atarefadas em uma cozinha grande atrás dos guichês esfumaçados. Estão servindo leite de soja, fritando *youtiao*, mexendo mingau e escorrendo macarrão. Taciturna, olho por cima do ombro para as mesas, procurando uniformes pretos iguais ao meu, em busca de companheiras sortudas autorizadas a sair com os garotos para fomentar a ilusão de que o mundo é justo e de que existe esperança.

Mas minha atenção se fixa em um quadro de rankings na parede. Na tela negra, o nome dos pilotos e os respectivos pontos de batalha brilham em cores neon, dispostos em duas colunas, uma para Huaxia como um todo e uma apenas para Sui-Tang. Os flashes das câmeras que atingem meu rosto tornam a leitura difícil, mas não preciso ler para saber quem está em primeiro lugar.

Em ambas as colunas, o topo está vazio.

Meu olhar se volta devagar para Li Shimin, que está encarando o nada. Sinto uma satisfação doentia em saber que o Exército o pune e o insulta deste jeito, garantindo que os outros pilotos poderosos o odeiem. Teoricamente, há um prêmio anual chamado Rei dos Pilotos concedido ao piloto com a maior pontuação, cuja família recebe uma enorme quantia em dinheiro como recompensa. A premiação não aconteceu nos dois anos em que Li Shimin esteve ativo.

Em vez de um campeão reverenciado, ele não passa de um incômodo para todo mundo.

Semicerrando os olhos, tento decifrar quem é o azarado que está ocupando o segundo lugar agora. A diferença entre os pilotos geralmente é apertad...

A tela de repente muda para uma imagem em preto e branco e um texto.

Uma foto de Yang Guang.

Ah...

É o obituário dele.

Suor começa a escorrer por minhas costas como condensação sobre aço. Não porque eu tenha sido tomada pela culpa, mas porque o caos do refeitório se arrefece e silencia. Apenas os repórteres continuam a zumbir como vespas.

Se alguém estava conseguindo ter êxito em me ignorar, não tem mais. Olhares me cortam como lâminas de navalha, cintilando com sede de justiça. Juro que vejo até Xing Tian, piloto do Guerreiro Sem Cabeça, sentado nas mesas, entre a multidão fumegante. A dor fantasma de seu aperto em meu braço ressurge, latejando com a força esmagadora de quando ele me arrastou para longe do corpo de Yang Guang. Os hematomas ainda são visíveis, em um tom de verde profundo e doentio.

O desespero toma conta de mim, fazendo meus membros pesarem como o cimento da Grande Muralha e anestesiando a ponta de meus dedos. Não deveria ter me alegrado com o fato de o pessoal do Exército odiar Li Shimin — eles devem me odiar muito mais. Não quero nem pensar nas coisas de que seriam capazes para me fazer pagar por tirar a vida de seu amado garoto prodígio.

Como vou convencê-los a me aceitar?

※※※

Os repórteres são autorizados a tirar fotos nossas por poucos minutos antes de Sima Yi enxotá-los de volta para suas cidades. Depois do café da manhã com ovos cozidos no chá, leite de soja, *youtiao* e sopa de *wonton* — "que é como se pronuncia a palavra *hundun* no Sul, e por isso a sopa tem esse nome", explica Sima Yi, por alguma razão —, ele nos ensina um exercício de parceiros chamado "dança do gelo". O campo de treinamento tem um ringue de gelo artificial para simular a superfície congelada dos lagos da província Qing, ao norte, onde o exercício teve origem. Sima Yi nos explica que durante muito, muito tempo, estrategistas usaram a velha e boa dança para melhorar a sinergia dos Pares Equilibrados, mas que acrescentar gelo à equação aprimorou sua eficácia de tal forma que até mesmo estrategistas de províncias com climas mais amenos adotaram a prática. A instabilidade dos patins força os parceiros a trabalharem juntos e a contarem um com o outro para realizar coreografias básicas no ringue.

Pelo menos na teoria.

Depois de uma manhã inteira caindo no gelo, aguentando uma agonia ardente em meus pés, derrubando um ao outro e machucando cada superfície substancial nas quedas incessantes, Sima Yi nos leva de volta ao refeitório para almoçar, com a cara tão fechada quanto o céu. Não sei o que esperava. Somos a dupla que obrigou o Pássaro Carmim a tomar uma forma inacreditavelmente monstruosa *ontem*; como poderíamos nos sair melhores em menos de vinte e quatro horas?

— É tão difícil assim trabalharem juntos? — pergunta Sima Yi, começando outro sermão enraivecido enquanto caminhamos com as bandejas de metal com sopa gordurosa e refogado para a mesa. — Juro, vocês são o pior casal que eu já...

Um operário da manutenção apressado esbarra nele.

Vislumbro o momento exato em que a bandeja de Sima Yi se inclina, mas não consigo fazer nada. Sua tigela de sopa com ovos e tomate vira. Ambos se assustam, embora a exclamação de Sima Yi se transforme em um grito desafinado quando a sopa quente encharca seus trajes. A tigela se espatifa no chão e forma uma poça fumegante.

Sima Yi solta os insultos mais criativos que já ouvi. O operário se desculpa enquanto faz infinitas reverências, juntando as mãos e balançando-as repetidas vezes.

— Eca! Vocês dois comam primeiro, eu vou me trocar — diz Sima Yi, e então sai, mal-humorado, com sopa pingando de suas bainhas. O operário corre atrás dele como um rato assustado.

Fico encarando, atônita, enquanto ele sai intempestivamente, mas ainda temos dois soldados nos supervisionando. Eles se sentam com a gente a uma mesa vazia.

A esta altura, não sei se estão protegendo a multidão de nós ou nós da multidão.

Foco em meu prato cheio de arroz e legumes, ignorando os vários olhares fulminantes lançados em minha direção. Sobretudo, desvio o olhar de qualquer lugar próximo à tela de ranking, que, como descobri durante o café da manhã, exibe uma homenagem aos pilotos recentemente falecidos a intervalos de poucos minutos. Pensei em pedir a Sima Yi para tirar Yang Guang da lista, mas não quero que ele saiba o quão apavorada estou de verdade. Além disso, a perceptível quebra na tradição provavelmente deixaria as pessoas ainda mais bravas.

Estou engolindo a comida o mais rápido possível quando uma discussão acalorada explode em uma mesa próxima.

Presto atenção, e felizmente não tem nada a ver comigo. É um piloto berrando sobre dinheiro emprestado e outro berrando sobre o primeiro não ser "um bom amigo".

Uma onda de exclamações e assovios varrem o refeitório.

— Briga! — grita alguém, rindo.

— Briga! Briga! Briga! Briga! — Os outros se juntam.

A discussão ferve como uma wok quente recebendo um jato de óleo.

Nossos soldados ficam alertas, com as mãos tensionadas ao lado das bandejas. Começo a engolir bocadas inteiras quase sem mastigar. Gostaria de sair daqui antes que...

Alguém dá o primeiro soco.

Metade da cantina fica de pé num piscar de olhos, explodindo de empolgação. Mesas são jogadas para o lado enquanto as pessoas se aproximam para ver a briga. O ressoar de botas enche o prédio como uma tempestade em um telhado espesso. Recuo para a ponta do banco e contra a parede grudenta de gordura, segurando firme meus *kuàizi*.

Nossos soldados se levantam rapidamente e abrem caminho às cotoveladas entre a multidão que se aglomera perigosamente próxima de nós. Um piloto com um traje parcial de armadura amarela do tipo Terra cambaleia para trás, rindo.

Ele volta a atenção para mim e Li Shimin. Seu sorriso se metamorfoseia em algo mais malicioso. Olha de um para o outro, e depois para os assentos vagos ao nosso lado.

Não, imploro mentalmente.

Ele se senta ao meu lado, e quase grito. Boa parte de sua armadura vital está tão esticada quanto uma malha dourada sobre as mangas justas do traje de condução e sobre os ombros recortados do colete branco de piloto, mas as manoplas e a couraça peitoral no formato de diamante são sólidos. Essa quantidade provavelmente pertence à categoria Conde, o nível mais baixo de Nobres de Ferro. Sua pressão vital deve estar "só" na casa dos dois mil.

Mas não importa que Li Shimin e eu sejamos mais fortes do que ele em questão de pressão vital. Não significa nada sem nossas armaduras.

— *Wa sai* — observa o piloto, em um tom admirado e brincalhão quase inaudível na algazarra da multidão. — Li Shimin, o Demônio de Ferro, em carne e osso. — Li Shimin mastiga uma bocada de broto de feijão, sem reagir. — Devo dizer que você parece muito mais... selvagem do que imaginei. — O piloto se debruça sobre a mesa, rindo. As orelhas de cachorro de sua coroa dourada se levantam, comandadas pelos sinais de sua espinha dorsal por meio de uma faixa estreita de metal primordial ao longo de suas costas. — Você tem certeza de que não vai virar o Pássaro Carmim para o outro lado e esmagar a Grande Muralha para deixar o resto dos rongdi entrar, ou algo assim?

Fico imóvel, com a boca cheia de arroz e vagem.

Uma lembrança me acomete de repente — não minha, mas um fragmento que entrevi no reino mental de Li Shimin. Ele colocando tijolos para reforçar a Grande Muralha sob a ameaça constante do zumbido de um bastão elétrico.

A bile sobe como lava em meu estômago.

Não deveria dizer nada. Não precisaria, se Li Shimin se defendesse.

Mas ele só baixa a cabeça e continua mastigando.

Engulo a comida ferozmente e digo, em voz alta:

— Por que ele faria isso, se já participou de várias batalhas? E, caso você não saiba, ele ajudou a *construir* a Muralha, gênio.

A armadura do piloto range enquanto ele se vira para mim. O ar fica mais frio, eriçando minha pele. É raro que pilotos homens tenham *qi* de base yin — Qin Zheng é a exceção mais notável —, então demoro um pouco para perceber que não estou imaginando coisas. O *qi* dominante do rapaz deve ser do tipo Água, a categoria mais yin. Sua frieza penetrante está conduzindo energia pela armadura do tipo Terra. Seus olhos não brilham; mas subitamente escurecem até adquirirem um preto mais profundo, mais gélido.

— Então é você a garota que matou o coronel Yang, hein? — diz ele, devagar.

Sua presença e o barulho da briga me pressionam como um enxame de moscas, invadindo meus ouvidos e atravancando minha mente. Lanço um olhar à multidão, na esperança de que os soldados voltem logo. Ou Sima Yi. Quanto tempo leva para trocar a merda de uma roupa?

Dou um peteleco em um pedaço grande de gengibre que estava no refogado.

— Não é culpa minha se ele não deu conta de mim.

— Ah, é? Que truques você usou?

— É sigiloso. Não acho que você seja importante o suficiente para saber.

Um músculo treme abaixo de seu olho.

— Meu nome é Wang Shicong, piloto categoria Conde do Cão dos Céus.

— Não estou nem aí.

Ele respira fundo, então solta uma gargalhada e dá uma olhada para Li Shimin.

— Ela é meio agressiva, não é?

Nenhum de nós dois reage.

— Você é mesmo um espírito de raposa? — Seu hálito vem de encontro à minha orelha.

Eu me viro de repente para expulsá-lo com um tapa, mas ele segura meus pulsos. Suas manoplas do tipo Terra lhe dão uma força tão sobrenatural que arquejo. Meus braços doem.

Li Shimin larga os *kuàizi* e o tira de cima de mim. A força do movimento faz a mesa sair do lugar com um guincho agudo.

Wang Shicong se retesa contra o banco, com uma expressão escandalizada.

Parcialmente debruçado sobre a mesa, Li Shimin o encara de cima. Sua guia tilinta na bandeja.

Percebo que Wang Shicong examina o objeto por um segundo e vejo sua mão avançar, rápida como o bote de uma cobra.

Não sei como o estrondo colossal que se segue acaba acontecendo.

Comida voa para todos os lados, e gordura respinga em mim. Estremeço, mas a visão à minha frente corta minha respiração: Li Shimin está torcendo a guia em volta do pescoço de Wang Shicong, arrastando-o para longe de mim, enquanto o piloto chuta e sufoca.

Li Shimin está estrangulando alguém com as próprias correntes.

Eu não deveria ficar feliz. Não vai acabar bem. Mas só consigo assistir à cena, admirada, sentindo em meu interior a pulsação crescente de uma única palavra: *finalmente*.

CAPÍTULO DEZESSETE

PROFUNDAMENTE FAMILIAR

Demora algum tempo até que a multidão perceba o novo espetáculo atrás de si. Então, com uma onda de olhares por cima do ombro e cutucões uns nos outros, mais e mais pessoas se viram. Olhos brilham, e vozes gritam ainda mais alto. Até mesmo a briga original se arrefece enquanto vários curiosos esticam o pescoço para olhar em nossa direção. Os soldados que nos acompanham berram, mas suas vozes são abafadas pelo barulho do ambiente. A multidão se move, bloqueando a passagem dos soldados, separando-os de nós.

— Shicong! — grita outro piloto, emergindo da multidão. Com uma armadura parcial vermelha do tipo Fogo nos ombros e braços, ele prepara um golpe de *qi* na palma coberta pela manopla.

Li Shimin gira, libertando a vítima. A explosão vermelha passa diante de seu nariz e se espatifa contra a parede. Destroços voam sobre a mesa. Grito e protejo os olhos da poeira.

No entanto, sou obrigada a continuar assistindo à cena por entre os dedos. Enquanto Wang Shicong se levanta, cambaleando e ofegante, com o rosto roxo e a armadura amarela com uma camada de gordura, Li Shimin avança para golpear o pescoço do piloto do tipo Fogo com o cotovelo. O piloto se engasga, patinando. Um golpe estrondoso de Li Shimin em seu rosto o envia aos tropeços na direção oposta, então Li Shimin engancha sua nuca e o arrasta para baixo, o joelho arrancando uma rajada de sangue de seu nariz.

Enquanto o piloto do tipo Fogo cai para trás, gemendo, com as mãos no rosto, Li Shimin desvia para evitar um soco de Wang Shicong. Meu estômago se contorce. Uma explosão destruidora de *qi* oriunda de uma armadura do tipo Terra não representa nenhum perigo, mas um golpe direto com certeza provoca a fratura de um osso ou a ruptura de um órgão.

Céus, onde estão os soldados? Não importa quanta experiência Li Shimin tenha adquirido na prisão, ele não tem como lutar com dois pilotos que estejam usando armadura vital!

No entanto, enquanto ele e Wang Shicong trocam golpes, começo a relaxar. Seus movimentos aparentemente embriagados têm um método. Ele ginga atrás de Wang Shicong enquanto desvia dos golpes, em círculos. É como se fosse leve como uma pluma, e não um rapaz com o dobro do meu tamanho. As manoplas de Wang Shicong não lhe dão qualquer vantagem. O piloto não consegue acertar um só golpe, enquanto Li Shimin continua dando cotoveladas e socos em seu rosto. E faz tudo isso girando. Girando e girando, com uma graciosidade que ele deveria ter tido no gelo, uma visão estonteante. Parece um floreio desnecessário, mas então Wang Shicong tenta chutá-lo no meio de um giro.

Li Shimin agarra sua perna e o desequilibra enquanto completa o giro, então dá um pisão na parte mais alta da coxa do adversário. Ouço um estalo quando a perna se vira num ângulo estranho. Todos engolem em seco, chocados com o grito gutural do piloto. Nem mesmo eu consigo conter a exclamação que escapa de minha boca.

Li Shimin ajusta os óculos, um gesto que destoa da loucura animalesca de antes. A sede de sangue em seus olhos desperta algo primordial e enraizado nas profundezas do meu ser, algo que acha tudo isso...

Profundamente familiar.

Toda a tensão se esvai. Os gritos e uivos bestiais ficam mais altos, mas não tenho mais medo. Começa a parecer natural estar no ninho das bestas.

Enquanto Li Shimin lança Wang Shicong ao chão, um brilho vermelho surge no canto de meus olhos.

O piloto do tipo Fogo está preparando mais uma explosão de *qi*.

Pego minha bandeja de metal e a arremesso. Acerto o piloto no peito, fazendo-o cair para trás e perder o foco. O movimento dá tempo suficiente para Li Shimin alcançá-lo, girar seu braço para trás e esmagar seu rosto contra a beirada da mesa. De novo. E de novo. E de novo.

O piloto cospe dentes e sangue. Um corte profundo se abre em seus lábios. Por um instante, seus olhos injetados de sangue encontram os meus.

Encaro-o com frieza, lembrando o buraco ainda fumegante na parede, um buraco que poderia ter sido em Li Shimin. Pego os *kuàizi* de novo e mastigo devagar mais uma vagem, deixando-a pender de meus lábios.

A empolgação causada pela briga é obviamente maior do que qualquer ressentimento e preconceito contra Li Shimin. A multidão de espectadores entoa seu nome, rapidamente fazendo-o soar menos como um nome e mais como os uivos ritmados de uma matilha de lobos.

Embora, no calor do momento, não parecesse que ele seria capaz de parar, a racionalidade de repente volta a seus olhos. O desconforto contorce sua expressão. Com um grunhido de frustação, ele joga o piloto do tipo Fogo contra a mesa uma última vez, então o deixa cair.

O sangue goteja da mesa e de seus dedos. Um brilho de suor reluz onde as faixas em sua cabeça encontram a testa. Seu peito sobe e desce, ofegante.

Ele me olha nos olhos.

Ah...

Trato de engolir a vagem.

É isso. Ele está enfurecido.

E eu sou a próxima. Estou prestes a pagar por todas as coisas que...

— Obrigado pela ajuda — diz ele, as palavras quase indistinguíveis na barulheira. — Você está bem?

Minha boca se abre várias vezes, sem conseguir emitir qualquer som. Pensei até ter ouvido errado, mas a suavidade em seu olhar não deixa dúvidas.

— Hum. — Esfrego os pulsos doloridos. — Estou bem.

— Está bem. Perdão. — Ele termina de tirar as faixas que já estavam se desenrolando de sua cabeça e balança o cabelo selvagem. Li Shimin semicerra os olhos.

— Perdão pelo quê?

Ele passa a mão ensanguentada e machucada no cabelo.

— Ninguém vai ficar contente com isso. Provavelmente vai tornar as coisas ainda mais difíceis para a gente.

É verdade.

De qualquer forma, quando procuro motivos lógicos para me importar com o que aconteceu, só consigo encontrar alívio, puro e simples, como a calma que senti quanto à morte depois de me dar conta do quanto detestava viver.

— Vamos ser realistas. — Deixo escapar algo entre um riso de escárnio e um suspiro. — Estamos condenados desde o início. O mundo nunca vai nos desculpar pelo que fizemos, e sempre vai ter gente que adoraria nos fazer sofrer. Até parece que íamos ganhar algum respeito nos comportando e deixando-os fazer o que quiserem.

Sua boca se abre, então ele bufa.

— É. Isso é verdade.

Quando ele me fita nos olhos de novo, dá um pequeno sorriso. Uma sensação imprevisível me atravessa, algo parecido com centenas de borboletas voando livres em meu estômago. Desvio o olhar, piscando rapidamente.

Um estrondo enorme me assusta, e eu me encolho contra a parede. O cheiro de pólvora queimada invade o ar. Um soldado disparou um tiro de alerta. A multidão finalmente se dispersa, com os gritos indo de exaltados para assustados, depois para incomodados.

Um enxame de soldados nos circunda. Pegam Li Shimin pelos braços e ombros, e tentam curvá-lo sobre a mesa, sem conseguir, até que ele relaxa o próprio corpo e se inclina voluntariamente.

— Tem algo de errado nisso tudo — diz ele enquanto o algemam. — Tenha cuidado. Não…!

Os soldados colocam a focinheira de aço escuro em seu rosto e apertam um parafuso na lateral. Seus olhos se arregalam, brilhando de terror. Ele começa a se debater de um modo muito mais feroz, barulhos guturais emergem de sua garganta, mas alguém enfia uma seringa em seu pescoço.

Li Shimin tomba sobre a mesa, com o olhar se turvando. Arrastam-no para longe, dando a volta nos pilotos que ele derrotou, que gemem e soluçam, sendo cuidados por outros soldados.

Somente quando ele está fora do meu campo de visão me dou conta de que estou tapando a boca com ambas as mãos e tremendo.

CAPÍTULO DEZOITO

UMA GAROTA QUE EU NUNCA GOSTARIA DE SER

Depois que os últimos raios de sol se escondem sob a Grande Muralha, Sima Yi e os soldados me escoltam de volta à cela de Li Shimin em um *shuttle* e me deixam lá sozinha.

— Esteja pronta na mesma hora amanhã de manhã! — diz Sima Yi, sem um pingo de paciência, antes de bater a porta com força.

O estrondo reverbera nas paredes, que soltam pedaços de reboco.

Juro que ele quase teve um ataque quando finalmente voltou ao refeitório vestindo roupas limpas. Depois de berrar sobre ter se "afastado por menos de dez minutos!" e sobre o "pesadelo de casal!" que éramos, conseguiu reduzir a punição de Li Shimin de três dias em confinamento solitário para apenas um, alegando "circunstâncias extraordinárias".

Com um suspiro pesado, me jogo na cama. Minha mão amassa os lençóis frios e ásperos. O concreto paira sobre mim por todos os lados. Conforme se prolonga, o silêncio me enclausura, causando um aperto em meu coração com uma pontada de medo.

Imediatamente me levanto para encontrar algo para me distrair.

É absurdo. Deveria estar aliviada por não estar trancafiada com Li Shimin, e não nervosa.

No banheiro, os artigos femininos sob a pia parecem diferentes agora que sei que ele já teve uma parceira.

À tarde, durante minhas aulas individuais, enquanto Sima Yi me explicava detalhes sobre hunduns, crisálidas e *qi*, tentei obter mais informações sobre essa garota. Sima Yi só disse que seu nome era Wende e que ela era poderosa o suficiente para, junto com Li Shimin, ter ativado o Pássaro Carmim a partir de uma casca rara de hundun categoria Rei, mas não sobreviveu à primeira batalha que enfrentaram.

Depois de limpar as camadas de maquiagem do rosto, vasculho o saco de ervas analgésicas que pertencia a ela.

A porta do banheiro range.

Minha coluna se endireita. Olho por cima do ombro. O vazio no vão da porta parece se mexer, me chamando.

Eu me livro da sensação estranha rapidamente. Se essa garota pode assombrar os vivos, espero sinceramente que não esteja desperdiçando sua energia comigo.

— Garota, vá para outro lugar — digo em voz alta, cansada. — Vá matar *qualquer* outra pessoa. — Silêncio. — Me ajude — murmuro.

Não há resposta.

Dã. Se pilotos-concubinas mortas tivessem algum poder, o Exército já teria sido dizimado a esta altura.

Ou talvez elas estejam tentando. Talvez tenham reencarnado como hunduns. É um pensamento inquietante...

Ouço uma batida estrondosa na porta do bunker.

Meu espírito quase pula para fora do corpo. Fico imóvel, agarrada à pia, com o coração disparado.

Uma voz grita algo, mas não consigo distinguir as palavras.

Quando não respondo, há outra série de batidas, crescentes e urgentes. O mesmo acontece com a voz, mas ainda não consigo entender o que está dizendo.

— O quê? — grito.

Mais batidas. Mais gritos ininteligíveis.

Meus nervos eletrizados se encolhem de frustração. Será que a pessoa não sabe que não consigo abrir a porta por dentro?

— O que é? — Deixo as ervas na pia e me dirijo à porta. — Não posso...

A tranca range. A porta se escancara.

Um homem encapuzado entra sem cerimônias.

Quando grito, chocada, ele enfia um saco em minha cabeça.

Berro e me debato com toda a energia que consigo reunir, mas ele esmaga meu rosto contra a parede. A dor explode em minha bochecha. Um zunido soa em minha cabeça.

Mesmo assim, me lanço para a porta. Preciso sair e trancá-la. Aí ele não vai conseguir...

Uma bota pisa em meu pé.

Sou dominada pela dor, que escurece totalmente minha visão. Caio em seus braços. Ele me joga na cama e monta em cima de mim, usando o peso para imobilizar minhas pernas. Suas mãos agarram com força minha traqueia.

Estrelas inundam minha visão turvada. Sinto uma pressão na cabeça, parece que meu sangue está comprimindo o rosto. Arranho e tento agarrar seus braços, mas é em vão.

— Isto é pelo coronel Yang — diz a voz abafada e sibilante.

É Xian Tian, piloto do Guerreiro Sem Cabeça. Veio vingar o amigo.

Eu me contorço inutilmente. Meus pés, pendendo da cama, chutam o nada. Lágrimas queimam meus olhos. Não quero morrer desse jeito. Não pode ser...!

— Afaste-se dela! Agora!

Quando ouço a voz, cada gota furiosa de meu sangue congela de repente.

Passos tempestuosos entram no cômodo. A pressão em volta de minha garganta diminui, e inalo uma grande lufada de ar. Arrasto todo o meu corpo para cima da cama assim que o peso de Xing Tiang desaparece. Uma discussão começa entre ele e o recém-chegado. Gritos rimbombam no espaço minúsculo. Com as mãos tremendo num nível absurdo, arranco o saco da cabeça.

Xing Tiang está se precipitando porta afora. A pessoa que ficou no bunker comigo, arfando, cobrindo um dos olhos, usando trajes azul-acinzentados e um chapéu preto dobrado de estudante de estratégia, é Yizhi.

CAPÍTULO DEZENOVE

MINHA ESTRELA POLAR

Não pode ser real.

Ele não pode estar *aqui*.

Será que desmaiei e estou sonhando com Yizhi?

— Céus, Zetian... — Ele corre até mim, na cama. Suas mãos tocam meu rosto.

Minha respiração ofegante está histericamente rápida. Não sei dizer se estou tendo alucinações. Uma dor que parece real lateja no ponto em que minha bochecha bateu na parede, mas quando é que *não* sinto dor? Traço os ângulos delicados de sua fisionomia, tremendo tanto que mal consigo fazer contato. Uma vermelhidão surge em volta do olho que ele estava cobrindo, mas não há como negar a força em seu olhar de cílios espessos, cintilando de amor e terror em igual ferocidade.

Jogo-me contra seu peito e me desfaço em soluços profundos, cravando as unhas em suas roupas.

— Sinto muito. — Ele segura minhas costas como se eu fosse desaparecer caso me soltasse. — Eu devia ter aparecido antes. Quando deram a Li Shimin a oportunidade de fazer algo tão drástico sem se darem ao trabalho de impedi-lo, eu *soube* que havia algo suspeito.

Enquanto choro e tusso, os fatos giram em minha cabeça. Agarro as mãos de Yizhi para manter algum elo com a realidade. A sopa virada em cima de Sima Yi... a luta... os pilotos provocando Li Shimin...

Esses acontecimentos estavam interligados *deliberadamente*?

— Todo mundo me quer morta — digo com dificuldade por causa da garganta dolorida.

Uma náusea surge em meu estômago. Meus ombros se recusam a parar de tremer, como se minha alma tivesse se cansado e agora tentasse se arrastar para fora deste receptáculo mortal de uma vez por todas.

— Eu deveria ter exigido que colocassem soldados na sua porta.

Yizhi tira a faixa que prende o colete de seu traje e o coloca sobre mim. A brisa do movimento agita nossos cabelos. O cheiro de tinta, folhas e primavera flutua no bunker escuro, afugentando o espectro de bebida que assombrava o ar pétreo.

Puxo o colete, apertando-o junto ao corpo, e falo, rouca:

— Como é que você está aqui?

— Acionei alguns conhecidos. Entrei numa turma já formada de estrategistas.

— *Por quê?* — Afasto-o, embora meu corpo comece imediatamente a desejar seu calor e solidez. — Olhe para... — Toco de leve as extremidades da pele ardente, que incha rápido, em volta de seu olho.

— Eu precisava vir. — Ele seca as lágrimas em meus cílios com o polegar. Sua garganta se move quando ele engole em seco. — Assim que vi você saindo viva da Raposa de Nove Caudas, soube que tinha que vir para ajudá-la como fosse possível. Descobri que você havia sido designada a Li Shimin, mas eu tinha fé que, se alguém poderia sobreviver ao impossível, esse alguém seria você. E você sobreviveu. — Ele abre um grande sorriso. Lágrimas escorrem de seus olhos, brilhando sob a luz opaca da lâmpada gradeada no teto.

— Por que não deu um jeito de me avisar? — pergunto.

Seu sorriso vacila, mas ele o controla de novo.

— Você é parceira de Li Shimin agora. Não seria justo deixar você saber que eu estava por perto.

É verdade. Como eu ia pensar naquele bêbado assassino enquanto Yizhi está aqui?

— Você precisa ir embora. — Quero que soe convincente, mas minhas mãos descem por seu torso, incapazes de não tocá-lo. — Falei para você me esquecer. Eu *ameacei* você.

— Você estava certa, eu mereci. — Ele coloca as mãos sobre as minhas e as pousa sobre seu coração, que bate acelerado. — Às vezes, é difícil para mim parar de tentar obter o que quero das pessoas. Mas não com você. Você sempre me mantém na linha. Você me fez perceber que fiz uma coisa terrível. Aparecer na sua casa de repente e expô-la daquele jeito. Eu... eu tentei comprar você, pelos céus. Até me planejei para chegar à sua casa minutos antes da nave flutuante com a intenção de pegar você desprevenida, remoendo os arrependimentos no último minuto. Sinto muito.

Franzo o cenho ao perceber quão longe foi seu plano. Mas ele está pedindo desculpas agora, não está?

— Que bom que você reconhece que agiu errado — murmuro, com a cabeça baixa. Mechas de meu cabelo pendem nas laterais de meu campo de visão.

— É. — Ele passa os nós dos dedos em minha bochecha. — Quando gostamos de uma pessoa incrível, não a arrancamos de suas raízes só para vê-la murchar nas nossas mãos. Ajudamos essa pessoa a florescer e se tornar a coisa incrível que está destinada a ser. E, não, não estou esperando nenhuma reciprocidade, então não se sinta pressionada. Isso é só o que quero fazer.

Minha compostura oscila, prestes a se perder de novo.

— Mas seu sonho era ser médico.

Yizhi bufa.

— Zetian, sou jovem e rico. Posso retomar esse plano a qualquer momento. Mas e você? — Ele levanta meu queixo com a lateral de um dedo. Uma calidez me percorre como o calor que emana do fogo. — Nunca vou encontrar alguém como você de novo.

— Ah, merda. — Minha voz hesita, aguda e tênue. — Você me ama mesmo.

Yizhi fica boquiaberto, depois solta uma risada descrente.

— Tudo bem, vou esclarecer: Wu Zetian, você me *inspira*. Sempre que perco a esperança de que o mundo possa mudar, eu me lembro de você. Lembro como você luta pelo que quer, sem se importar com o que os outros dizem, sem se importar com os obstáculos no caminho. — Ele me toma nos braços e murmura com os lábios em meu cabelo. — Você é minha Estrela Polar. Vou para onde quer que você me guie.

Meu coração explode, fazendo brotar tudo que foi reprimido nas duas últimas semanas. Eu me aconchego nele e sou acometida por outro ataque de soluços fortes, com as lágrimas manchando o tecido branco de suas roupas.

Choro até ficar exausta com a cabeça na curva do pescoço de Yizhi, que acaricia meu cabelo de leve. Detesto o fato de que ele teve que me salvar; detesto o fato de ser tão fraca fora de uma crisálida, mas pela primeira vez em muito, muito tempo, sinto algum vislumbre de paz.

Se é ele, não me importo em me entregar desse jeito. Poderia passar a eternidade aqui.

— Quando devo contatar o estrategista Sima? — Seu sussurro provoca uma pequena mas irrevogável fissura na serenidade do momento.

Minha consciência emerge do nevoeiro em que estava flutuando. Tudo se torna dolorosamente mordaz. Arrepios de frio deixam meu rosto dormente. As marcas nas paredes me encaram como cem olhos acusadores.

Se o Exército tiver algum jeito de descobrir o momento exato em que Xing Tian me atacou, temos que contar a alguém logo, ou a demora vai levantar suspeitas.

Depois vou precisar voltar a passar todo o tempo com Li Shimin. O Exército não pode descobrir que Yizhi e eu nos conhecemos. Sabe-se lá como poderiam usar isso para me manipular.

A derrota me oprime como um tambor funerário, mas me controlo e tomo coragem. Preciso usar esse tempo da melhor forma possível.

Peço para Yizhi me contar tudo que não tive autorização de saber sobre minha fama. Como o público reagiu a mim, o que viram exatamente.

Ele me mostra alguns comentários nos quadros de mensagem. Fui um *trending topic* constante nas duas últimas semanas, apesar dos esforços iniciais dos Sábios de censurar menções ao meu nome. Trata-se mais de especulação sobre *o que* sou do que qualquer coisa — as pessoas parecem determinadas a acreditar que estou possuída ou, então, que não sou sequer humana. Não conseguem aceitar a ideia de que "uma garota qualquer" possa ser tão poderosa, embora Yang Guang, Li Shimin e Qin Zheng fossem todos "garotos quaisquer" antes de *eles* se alistarem. Mas as fotos de hoje estão levantando comentários sobre a minha aparência e a de Li Shimin. A curiosidade me faz rolar a tela até as fotos, mas, quando vejo seu braço sobre meus ombros pela primeira vez, sinto uma pontada de desconforto.

Não posso olhar para essas fotos enquanto Yizhi está aqui.

Você sabe que isso é falso, certo?, quero dizer, mas soaria defensivo demais, o que pioraria tudo.

Em vez disso, mudo de assunto, perguntando se ele poderia pesquisar se existiram outras Viúvas de Ferro. Ele responde que pode tentar, mas que o Exército mantém em confidencialidade estrita os registros de pilotos anteriores.

Seja o que for, me recuso a acreditar que haja algo inerentemente casual nas ações do Exército.

— Como eles podem se recusar a deixar garotas terem suas próprias crisálidas? — pergunto, entredentes. — Seria tão útil para a guerra!

Os olhos de Yizhi ficam escuros.

— Que família permitiria que os filhos se alistassem se houvesse uma possibilidade real de eles serem mortos por uma garota? Aposto que Xing Tian não tentou matá-la só por causa de Yang Guang. Ele e os outros pilotos devem morrer de medo de você. Você pode matar qualquer um deles arrastando-os para uma crisálida, algo que até agora só lhes deu poder. Não fazem ideia de como lidar com isso.

Solto um suspiro que parece durar mil anos.

— Estou tão cansada de ser garota.

— É. Se você fosse um garoto, estaria dominando o mundo a esta altura.

— Hum, não sei se é tão simples. Eu precisaria ser o tipo certo de garoto. Provavelmente é algo para se tomar cuidado quando você está fazendo um pedido para um espírito. "Quero ser um garoto!". *Bum*. O espírito me transforma em um rongdi grande e escuro. Todo mundo está com tanto medo de mim que prefere me escorraçar para as planícies selvagens, e eu não consigo cumprir nenhum objetivo.

— É verdade. — Yizhi franze as sobrancelhas, refletindo. Seus olhos desviam um pouco antes de voltarem a me encarar. — Você está dizendo isso por causa de Li Shimin, não é?

Fico tensa.

— Eu...

— Como ele é? — A expressão de Yizhi é dominada pelo que parece um esforço considerável. — Ele trata você bem?

— Eu... não sei. Só tem um dia.

— Ele bebe muito? — Yizhi cheira o ar. — Isto aqui está parecendo uma destilaria.

Puxo a gaveta que fica debaixo da cama. O monte de garrafas reluz.

Yizhi arregala os olhos, depois os semicerra.

— Isso não é bom. Ele precisa ficar sóbrio. Nunca vai pilotar com controle total a menos que esteja sóbrio.

— Tudo bem, vá em frente e diga isso a ele. — Eu fecho a gaveta. — Logo depois que ele sair da solitária por bater em dois pilotos de armadura até virarem mingau, só com a força dos punhos.

— Bom plano. — Yizhi assente. — Agora que você sabe que estou aqui, posso ajudá-la diretamente.

— Não, espere, eu estava sendo sarcástica.

— Eu sei. Mas tudo bem. Vou *mesmo* precisar explicar por que calhou de ser eu a socorrer você. E, para falar a verdade, meio que quero conhecê-lo.

Minha boca abre e fecha.

— *Por quê?*

Yizhi respira fundo.

— Tudo bem, isso vai parecer realmente estranho, mas passei a última semana levantando informações sobre ele, e Li Shimin não é quem a mídia diz que é. Ele contou para você que frequentou a Escola Secundária Longxi Fênix, uma das melhores da província Tang?

— *Escola secundária?*

Eu imaginaria que ele tivesse no máximo terminado o ensino fundamental. Qualquer formação além dessa é exagero para alguém que não deseje ser um mandarim-burocrata abaixo da categoria dos Sábios. Além disso, os exames para o mandarinato são tão comprados que é quase impossível passar a menos que sua família seja nobre ou rica.

— É, e ele era o melhor da classe!

Com gestos animados, Yizhi me conta sobre sua pesquisa a respeito das pessoas da vida de Li Shimin. Um professor antigo, Wei Zheng, disse que o garoto sempre aparecia na aula com machucados novos nas mãos e no rosto, e que se sentava no fundo da classe e nunca dirigia a palavra a ninguém, mas gabaritava todas as provas e lições. Suas notas eram tão boas que não se atreviam a expulsá-lo, pois levantavam a média da turma toda.

Para entender como ele, um garoto de uma família de trabalhadores de construção civil, pôde se dar ao luxo de cursar uma escola secundária, foi preciso chegar a um leão de chácara chamado Yuchi Jingde. Ele disse que Li Shimin lutava em um ringue exclusivo que as pessoas ricas frequentavam para assistir aos rongdi massacrarem uns aos outros. A história que contam é que ele estava sempre estudando entre uma luta e outra, por mais escuro que estivesse. Seus olhos ficaram muito, muito ruins, mas ele ainda era um dos melhores lutadores. Todo mundo achava isso fascinante.

— *É* fascinante! — solto, entusiasmada. — A história dele não faz nenhum sentido!

— Ah, é? Espere só até você ver a arte dele. Especialmente a caligrafia. Sei que faço muita piada sobre alunos de artes, mas olha só isso aqui.

Yizhi tira o tablet de dentro dos trajes e desliza o dedo para a foto de um poema escrito no papel, algo que não é usado hoje em dia devido à necessidade de preservar florestas no território de Huaxia.

Lembro a Yizhi que sou uma garota camponesa da fronteira que não sabe nada sobre caligrafia — nem sequer consigo ler o poema, por causa da forma estilizada dos caracteres —, mas algo na caligrafia de Li Shimin me deixa atônita. As curvas e as linhas irradiam um significado abstrato, como a versão visual de um tom. Um tom de graça e poder.

Preciso me forçar a parar de olhar.

— De qualquer jeito, é meio triste. — Yizhi encara o poema com olhos pesarosos. — Acho que ele estava genuinamente tentando construir uma vida antes de… você sabe. E por algum motivo o julgaram como se fosse um adulto, embora tivesse só dezesseis anos.

Sinto um aperto no coração. Não precisava ouvir isso.

— Estamos absolvendo assassinos por causa de uma caligrafia bonita agora?

Yizhi ergue a cabeça, alarmado.

— Desde quando você se importa com o assassinato de culpados?

— O negócio com a família dele... não é desses assassinatos que estou falando.

— Ah, entendi. Hum...

— Só acho que... o único motivo para você fazer essa grande concessão é porque sua opinião sobre ele era a pior possível no começo. Assim que descobriu que ele não é o grande monstro que você esperava, não teve opção a não ser formar uma opinião melhor a respeito dele. Uma opinião bem melhor do que ele merece. — Estremeço, afugentando a lembrança de como Yang Guang me pegou de guarda baixa. — Mas imagine se você fosse um dos colegas ou vizinhos dele e soubesse sobre essas coisas eruditas que ele fazia, e só *depois* descobrisse que ele assassinou a família e se tornou o Demônio de Ferro. Você não teria a reação contrária? Não iria querê-lo longe, bem longe, para sempre? Mas são as mesmas informações, você só as recebeu em uma ordem diferente.

— Bem... — Yizhi faz uma careta, depois suspira. — Mesmo assim eu deveria pelo menos tentar falar com ele. Pense nisto: se houvesse alguma oportunidade de me tornar amigo dele, seria a desculpa perfeita para ficar próximo de vocês dois. Aí eu poderia intervir e ajudar a qualquer hora sem parecer suspeito.

Meu queixo cai. *Yizhi fingindo ser amigo de Li Shimin para poder ficar ao meu lado?*

Quero rejeitar a ideia imediatamente — *deveria* rejeitá-la, porque com certeza vai dar errado —, mas, depois do que aconteceu hoje à noite, não consigo encontrar coragem para afastá-lo mais uma vez.

— Tá, tudo bem. — Eu aperto seu colete junto ao corpo, rezando para esse encontro não terminar em desastre.

CAPÍTULO VINTE

DEZ MIL MOTIVOS

Ao sair da solitária, Li Shimin parece pior do que ficou após a briga. Não pegaram os óculos, mas atrás das lentes espessas seus olhos estão opacos e injetados. Círculos escuros se formaram abaixo deles, tão intensos quanto os hematomas que apareceram em meu rosto e pescoço e em volta do olho de Yizhi.

Acho que todos nós tivemos uma péssima noite.

— Preciso de uma bebida. — É a primeira coisa que Li Shimin grunhe depois que o soldado tira sua focinheira.

Pelos persistentes de barba despontam em seu queixo novamente. Suas mãos estão cerradas em punho, escondendo os tremores. A coleira está visivelmente mais curta.

Só depois de bastante tempo ele percebe os hematomas em meu rosto e pescoço.

— Vou matá-lo! — Seu grito ricocheteia no hall de concreto depois que Sima Yi lhe conta o que aconteceu.

— *Não vai.* — Sima Yi precisa contê-lo, acenando para tranquilizar os soldados. — Deixe a investigação para o comitê disciplinar. Você não pode se dar ao luxo de arranjar mais problemas. Já está testando a paciência dos Sábios. Este é o estudante de estratégia Gao. — Ele aponta com o polegar para Yizhi. — Por acaso, ele estava perto do seu bunker e ganhou um olho roxo para salvar sua garota. Passou a noite toda do lado de fora para garantir que ela ficasse a salvo, mesmo depois de eu ter colocado soldados à sua porta. É um bom rapaz. Agradeça a ele. Não invente de dar um soco no outro olho dele.

— Ah... — Li Shimin passa os olhos rendados de sangue por Yizhi. — Hum... obrigado.

Yizhi o encara, com o peito ofegante. Acho que não estava mentalmente preparado para o quão imponente Li Shimin é em pessoa. Ele responde com um segundo de atraso.

— De... de nada! Sou seu fã. Li muito sobre você.

— *Ah...* — Li Shimin começa, mas parece não saber como continuar.

Yizhi engole em seco. Suas orelhas ficam vermelhas, e uma curiosidade desponta em mim.

Já me perguntei algumas vezes se as preferências de Yizhi iam além das garotas. Durante nossos encontros na floresta, nunca ousamos nos aventurar por assuntos do tipo, devido ao medo de admitir a tensão existente entre nós, mas nutri essa dúvida, por causa da maneira como ele falava sobre algumas celebridades masculinas. Coisas desse tipo são motivos comuns de fofoca na minha aldeia, mas, para falar a verdade, eu mesma já fiquei fascinada por fotos de mulheres. A ideia de que homens e mulheres devem se relacionar apenas com o sexo oposto me cansa tanto quanto o sistema de pilotos.

Yizhi passa apenas mais um segundo aparentemente sem fôlego devido à presença de Li Shimin antes de se endireitar e começar seu discurso. Alega ter feito pesquisas sobre Li Shimin devido aos rumores de que teríamos o poder necessário para retomar a província de Zhou, e se oferece para ajudá-lo a se desintoxicar do álcool com os melhores recursos que o dinheiro pode comprar. No nosso trajeto até a solitária, Yizhi realmente falou sobre o assunto com Sima Yi, que concordou, contrariado, que teríamos uma vantagem maior em combate se Li Shimin pilotasse sóbrio.

Mas Li Shimin não gosta muito da ideia. Sua expressão se esvazia, sem emoção. Ele começa a se afastar.

— Não, espere! — Yizhi o bloqueia. Preciso de muito autocontrole para não gritar para que tome cuidado. — Não sei como as coisas chegaram a esse ponto, mas tenho fé em você. Dizem que a pressão vital é realmente uma medida da força de vontade. O que significa que você tem *dez mil motivos* para pelo menos tentar vencer isso.

Uma dor sutil e conflituosa ronda os olhos de Li Shimin. Por um segundo, parece que vai concordar, mas então ele tenta fugir de novo.

— Me deixe em paz.

— *Não*. — Yizhi agarra a coleira de Li Shimin e a puxa até a altura dos olhos.

A corrente tilinta. Sima Yi e eu nos sobressaltamos.

— Solte. Agora. — A fúria transfigura os olhos de Li Shimin, como se um interruptor tivesse ligado novamente seu interior.

Os soldados empunham as armas. As mãos dele se cerram e se abrem, mas se mantêm ao lado de seu corpo.

Yizhi continua segurando, com a mão trêmula, mas com o olhar frio, do jeito obstinado, gélido e sério que sempre me surpreende quando acontece. A tensão entre ele e Li Shimin aumenta. Esqueço até de respirar.

— Se você não ficar sóbrio, vai desperdiçar tanto o seu poder quanto o poder da piloto Wu — afirma Yizhi, soando como uma pessoa completamente diferente. Sem nenhum traço de rubor. — Não é justo com ela.

A carranca de Li Shimin se suaviza.

— Por que você se importa?

A postura de Yizhi vacila por um instante. Fico tensa, torcendo para que só eu o conheça bem o suficiente a ponto de perceber.

Ele solta a coleira de Li Shimin devagar, um dedo por vez:

— Por que *você* se importa? Deve ter esperado muito tempo por uma garota como a piloto Wu, não foi? Todos os pilotos anseiam secretamente por seu Par Perfeito. Você deve ter pensado que jamais encontraria o seu. Mas aqui está ela. — Os olhos de Yizhi se voltam para mim, adquirindo um brilho úmido. — A garota que, contra todas as possibilidades, chegou a você.

Meu corpo fica duro como pedra.

Desvie o olhar, imploro silenciosamente. *Você está dando muito na cara.*

Mas, quando ele faz isso, leva junto um pedaço de meu coração.

— Não se trata mais só de você — diz Yizhi. — Olhe para ela. Olhe para esta garota. Você vai realmente arruiná-la também, mesmo tendo dez mil motivos para tentar superar isso?

Li Shimin fica em silêncio pelo que parece uma eternidade, depois fecha os olhos e solta um suspiro pelo nariz.

— Na verdade, são dezoito mil motivos agora.

— Ótimo. — A voz de Yizhi estremece de alívio. — Você vai largar seus vícios e vai se tornar o melhor parceiro que uma garota poderia ter. E eu vou ajudá-lo de todas as formas que puder.

Não sei se rio ou se choro.

Ah, é *óbvio* que isso não vai ser nem um pouco estranho.

CAPÍTULO VINTE E UM

NEM UM POUCO ESTRANHO

— O Exército não é responsável por nada que acontecer com você, está bem, riquinho?

Sima Yi destranca a porta dos novos aposentos de Yizhi... Quer dizer, dos nossos aposentos.

Yizhi não perdeu tempo. Enquanto Li Shimin e eu passamos outra tarde fracassando na dança no gelo — ainda mais difícil por causa de sua abstinência de álcool —, Yizhi comprou uma suíte de vários quartos na torre de vigia Kaihuang.

Bem, ele não *comprou*. Não é permitido comprar propriedades na Grande Muralha. Mas ele fez uma "doação generosa" ao Exército, que o deixou "pegar emprestada" uma suíte vazia reservada para um estrategista de alta hierarquia e sua família sempre que viessem de sua cidade natal para visitar.

Então nós três vamos morar juntos.

O que eu aprendi com essa loucura toda é que você realmente consegue solucionar seus problemas com dinheiro. Se não conseguir, é porque não deve ter dinheiro o suficiente para resolver determinado problema.

Uma vez que Li Shimin precisa ficar confinado o tempo todo, a tranca da porta de entrada foi substituída por uma de cela de prisão. Precisamos chamar Sima Yi quando queremos sair. O que não é um problema, já que a suíte dele fica apenas três andares acima. Ele nos alerta para não atormentá-lo demais com esse tipo de pedido, então tranca a porta ao sair, para nos deixar a sós.

Enquanto os ecos da fechadura se esvanecem, sinto um torpor de alívio me dominar. Respiro, expiro, olho ao redor. A suíte é compacta e prática. Não é grande nem requintada, como o loft de um piloto, mas mesmo assim é um paraíso comparado ao bunker de Li Shimin.

Mais um motivo para agradecer a Yizhi. Eu não conseguiria dormir bem naquele lugar depois do que aconteceu.

Um pôr do sol laranja-avermelhado e enevoado invade a cozinha pequena e se derrama sobre a mesa de jantar de madeira. Deslizo as portas de vidro que dão para o cômodo e me debruço em uma janela aberta. Planícies estéreis se espalham infinitamente sob o sol baixo, trazendo o aroma de terra e de coisas selvagens. Aqui no noroeste de Huaxia, o solo é cinza com sedimentos de metal primordial branco do tipo Metal e preto do tipo Água. Os grânulos cristalizados de *qi* são o que os hunduns vieram extrair de nosso planeta. Precisam disso para se curar e replicar. Mas o que *eu* estou procurando é...

O Tigre Branco está descansando ao lado da janela, em sua Forma Dormente, de uma enormidade perturbadora, pronto para atacar. Nossa suíte, no décimo terceiro andar da torre de vigia, fica na mesma altura de seu pescoço liso mas poderoso. Parece nu, agora que está sem as listras verdes e pretas concedidas por seu par de pilotos lendário, mas mesmo assim uma emoção intensa me percorre. É como se eu fosse criança de novo, de volta ao tempo em que gostava de contos sobre crisálidas e de pilotos sem pensar nas consequências.

— Yizhi! — chamo, animada, e agarro seu braço enquanto ele se aproxima. — Aquele é o Tigre Branco! O Tigre Branco! Bem ali!

— E o que é que tem? — Ele ri. O céu ardente colore seu rosto e ilumina seus olhos. O vento das planícies faz uma mecha solta de cabelo roçar sua bochecha. — Você pilota o Pássaro Carmim!

Solto um suspiro — a culpa e a própria realidade drenam minha empolgação. Embora o Tigre Branco seja pilotado por um Par Equilibrado e torcer por ele aparentemente não seja um problema, ainda assim faz parte deste sistema perverso de pilotagem. Não posso ser iludida pela ideia de poder e heroísmo que esconde os verdadeiros horrores.

— Certo. — Coloco a mecha solta de cabelo atrás da orelha de Yizhi, então olho para o teto. — Dugu Qieluo e Yang Jian moram em um loft, certo? Será que vamos nos encontrar com eles?

Yizhi recua a meu toque com timidez, mas sorri, irônico.

— Ouvi dizer que é melhor nunca atravessar o caminho de Dugu Qieluo.

— Ora, faça-me o favor. Você sabe que exageram a história de qualquer garota que tenha personalidade. Além disso, não é com Yang Jian que eu deveria me preocupar? — Baixo a voz. — Ele é parente distante de Yang Guang, certo?

— Ouvi dizer que não se davam bem. — Yizhi dá de ombros. — Além disso, ele é categoria príncipe-general. Não faria algo tão impulsivo quanto Xing Tian.

— Espero que você esteja certo. Não quero me preocupar com outro...

A figura imponente de Li Shimin surge no canto de meu campo de visão, de pé do lado de fora da cozinha, com o pôr do sol flamejante refletido em seus óculos.

Minha mão solta o braço de Yizhi, como se tivesse me queimado.

— Hum, vou começar a infusão com os remédios.

Yizhi consegue sorrir, mostrando a embalagem de papel contendo as ervas que os médicos do Exército recomendaram para Li Shimin. Prescreveram um remédio caro de laboratório também, mas, a longo prazo, os tradicionais feitos a partir de ervas são melhores para o fluxo de *qi*.

Enquanto Yizhi coloca uma panela de barro no fogo, saio da cozinha. Li Shimin não me dá passagem, mesmo quando meu rosto quase roça seu peito. Minha respiração fica acelerada, mas fecho as portas de vidro, de costas para ele, e me sento à mesa, agindo de forma casual. O peso de seu olhar me segue, gruda em mim, me pressiona.

Passos. Madeira raspando contra tijolos quando ele puxa uma cadeira e também se senta.

Um arrepio percorre minha coluna e chega ao couro cabeludo. Minha garganta parece seca. Dou uma olhada para a pesada porta principal de metal que está me impedindo de fugir. A lembrança de Li Shimin esmagando o rosto do piloto do tipo Fogo contra a mesa no refeitório surge de repente em minha mente. Mantenho os olhos fixos na superfície pegajosa de vinil da mesa, com o coração batendo forte e fazendo uma prece para ele não fazer perguntas sobre mim e Yizhi.

Então uma lembrança me atravessa.

Inúmeras vezes, observei meu pai deixar minha mãe à beira de um colapso nervoso simplesmente tornando a própria presença uma nuvem tempestuosa. Não gritava nem praguejava, mas colocava a tigela na mesa com um ruído um pouco mais alto, ou batia as portas com um pouco mais de força. Ela ficava pisando em ovos à sua volta, como se ele fosse uma bomba, preocupando-se com cada movimento, com receio de fazê-lo explodir. Sem pronunciar uma só palavra, meu pai a ensinava que ela devia fazer das tripas coração para priorizar as necessidades e os desejos dele, na esperança sufocante de amenizar a pressão na casa e fazer as coisas voltarem ao normal.

Nunca quis aprender as lições de meu pai. Meu objetivo sempre foi cutucá-lo até ele explodir. Alguns poucos momentos de dor eram melhores do que dias e noites de medo.

— Algum problema? — murmuro, levantando a cabeça de repente.

Li Shimin desvia rapidamente seu olhar do meu, mas seus ombros continuam inquietos por conta do estresse. Os círculos escuros sob seus olhos parecem afundar até os ossos. Seus lábios estão apertados numa linha fina, como se ele estivesse reprimindo um grito — ou um gemido de dor. Seu corpo é uma zona de guerra de sensações conflitantes. É confuso distinguir entre um sintoma e uma emoção.

A panela de barro apita com a água fervente, as portas da cozinha abafam o som. Vapor embaça o vidro, que está de um laranja vulcânico por causa do sol poente.

— Que cara emburrada é essa? — Meus dedos se retraem como garras sobre a mesa. — *Odeio* caras emburrados.

Li Shimin faz uma expressão de surpresa, então, entre respirações irregulares, começa a falar.

— Eu... eu só não sabia que você podia parecer tão feliz.
— Isso o incomoda?
— Você está escondendo alguma coisa.
— Acredite no que quiser. Eu e você não somos um casal de verdade. Não devo *nada* a você.

Um músculo se tensiona em sua mandíbula. Ele ajusta o relógio que Yizhi lhe deu para acompanhar seus sinais vitais.

— Não foi isso que eu quis dizer. Quis dizer que devíamos ser honestos uns com os outros. Seja lá o que for, eu poderia descobrir no nosso elo de batalha, o que pode arruinar nossa sincronização se for algo muito surpreendente. Então... o que aconteceu de verdade ontem à noite?

Solto um grunhido. Tudo bem. É melhor jogar limpo de uma vez do que deixar as suspeitas se agravarem. O importante é que o Exército não descubra, e duvido muito que ele vá dar com a língua nos dentes, uma vez que Yizhi está nos ajudando tanto.

Eu me debruço sobre a mesa enquanto faço um gesto para Li Shimin chegar mais perto. Ele se aproxima. Sua barba malfeita quase arranha meu pescoço.

— Lembra aquele garoto da cidade que mencionei? O que me ensinou a ler? — sussurro próximo à sua orelha, com os olhos deslizando em direção às portas da cozinha, embaçadas e cor de laranja. Lá dentro, a figura de Yizhi em seus robes diáfanos se movimenta como fumaça. — É ele. Bem ali.

O peito de Li Shimin para. Ele recua um pouco.

— Ele veio atrás de você.
— É. Veio.

Ele solta uma respiração suave e oscilante pela boca, e o calor roça minha bochecha. Para minha surpresa, seus olhos ficam marejados. Ou talvez sejam só os óculos refletindo a luz alaranjada.

— E você o ama? — sussurra ele, sem malícia, sem acusação. Fico imóvel.

Nunca admiti em voz alta, mas quando presto atenção no que sinto, a resposta é óbvia. Inegável.

— Amo. — Minha voz treme tanto quanto as mãos de Li Shimin. — Ele é o garoto mais incrível que já pisou neste planeta.

Suas sobrancelhas se arqueiam.

— E mesmo assim você preferiu se alistar a ficar com ele?

Eu me recosto na cadeira. Como é possível que Li Shimin pareça um romântico ingênuo?

— Preferi, porque o amor não resolve problemas. Só resolver problemas resolve problemas.

— Coitado. — Li Shimin olha para as portas da cozinha, então de novo para mim, balançando de leve a cabeça. — Nunca mais o deixe escapar.

— Que pena. — Cutuco a borda da mesa. — É com você que estou presa.

⁂

Depois que a noite avança, depois de fracassar na tentativa de controlar meus pensamentos em redemoinho, bato na porta de Yizhi.

— Zetian? — Ele está com cara de sono ao abrir a porta. — O que você está...

Agarro seu rosto e o puxo para um beijo.

Meus lábios abafam suas palavras, que se dispersam, fervilhando por meu corpo. A sensação percorre meus nervos, descendo cada vez mais, despertando partes de mim que fui ensinada a esconder e a ignorar a vida toda, porque, embora sejam parte de mim, nunca foram para meu uso deliberado. Protegem a honra de minha família, são uma propriedade que não pode ser danificada antes da entrega, que devem ser conservadas para meu futuro marido. Para Yang Guang. Para Li Shimin. Para lhes dar prazer, prolongar sua linhagem.

Bem, que se dane.

Empurro Yizhi para dentro do quarto. Fecho a porta com um leve toque. Nossa respiração frenética e o som suave de nossa boca se misturando inundam minha mente, fazendo o mundo se reduzir a apenas nós dois. É um tipo de desespero diferente do nosso primeiro beijo, logo antes de eu deixá-lo a fim de vir para cá. Um calor suave como plumagem flutua por meu corpo, gerando uma tensão delicada e dolorida, ao ponto da ruptura. Detesto não ser imune a este desejo, a esta *necessidade*.

Mas como é ele, talvez fique tudo bem.

Yizhi dá alguns passos para trás, levado por meu impulso, mas depois tropeça e interrompe o beijo.

— Zetian... não devemos... — diz ele, leve e aéreo.

Seu cabelo está totalmente solto. É a primeira vez que o vejo assim. Os fios emolduram seu rosto elegante, fazendo-o parecer tão vulnerável, tão bonito. Uma cortina fina filtra o luar, que acaricia seus traços, como se o adorasse também.

— Yizhi, finalmente estamos sozinhos — sussurro, fitando-o com os olhos semicerrados. — Sozinhos mesmo. E sei que você me quer. — Pego suas mãos e as guio pelas curvas de meu corpo, encorajada pela preocupação de que algo ainda mais terrível pode acontecer a qualquer momento e nos tirar a chance de fazer isto. — Você me quis desde a primeira vez em que nos encontramos. Não é verdade?

Três anos atrás, quando tínhamos quinze anos, eu o encontrei meditando próximo a meus arbustos de ervas favoritos.

Nunca tinha visto ninguém com uma pele tão clara, com um cabelo tão reluzente, nem com roupas tão limpas e brancas. Era sobrenatural.

Então peguei um galho da árvore mais próxima e o ataquei.

Não faço ideia do porquê ele prometeu voltar. Mas seja lá o que eu tinha de especial, fez com que ele mantivesse a promessa, diversas vezes, ao final de cada mês.

O que quer que fosse, ainda o enfeitiça, o intoxica, nublando seus olhos. Ele morde o lábio.

— Quero que seja com você. — Passo a mão de leve pelo hematoma em volta de seu olho. O machucado que recebeu por salvar minha vida é o único defeito que já vi em seu rosto. — Não vou me arrepender se for com você.

Por duas vezes ele fica tenso. Primeiro, ao ouvir minhas palavras, e depois, ainda mais, quando desço suavemente os lábios por seu pescoço. Seu peito infla com um arquejo trêmulo, quase inaudível. Sua veia pulsa mais rápido próximo à ponta de minha língua. Seus dedos agarram as costuras laterais do traje noturno que ele comprou para mim. Finalmente, ele puxa de leve meu cabelo, movendo minha cabeça para trás, e une a boca à minha, com um desejo incontrolável.

Uma tempestade elétrica me atravessa como *qi* do tipo Madeira, selvagem e enérgico, o tipo de força que conduz todas as coisas a um crescimento desenfreado durante a primavera. Meus lábios formam um sorriso sob o ataque dos dele. Um gemido de alívio percorre sua garganta.

Então era isso que ele estava reprimindo enquanto sorria com inocência para mim e me transmitia um mundo de conhecimento ao qual eu não deveria ter acesso.

Ótimo. Porque eu também estava fantasiando com isso enquanto fingia desinteresse e calma, fazendo comentários irônicos sobre suas anotações de aula.

De repente, por um momento em meio à loucura, atenuada a tempestade, nossos olhos se encontram. Os dele, maliciosos, os meus, desafiadores. A mesma energia nebulosa paira entre nós. É como se estivéssemos nos vendo sem máscaras pela primeira vez.

Então voltamos a nos beijar ávida e sedentamente. Nossas mãos se agarram, se apertam e percorrem o corpo um do outro de todas as maneiras que não podíamos nos tocar na floresta. De todas as maneiras que ainda não deveríamos nos tocar.

Empurro-o com urgência, na diagonal, até que a parte de trás de seus joelhos encostem na cama. Ele cai nos lençóis de seda, e o colchão range sob seu peso. Seu cabelo se espalha. Jogo o meu para o lado enquanto subo em seus quadris, observando sua respiração ofegante e acariciando os delicados traços de sua mandíbula com o nó dos dedos. Yizhi deixa escapar um longo suspiro, exibindo a coluna pálida do pescoço. Minhas mãos percorrem cada ângulo. Sinto sua pulsação acelerar contra a ponta de meus dedos. Sinto cada parte de seu corpo como o espírito de raposa que as pessoas acreditam que sou — aqui apenas para seduzi-lo e depois devorá-lo inteirinho, vivo.

Meus dedos deslizam para baixo, afrouxam a faixa de seu traje e a soltam.

— Espere... — Uma lucidez repentina surge em seus olhos. Tarde demais.

Os trajes se abrem com uma leve onda de calor. A visão me deslumbra.

Tatuagens cobrem seu peito. Botões de flores coloridas delineadas por uma linha fina dourada, entrelaçados em uma floresta de vinhas e folhas. Rosas. Lírios. Papoulas.

Ele se senta, com o olhar indecifrável. Eu me ajusto em seu colo, acompanhando seu movimento.

— Sabe o que significam? — murmura, rouco, tocando uma das papoulas.

— Acho que não? — Balanço a cabeça enquanto presto mais atenção nos detalhes. Libélulas, borboletas, mariposas. E as vinhas não são só vinhas... Algumas são *cobras*.

— Significam que sou parte da família. — Ele cerra a mandíbula. — Da família do meu pai.

— Ele obriga você e seus irmãos a fazerem tatuagens?

Seus músculos delgados relaxam, e ele abre um sorriso triste.

— Alguns de nós.

Um arrepio me percorre. Ele está escondendo alguma coisa.

— Isso é bom ou ruim?

— Depende do ponto de vista. — Ele acaricia meu rosto, o sorriso se abrandando. Então se deita de novo enquanto me puxa para perto mais uma vez. — Outro dia explico melhor — sussurra em minha orelha enquanto se contorce para tirar o colete do traje. Volto a beijá-lo, com o cabelo deslizando sobre o dele.

Mas algo está diferente. No fundo de minha mente, algo esfriou.

Continuo atenta às tatuagens, que cobrem seus ombros e descem até os cotovelos. Vi as mangas largas, de marcas luxuosas, enroladas próximo a eles tantas vezes, mas nunca suspeitei que tudo isso poderia estar escondido um pouco acima da pele pálida e perfeita de seus antebraços. Minha mente recua, cada vez mais longe de onde deveria estar, fragmentando-se. Uma lógica fria a atravessa.

Sempre soube que Yizhi não era uma pessoa "boa". As únicas pessoas realmente boas são ou ingênuas, ou delirantes. Nunca conseguiria me relacionar com alguém assim. Nossos encontros sempre tiveram um toque de perigo, de emoção. Eu poderia ter morrido se alguém nos encontrasse. Ele sabia disso. Ninguém puro de verdade continuaria me sujeitando a esse tipo de pressão.

Mas até onde vai sua sombra? Como posso conhecer bem alguém que só vi uma vez por mês durante três anos?

O que realmente sei sobre fazer *isto?*

Uma ansiedade crescente toma conta de mim. Beijo-o com mais urgência, extraindo uma gota doce de sangue, mas tudo só parece mais errado. Imagens surgem em meio aos meus pensamentos confusos: eu, sem resistir enquanto Yang Guang estava em cima de mim, com o peso de sua armadura me imobilizando e sua boca me beijando exatamente dessa forma; eu, sem conseguir resistir enquanto Xing Tian me estrangulava.

Eu, sem querer resistir enquanto Li Shimin se debruçava sobre uma poça de sangue fresco em nossa mesa no refeitório, abrindo um sorriso raro e precioso.

Um golpe de horror me faz levantar num impulso.

O transe se esvai dos olhos de Yizhi.

— O que aconteceu?

— Não é... nada. — Balanço a cabeça, inclinando-me novamente.

Bip. Bip. Bip.

Nossos olhos disparam até a pulseira na mesa de cabeceira. Yizhi toca meu ombro de forma reconfortante, depois faz uma manobra para sair de baixo de mim e ir conferi-la. A tela ilumina seu rosto.

Seus traços se retraem, em choque.

Ele pega o colete e sai da cama em um pulo.

— É Shimin — diz rapidamente, escancarando a porta enquanto se veste. — Os batimentos cardíacos dele estão subindo descontroladamente.

CAPÍTULO VINTE E DOIS

CONFUSÃO

Encontramos Li Shimin caído no quarto, agarrando, agonizante, as esteiras de palha trançada.

— Shimin? — Yizhi se ajoelha ao lado dele, pegando sua mão e sentindo o pulso para verificar os batimentos. Uma leve rouquidão na voz de Yizhi é o único sinal do que estávamos fazendo momentos antes. — O que você está sentindo?

— Wende?

Li Shimin olha para Yizhi com uma expressão tão sincera e cheia de ternura que estaco junto à porta, minha sombra recortada pela lua pairando sobre os dois. Ele pega o rosto de Yizhi com a mão trêmula repleta de cicatrizes.

Então o horror toma seu rosto, e ele empurra Yizhi.

— Não... não... Afaste-se de mim, Wende... Não entre no cockpit...

— Céus, o que está acontecendo com ele? — Eu me obrigo a me aproximar e agacho. O cheiro de ácido e ervas me calam. Li Shimin deve ter vomitado todo o remédio que Yizhi o persuadira a tomar.

— Está tendo alucinações e delírios. — Yizhi faz uma cara séria ao sentir o pulso de Li Shimin, então afasta seu cabelo curto e encosta a testa na dele. — E está queimando de febre. Céus.

— Tudo isso só porque não ingeriu álcool? — pergunto.

— A abstinência pode ser horrível, Zetian. Fique com ele. Vou chamar Sima Yi e os médicos. Lá fora. — Yizhi se afasta das esteiras trançadas. — Acho que estou deixando-o confuso.

— Wende... — Li Shimin se agarra às roupas de Yizhi. — Não entre no cockpit... não...

Um sentimento alarmante me domina. Tentando ficar calma, puxo o rosto de Li Shimin para mim.

— Ele não é a sua parceira morta!

— Zetian — censura Yizhi gentilmente antes de sair do quarto. — Você não precisa deixar as coisas mais difíceis para ele.

Bufo, mas seguro a cabeça inerte de Li Shimin. Seu couro cabeludo esquenta minha mão. Suor brota nas raízes do cabelo curto. Um tremor me atravessa, quase igual ao dele.

Cerro os dentes. Por que meu corpo continua reagindo a ele de maneiras que não desejo? Meu subconsciente é *tão* determinado assim a servir o mestre que o mundo me designou?

— Odeio você. — Minha voz sai aguda e instável. — Você está me confundindo.

Seu olhar entra e sai de foco.

— Me desculpe.

— E pare de pedir desculpas!

— Me desculpe. — Suas pálpebras se fecham, ainda trêmulas.

— *Aiá*, eu não sabia que a coisa estava tão ruim assim — grunhe Sima Yi, agitando-se em um banco na área médica. Seu cabelo está preso em um coque apressado, e o colete de estrategista está jogado sobre a roupa de dormir, como uma capa. — Não consigo acreditar que os incompetentes de Sui-Tang deixaram a coisa chegar a este ponto.

— O Comando Central não estava sabendo da condição dele? — Yizhi se senta em outro banco, ao lado da cama de Li Shimin, segurando sua mão enquanto ele treme descontroladamente.

— Não. Ele não estava desse jeito quando *eu* o treinei. Até fiz um plano detalhado de treinamento para ele, mas aqui estamos. — Sima Yi fecha o colete e se vira. — No entanto, é verdade que não o deixei no melhor estado mental depois do que aconteceu com Wende. Provavelmente se cansaram de lidar com as emoções dele e simplesmente o julgaram apto para o serviço.

Sento-me do outro lado da cama, segurando o braço trêmulo de Li Shimin. Os tremores são tão intensos que os médicos do Exército acabaram de ir embora, dizendo que não podem aplicar acupuntura até que o remédio de laboratório injetado na corrente sanguínea acalme seus nervos.

Remédios de laboratório me deixam nervosa. Não é natural bagunçar o fluxo de *qi* de forma tão drástica. Mas acho que era o mesmo efeito que o álcool estava tendo, a longo prazo.

Os médicos dizem que o *qi* primordial de Li Shimin — o *qi* que nos dá vida e que é drenado ao longo dos anos sem a possibilidade de recarga — foi severamente danificado e que seu fígado está por um fio. Não podemos parar o processo de desintoxicação. Se ele tiver uma recaída, a próxima crise de abstinência será pior, o que pode levá-lo à morte.

Ninguém sabe se ele vai sobreviver nem a *esta*.

Um zumbido agudo penetra meus ouvidos. O mundo se desfaz, restando só o braço trêmulo de Li Shimin.

Não seria perfeito se ele morresse agora? Se eu o matasse no Pássaro Carmim, os hunduns sentiriam sua morte e recuariam um pouco, o que faria o Exército ficar menos propenso a me manter aqui. Mas se ele morrer de causas naturais, não apenas o Exército não terá um crime pelo qual me executar, como os hunduns continuarão atacando com a mesma intensidade. O vácuo de poder pode deixar o Exército desesperado a ponto de permitir que eu herde o Pássaro por mérito próprio.

— ... principalmente porque ele perdeu metade do fígado na prisão. — As palavras de Yizhi interrompem meu devaneio.

— Espere, o quê? — Ergo a cabeça, confusa.

— Meio fígado e um rim. — Yizhi se vira e olha para mim. — Eles extraem esses órgãos de todos os presos sentenciados à morte. Para quem precisa de transplante.

Meu sangue parece virar lama. Os rins são os reservatórios mais importantes de *qi* primordial. Ao perder um, a vida útil saudável de Li Shimin foi, basicamente, cortada pela metade.

— Você não poderia comprar os órgãos de outro assassino para substituir os dele? — pergunta Sima Yi.

— Poderia — responde Yizhi. — Mas uma cirurgia desse porte o impediria de pilotar por meses, ou muito mais do que isso. Será que o Exército aceitaria?

A boca de Sima Yi se aperta.

— Não antes de retomarmos Zhou.

— Sempre a mesma coisa... — Yizhi suspira, apertando a mão de Li Shimin.

Não consigo parar de olhar para as mãos unidas dos dois. Uma mais magra, destinada a escolher ervas medicinais e pipetar soluções em um laboratório, entrelaçada a uma brutalizada, destinada a espancar os inimigos até deixá-los inconscientes.

Ou, pelo jeito, a criar poemas com uma caligrafia magnífica.

Minha atenção se volta para o rosto de Li Shimin, então desvia rapidamente da angústia que distorce suas feições.

Não, deixa pra lá. Ele não pode morrer desse jeito. Yizhi seria acusado por fazê-lo passar pela desintoxicação.

— Força, Demônio de Ferro. — Aperto seu braço.

Ele tosse, seco e rascante. Tenta se levantar.

— Não se mexa. — Yizhi segura sua cabeça rapidamente.

— Não vá — murmura Li Shimin, levando a mão de Yizhi até seu rosto, aninhando-a.

— Estou aqui.

Sinto um aperto por dentro. Importar-se com outra pessoa neste nível é algo que está além de minhas capacidades. Não deveria ter contado com a ajuda de Yizhi, não deveria tê-lo arrastado para essa confusão, e, no entanto, nunca conseguiria apoiar Li Shimin nesta situação.

Yizhi o ajuda a pegar uma caneca de água. Tremendo, Li Shimin bebe um gole, mas vomita logo em seguida na lateral da cama. Levo um susto ao ver sangue sair de sua boca, além do ácido.

Então *tudo* fica vermelho.

Um alarme soa nos recônditos de concreto da torre de vigia. Uma lâmpada grande inunda o quarto com uma luz de alerta.

— Hum... — Sento-me, mais ereta.

Sima Yi se levanta, com a boca se movimentando de forma indistinguível e inaudível antes de ele aumentar o volume da voz.

— É cedo demais para outro ataque hundun!

— Tem algo a ver com a gente? — grito.

— Não, ignore! — Sima Yi acena, voltando a se sentar. — Você não está de serviço!

— Certo! — digo, mas não consigo dominar o impulso de fazer alguma coisa.

É diferente agora que sei que tenho um poder capaz de mudar o curso da guerra. Como se a morte de cada garota depois disso fosse um pouco culpa minha.

As paredes tremem com um estrondo massivo vindo do lado de fora. Depois mais um. E mais um. E outro, cada vez mais rápidos.

Cambaleando, me levanto e vou até a janela. Afasto a cortina.

O Tigre Branco acordou. Ele deixa a torre de vigia, correndo sobre as quatro patas. Seus membros pálidos, listrados de verde e preto, se borram em riscos espectrais, manchando a noite. O impacto trovejante de seus movimentos diminui de repente. Crisálidas do tipo Metal podem não ser tão boas em canalizar *qi* para explosões externas, mas podem fortalecer as propriedades internas. O *qi* enérgico do tipo Madeira que zumbe pelo seu corpo faz com que corra surpreendentemente rápido, ao passo que o *qi* do tipo Água, adaptativo, mantém seus movimentos fluidos e fáceis.

— Uau. — Respiro, relaxando um pouco. — Olhe! — Eu me viro para Yizhi.

Ele não está prestando atenção. Está limpando o sangue da boca de Li Shimin com um chumaço de gaze, dizendo algo que não consigo ouvir por causa das sirenes. Li Shimin assente, embora continue tremendo como se estivéssemos no auge do inverno.

Um sentimento absurdo de ser deixada de fora me acomete.

Mas o quarto não precisa de dois Yizhis. Estou preocupada com outras coisas.

Depois de um minuto, o volume das sirenes diminui, deixando sobressair os barulhinhos de uma transmissão ao vivo que Sima Yi abriu em sua pulseira. Cambaleio até ele, apoiando-me na estrutura da cama para me equilibrar.

Com uma explosão de luz verde e um rugido que faz os alto-falantes crepitarem, o Tigre Branco se ergue sobre as patas traseiras enquanto se transforma. As pernas se alongam, os ombros crescem e as patas se estendem até adquirirem o formato de mãos com garras. Sua mandíbula se escancara, deixando um rosto humano surgir, o que o faz parecer um guerreiro com um capacete de tigre. Seu torso se transforma em algo parecido com uma armadura esculpida de vidro fosco. Padrões verdes e pretos se manifestam em toda parte.

Uma Forma Heroica, obtida em menos de três segundos. Embora as crisálidas do tipo Metal sejam as segundas mais difíceis de serem transformadas, depois das do tipo Terra.

— Como eles trabalham tão bem juntos? — Balanço a cabeça. — Qual é o segredo?

— Eles sabem que devem ser um time. — Sima Yi me lança um olhar sério e acusatório. Sinto uma vergonha estranha. — Cada um desempenha a parte em que é melhor e recua quando necessário. Não ficam brigando entre si pelo controle. Confiam um no outro.

O Tigre Branco bate em sua couraça peitoral e começa a forjar a partir dali um longo machado-punhal — sua marca registrada. Seus olhos vão de verde Madeira para preto Água, de majoritariamente yang para majoritariamente yin. Faz sentido, porque, enquanto o *qi* do tipo Madeira é melhor para começar transformações, o *qi* do tipo Água é melhor para forjar o metal primordial. Um entalhe de aparência e nevoada e negra surge em volta do machado-punhal à medida que ele emerge. Assim que a ponta se solta, a couraça peitoral volta à aparência original.

Girando o machado-punhal, o Tigre salta para a batalha. Seus olhos mudam de cor: um verde e um preto, dois *qi* em sincronia, dois corações batendo como um só. Ele pula, apunhala e varre um enxame resplandecente de hunduns.

Por cima da tela, olho de soslaio para Li Shimin. Meus dentes se cravam nos lábios.

— Ei, que barulho é esse? — A cabeça de Yizhi se ergue.

— A bata... — começo a responder, mas me dou conta do que ele está falando.

Uma trovoada crescente de botas marcha no corredor do lado de fora. Gritos de soldados soam atrás da porta. Olho para Sima Yi.

Antes de ele conseguir formular qualquer coisa útil, a porta é escancarada, revelando um estrategista com uma barriga enorme. Deve ser An Lushan, estrategista-chefe da fronteira Sui--Tang. Sima Yi contou algumas piadas sobre ele durante minhas lições individuais.

— Aí estão vocês. — Ele respira profundamente, depois aponta para Li Shimin. — Você. Já para a batalha. *Agora*.

CAPÍTULO VINTE E TRÊS

DESGRAÇA TOTAL E MÚTUA

— Não! — exclamamos eu, Yizhi e Sima Yi ao mesmo tempo.
— É uma ordem. — An Lushan continua gritando com Li Shimin. — Suba num *shuttle* e dirija-se para o Pássaro Carmim. Imediatamente.

Soldados inundam o quarto como coágulos de sangue sob a luz vermelha, mas nem todos apontam as armas para nós. Os que vieram com Sima Yi se viram, protegendo-o. Ambos os lados mantêm o outro na mira, mas a confusão e a incerteza perpassam o rosto e as atitudes dos soldados.

— O piloto Li não está em condições de travar batalha! — Sima Yi se levanta num pulo e marcha para a frente da cama. Pareceria muito mais imponente se não estivesse vestido como quem está indo ao banheiro no meio da noite.

— Ontem ele estava bem o suficiente para espancar dois pilotos meus. — An Lushan se aproxima com passos incrivelmente leves e ágeis. Meu corpo protesta, querendo recuar em direção a Yizhi, a qualquer coisa que me faça sentir segura. Mas não posso demonstrar tanta fraqueza. Fico imóvel, apoiando-me no banco de Sima Yi para não cair.

— Ele está passando por uma desintoxicação de álcool. — Yizhi se levanta, e o banco range ao ser empurrado para trás. Seus dedos se mantêm no ombro de Li Shimin.

— Ah, entendi. — An Lushan semicerra os olhos. — Mas é urgente. Um piloto deve estar sempre pronto para dar tudo pelo bem de Huaxia.

— Só faz dois dias desde a última batalha dele! — diz Sima Yi com seu tom de comandante, de tremer os ossos. Às vezes, sua personalidade nos faz esquecer sua real patente no Exército, mas este tom nunca falha em nos lembrar. — Dois. Dias. Estrategista An, você está louco tentando enviá-lo para a batalha de novo?

An Lushan balança a cabeça devagar.

— Estrategista Sima, o cerne da questão é que as transformações incomuns da Raposa de Nove Caudas e do Pássaro Carmim agitaram os hunduns além de nossas capacidades normais de defesa. — Ele me perscruta da cabeça aos pés, fazendo minha pele se arrepiar. — Precisamos de *comprometimento*.

— *Não.* — Os olhos de Sima Yi se transformam em punhais. — Não, você não vai *supliciá-lo*!

— Bem, nós, os estrategistas seniores de Sui-Tang, que realmente conhecemos as sutilezas desta fronteira, acabamos de chegar à conclusão de que isto é o melhor a ser feito. O piloto Li se mostrou impossível de controlar. Cada vez que o chamamos à batalha é como tentar levar um touro para o matadouro... E nem sequer é sua vida que está em risco! Não conseguimos adequá-lo às nossas táticas!

— A pressão vital mais alta desde o próprio imperador-general Qin, e vocês querem *supliciá-lo*? Em nome do Comando Central, não vou permitir!

— Em situação de ameaça direta e em andamento, os estrategistas locais têm a prerrogativa de acionar qualquer piloto conforme julgarem necessário. — As narinas de An Lushan se dilatam. — E nós julgamos necessário convocar o piloto Shimin à batalha para proteger nossas tropas e nosso povo!

Sima Yi vai perder a discussão.

An Lushan e seus soldados parecem fechar o cerco como personagens de um pesadelo sangrento, embora suas botas permaneçam imóveis. Meus joelhos fraquejam, e tento respirar na tentativa de me acalmar. Mas a urgência borbulha em mim. Preciso fazer *alguma coisa*.

— Ei. — Ergo o queixo. — Supliciar um piloto significa o que eu acho que significa?

O olhar raivoso de An Lushan se fixa em mim.

— Cale a boca. Os homens estão conversando.

A raiva me inunda, destruindo o medo e despertando todos os meus músculos. Encaro os soldados e suas armas, perguntando-me se vale a pena levar um tiro para quebrar o nariz de An Lushan.

— Supliciar é a última saída de um covarde, é isso o que é! — responde Sima Yi, sem tirar os olhos de An Lushan.

— Com o devido respeito, estrategista Sima, não temos tempo para isso. A segurança de Huaxia está em jogo. — An Lushan inclina a cabeça para o lado, com um brilho escarlate fantasmagórico dançando em seus olhos, depois gesticula para um soldado ao seu lado.

O soldado tira de trás de si uma garrafa de bebida.

Ofegando e engasgando, Li Shimin faz menção de pegá-la. Yizhi e Sima Yi soltam exclamações enquanto o impedem. Fico desnorteada, a cabeça girando e a pulsação se acelerando com uma força explosiva.

Por que já estavam com uma garrafa?

An Lushan a pega do soldado e a balança pelo gargalo, depois lança um olhar de piedade a Li Shimin.

— Você quer, não quer? Sabe qual é o preço. Vá para a batalha como um bom garoto, e eu dou a você.

Sinto a bile subir, queimar minha garganta.

Isso já aconteceu antes. É por este motivo que a fronteira Sui-Tang deixou que Li Shimin bebesse: conseguiram obrigá-lo a entrar em uma crisálida e sacrificar garotas usando o álcool como isca.

Piso firme apesar da dor em meus pés e dou um tapa na garrafa pendendo nos dedos em pinça de An Lushan. Ela se espatifa no chão, lançando vidro, líquido e vapores nocivos para todo lado.

Ele me olha boquiaberto, então faz um movimento com o braço.

O tapa acerta minha bochecha já machucada, jogando-me contra os pés da cama. Calor e dor inundam meu rosto. Um zumbido atravessa meu crânio.

— Zetian! — Yizhi corre até mim.

— Riquinho, ajude-a! Rápido, rápido! — Sima Yi tira Li Shimin da cama e avança para a porta.

Um breve lampejo de surpresa surge nos olhos de Yizhi antes de ele me levantar.

— Vocês não podem atirar em mim! Sou do Comando Central! — grita Sima Yi, impondo-se diante do impasse dos soldados.

— Vocês não podem atirar em mim! Sou rico! — Yizhi aproveita a deixa.

Eles arrastam Li Shimin e a mim para o corredor, banhado num vermelho mais escuro do que o do quarto. Botas irrompem atrás de nós, ainda lentas e hesitantes. Os soldados devem estar confusos com a disputa de força entre o Comando Central e os estrategistas locais. An Lushan lança pragas em nossa direção. Os sons poderosos ribombam pelas paredes.

Tropeço apoiada nos braços de Yizhi, com o peso puxando-o para baixo. Li Shimin caminha, trôpego, com a ajuda de Sima Yi.

Nossos olhos se encontram em um momento de desgraça total e mútua.

Talvez fosse até melhor desperdiçar nossa vida no Pássaro Carmim, assim não seríamos mais tão indefesos.

Fico furiosa. Estou desse jeito porque minha família quebrou meus pés ao meio quando eu tinha cinco anos... E Li Shimin, como *ele* acabou assim?

Sima Yi escaneia sua pulseira no elevador.

Bip.

Ele empurra Li Shimin para dentro com as portas ainda se abrindo, e Yizhi me carrega, depois cai, sem fôlego. Sima Yi aperta um botão rapidamente. As portas começam a deslizar para se fechar enquanto os soldados se aproximam.

Feche! Feche! Feche!, grito mentalmente.

As portas escondem a cara deles, mas então a mão de alguém se enfia na fresta.

Quando estou prestes a arrancar os cabelos, Yizhi a golpeia com uma seringa que tira do bolso. A mão desliza para fora como uma cobra assustada.

O elevador estremece, depois desce rangendo.

Respirações ofegantes. Um zumbido de metal.

— *Você!* — Eu me levanto cambaleando e empurro Li Shimin. Ele está tão fraco que bate contra a parede, fazendo o elevador balançar, depois tomba no chão. Ignoro os protestos de Yizhi e Sima Yi. — Você deixou que ele o arrastasse para as batalhas usando aquele truque, não foi?

Com muito esforço, Li Shimin se senta, encostado na parede. Torce as mãos trêmulas e as pressiona na própria testa. Nenhuma resposta.

Yizhi faz menção de tocar meu ombro.

— Ze...

— Eles mandam você sacrificar as garotas e você faz só para poder beber de novo quando tudo acabar, não é mesmo? — grito mais alto, afastando a mão de Yizhi com um gesto brusco.

— Nunca foi só isso! — retruca Li Shimin, engasgado e levantando o queixo sujo de sangue regurgitado, como se tivesse acabado de devorar um coração recém-extraído.

— Parem! — Sima Yi se põe entre nós, afastando-me com o braço.

— Me parece um fator bem importante! — continuo gritando. — Você sabia que uma garota morreria sempre que você ativasse a crisálida! Sabia disso, e mesmo assim decidiu que a sua *bebida* valia mais do que a vida delas!

— Zetian! — Yizhi levanta a voz. Hesito. Ele nunca usou esse tom comigo. Seus olhos se suavizam imediatamente. — Zetian, ele está doente de verdade. O cérebro é um órgão como todos os outros, e o dele está doente. Li Shimin não consegue obrigar sua mente a parar de querer álcool, assim como uma pessoa gripada não consegue obrigar os próprios pulmões a parar de doer. A doença faz com que ele não responda por si. Por favor, esforce-se mais para entender.

— Não... ela tem razão... — Li Shimin fica de joelhos, encarando-me por baixo do cabelo selvagem. — Isto é exatamente quem eu sou. Mas... não era o álcool que valia mais do que as garotas. Era *eu*. Eu as deixava morrer para me salvar. Todas. As. Vezes. Essa é a verdade que você quer que eu admita, não é? — Li Shimin tosse. O sangue espirra de sua boca, que ele cobre com o pulso. — Bem, aí está. Feliz?

Ele deixa o braço sangrento cair a seu lado. Sua voz rouca desaparece. O elevador desce cada vez mais, balançando.

Não aguento olhar para o rastro das lágrimas que escorrem, brilhantes, até sua mandíbula. Fechando os olhos, me encosto contra a parede oposta. Meu coração bate forte, pequeno e solitário no espaço oco em meu peito.

— Já acabaram? — questiona Sima Yi, rabugento.

— Para onde estamos indo? — murmuro, levando ambas as mãos à cabeça.

— Para os aposentos das concubinas. O príncipe-general Yang Jian não tem nenhuma, então estão vazios. Podemos nos esconder lá até que a batalha termine e An Lushan não possa fazer mais nada. Mas acho que vocês dois não entendem a importância de resolver qualquer desavença que tenham entre si — diz, estremecendo com a raiva mal contida. — Ele tinha razão sobre uma coisa: para os hunduns atacarem de novo tão rápido, é porque estão reagindo como se vocês tivessem conseguido atingir uma transformação nível três de verdade com o Pássaro Carmim. Também conseguem sentir que agora temos o potencial para tomar o ninho deles em Zhou. Vão atacar de novo e de novo até que percamos crisálidas o suficiente para perder a vantagem ou até tentarmos apostar tudo em um contra-ataque. Mas, até que se entendam, o potencial de vocês não vai se concretizar! O estrategista-chefe Zhuge e eu não teremos como impedir que sejam supliciados quando as coisas piorarem! *Estão me ouvindo?*

— Ser *supliciado* é exatamente o que parece ser? — Yizhi repete a pergunta que fiz antes. Fico grata por isso, porque não consigo unir forças para formar nenhuma palavra.

Sima Yi massageia o alto do nariz.

— É. Significa que os pilotos são enviados à batalha em circunstâncias desfavoráveis de propósito e sem aviso para que os hunduns sintam sua morte e fiquem saciados. É óbvio que não se fala sobre isso abertamente, mas acontece. Principalmente no caso de pilotos considerados muito difíceis de lidar, ou pouco cooperativos, ou que estão ficando velhos demais.

Meu estômago se revira. Vinte e cinco. É com essa idade que o cérebro para de se desenvolver, deixa de ser maleável o bastante para comandar bem uma crisálida. Os pilotos nunca ultrapassam essa idade. Até mesmo chegar aos vinte anos já é difícil.

A informação me provoca um arrepio profundo. Apesar disso, quando penso em como as coisas são, em quão rápido os pilotos entram e saem da cobertura da mídia e ganham e perdem popularidade, não é tão surpreendente.

Yizhi passa as mãos no cabelo, bagunçando-o.

— Você... você não pode fazer os Sábios ordenarem que o estrategista An deixe Li Shimin em paz?

Sima Yi balança a cabeça, mirando o chão.

— Nem todos os Sábios acreditam na ideia de realizar um contra-ataque. Nem mesmo todo o Comando Central. Se não funcionasse, os hunduns dizimariam nossas forças, romperiam a

Muralha, e nós provavelmente perderíamos Tang. Assim como perdemos Zhou.

O sangue se esvai de meu rosto como uma maré retrocedendo. Quando ele explica a situação desse jeito, entendo o argumento.

— É a nossa vida contra a de todos. — Meus joelhos cedem, e caio, exatamente como Li Shimin. — Toda a população das províncias de Sui e Tang.

— Mas é uma maneira covarde de pensar! — exclama Sima Yi, com um ímpeto surpreendente. — Como vamos ganhar a guerra se não apostarmos em pilotos poderosos? Vocês dois têm tipos de espíritos incrivelmente raros, e estão juntos. Não vamos ter outra chance como esta em centenas de anos. Não vou desistir de vocês!

O elevador solta um tinido. Mais uma vez, meus olhos e os de Li Shimin se encontram na desgraça.

Não posso matá-lo. Nem mesmo em uma crisálida. É óbvio que uma boa parte do Exército preferiria sacrificar os pilotos de que não gostam do que usar o poder deles, por mais raros e incríveis que sejam.

Talvez ele e eu sejamos mesmo dois pássaros que precisam partilhar as asas, aquelas criaturas dignas de pena que mancam pela floresta com apenas uma asa e um olho, e só conseguem alçar voo se encontram um par no qual se apoiar.

Deixo escapar um grunhido de frustração, cravando a palma das mãos nas têmporas. Está errado. Está tudo errado. Li Shimin e eu somos os dois pilotos mais poderosos de Huaxia, por uma margem gigantesca.

Ele deveria ser o Rei de Ferro e eu, a Rainha de Ferro.

Mas só nos deixam ser o Demônio de Ferro e a Viúva de Ferro.

Não importa. Não vou abrir mão deste poder.

Mas se tem uma coisa que aprendi até aqui é que a força bruta por si só não significa nada. A força bruta só impele as pessoas a quererem derrubar você.

Preciso de amigos. Aliados. Alguém que seja realmente da fronteira Sui-Tang, não Sima Yi nem o estrategista-chefe Zhuge, que sem dúvida estão enfurecendo mais ainda os estrategistas de Sui-Tang por comandar as coisas de cima. Preciso de alguém que possa convencê-los a reverter os votos de emergência em prol de nosso sacrifício.

Preciso da ajuda de alguém como Dugu Qieluo.

Quando Sima Yi volta a ligar a transmissão ao vivo, assisto ao Tigre Branco com atenção. Acho que Qieluo seria a única pessoa que me entenderia. Afinal, ela era a piloto mais poderosa antes de eu aparecer. E, em sete anos de serviço, deve ter se aproximado o suficiente dos estrategistas de Sui-Tang a ponto de poder fazê-los mudar de ideia.

Está na hora de fazer uma visita a ela.

CAPÍTULO VINTE E QUATRO

A TIGRESA

An Lushan, é claro, está furioso pela nossa fuga. Mas com o estrategista-chefe Zhuge Liang do nosso lado, ele não poderia fazer muita coisa depois que a batalha terminasse.

No entanto, não podemos contar com isso para sempre. Os estrategistas locais de várias fronteiras estão, teoricamente, sob a autoridade do Comando Central, mas o Comando Central responde aos Sábios e não pode alegar saber as normas de cada região. Se todos os estrategistas locais de Sui-Tang insistirem que é melhor nos sacrificar do que se arriscar com nossa existência, os Sábios vão acatar suas palavras, mesmo o Comando Central sendo uma equipe formada pelos melhores e mais experientes estrategistas de toda Huaxia.

Precisamos mudar a abordagem rápido.

Embora a torre de vigia Kaihuang fique em frente ao campo de treinamento Jaula do Tigre, alguma regra rígida obriga Qieluo e Yang Jiang a saírem de seu loft luxuoso para um bunker de campo sempre que estão com os *qi* exauridos e fora de serviço, o que me dá uma oportunidade de abordar Qieluo nos chuveiros comunitários. Com um colar de jade como incentivo — cortesia de Yizhi, depois que a batalha terminou —, a senhora que cuida dos chuveiros me avisa quando Qieluo reaparece.

Ao afastar as cortinas translúcidas de vinil dos chuveiros, nua, encontro algumas mulheres e crianças no vapor — presumo que a maioria das senhoras sejam serviçais — e Dugu Qieluo.

É impossível ignorá-la. Está sentada em um banco de madeira longe de todas as outras, lavando o cabelo com xampu. A braçadeira espinhal branca do tipo Metal da armadura do Tigre Branco desce como um fio de porcelana por suas costas. Usando aquilo, com as agulhas de conexão constantemente infiltradas em sua coluna, ela só precisaria se reclinar contra o restante da armadura para reconectá-la. Isso poupa os pilotos de terem que suportar as picadas repetidas vezes. As agulhas finas não impactam sua mobilidade usual.

Fico imóvel durante algum tempo, segurando minha cesta de vidrinhos contendo artigos de higiene. Apesar de todas as situações desconcertantes pelas quais tive que passar, a presença de Qieluo faz com que eu volte a me sentir uma simples camponesa da fronteira, que não merece a atenção de uma princesa-general, o maior status que uma garota pode alcançar.

Até eu chegar, lembro a mim mesma.

Pego um banquinho e caminho até ela.

Suas mãos repletas de espuma param de repente quando coloco meu banco a seu lado. Uma lâmpada incandescente gradeada arde em um nicho na parede, impregnando o vapor com um resquício de metal úmido. Devagar, ela se vira para mim com uma expressão severa, como se tivesse sido ofendida. Mas, ao reconhecer meu rosto, se abranda, demonstrando surpresa. Suas íris faíscam com o *qi* verde do tipo Madeira — uma braçadeira espinhal continua a conduzi-lo.

Eu me esforço para não fazer a mesma expressão, porque, *oh, céus, Dugu Qieluo está olhando para mim*.

— Hum, oi. — Pigarreio, sentando-me com cuidado. — Meu nome é Wu Zetian. Sou nova.

Ela semicerra os olhos, que são ainda mais profundos e afiados do que os de Li Shimin devido à herança inteiramente rongdi.

— Ah. *Você*.

Minha boca fica seca. Vislumbro seus pés, livres em chinelos de madeira. Nós, hans, desdenhamos os rongdi por serem "bárbaros que permitem que suas mulheres corram por toda parte", mas, neste exato momento, sou eu quem quer esconder meus pés "civilizados".

— Hum... só pensei que deveríamos nos conhecer, senhorita. Madame. Lady Dugu — falo, às pressas.

Ela levanta o queixo.

— É *princesa-general* Dugu.

Um rubor inunda minha face.

— Certo. Princesa-general.

Ela liga o chuveiro com um rangido estridente.

— O que houve com seu rosto?

— Ah. — Toco a ferida monstruosa em minha bochecha. — Fui atacada. Duas vezes.

Ela enxágua o cabelo com agressividade.

— E acha que eu me importo?

Mordo o lábio para me impedir de apontar que foi ela quem perguntou.

— Não, não espero que se importe.

— Então por que está aqui? Tentando se aliar a mim para conseguir favores?

O rubor se acentua. Ela não está totalmente errada.

— Eu só queria conhecer...

— Deixe-me contar uma coisa a você, garota raposa. — Seus olhos fulminam os meus, liberando um verde elétrico ainda mais vivo. — Conheço o seu tipo. É melhor ficar longe de mim, e especialmente do meu parceiro.

— O quê?

— Fique. Longe. Do. Meu. Parceiro.

— O que... Eu... *O que isso importa?*

— Você se acha grande coisa, não é? Se acha especial? A Viúva de Ferro da Raposa de Nove Caudas?

— Se você está falando das coisas que saem na mídia, isso está totalmente fora do meu controle! Fiquei trancada quase duas semanas sem saber nada disso!

Ela se enrola em uma toalha.

— Sabe o que eu vi no meu elo de batalha ontem? *Você*. Você, na cabeça do meu parceiro.

Uma fúria, agravada pela decepção, me invade como uma fumaça tóxica.

— E... e isso é culpa *minha*? Está de brincadeira? Estou aqui, tentando conversar com você de mulher para mulher, e você... você é incapaz de usar o cérebro para qualquer coisa que não um homem?

Seu braço se move rápido demais.

Minha cabeça é esmagada na parede de tijolos. A dor explode em meu crânio. O banco patina, e seus pés encontram os meus. Escorrego e caio no chão úmido, agonizante e sem fôlego.

— Fique longe do meu parceiro, sua puta matadora de homens — dispara Qieluo, pairando sobre mim.

Ela me deixa em uma poça de água fria e sai caminhando com os pés livres e equilibrados sobre o porcelanato, de um modo que os meus nunca vão conseguir.

CAPÍTULO VINTE E CINCO

PRESA

Minha cabeça rodopia e lateja, enevoada por uma dor abrasadora. Pressiono-a por um minuto até conseguir me mover. Tremendo, olho para os chuveiros ligados e a fumaça ondulante para ver se mais alguém está chocado como eu.

Uma criança chora. Outra ri. Percebo alguns olhares atônitos de outras mulheres, que desviam os olhos para longe rapidamente. Cabelos são enxaguados com movimentos frenéticos. Toalhas cobrem os corpos. Chuveiros são desligados. Pequenos frascos de produtos de higiene são jogados em cestas. Pernas se apressam em partir.

Não estou acreditando.

Coloco o banco caído em pé com um baque e me levanto com esforço, pressionando as palmas contra os olhos, que ardem com as lágrimas empoçando em minhas mãos e escorrendo pelos meus pulsos. Cerro os dentes. Meu peito arfa e treme.

Passos resolutos se aproximam.

Viro-me rapidamente, tensa, pensando que Qieluo voltou, talvez com uma arma mais letal.

Mas é outra mulher.

— Você está bem?

Ela se abaixa, com o cabelo preso num coque quase seco mas ainda formando gotas de umidade. Seus olhos são amistosos e sem vincos, o nariz é delicado e o rosto, arredondado. Não pareceria mais han nem se tentasse.

Mas seus pés também são desamarrados.

Demoro um segundo para me dar conta de que estou com inveja deles e tento fazer parecer que a estou olhando de cima a baixo com desdém, mas ela abre um sorriso complacente e com covinhas, junta as palmas das mãos e faz uma pequena reverência.

— Ma Xiuying, piloto yin da Tartaruga Negra.

— Ah! — Ergo as sobrancelhas. — Claro!

Uma das duas Princesas de Ferro, além de mim. Deveria tê-la reconhecido — a ausência de maquiagem e de um penteado elaborado me despistou. A aparência e a atitude simples são um contraste chocante com sua posição na hierarquia. Ela era uma camponesa que nunca pensou em se tornar concubina, nem mesmo a esposa de uma família decente, até que a equipe de testagem de pressão vital a encontrou.

Ela ri.

— É, me chamam de Ma Pé Grande.

Eu me apresso a retribuir a reverência.

— Você não deveria estar na província Ming?

— Yuanzhang e eu fomos transferidos esta noite. O Comando Central disse que aconteceu uma agitação hundun séria por aqui.

Faz sentido. A Tartaruga Negra é do tipo Água; são as unidades mais fáceis de se manobrar por paisagens vastas, graças à sua flexibilidade.

— É, em parte por culpa minha. — Massageio a área em torno do galo quente e prestes a inchar em minha cabeça. — Fico feliz que tenham tido o bom senso de chamar vocês. Você é definitivamente mais agradável do que *ela*. — Lanço um olhar para as cortinas de vinil embaçadas que ocultam a saída.

Xiuying ri, cobrindo a boca com a mão.

— Para falar a verdade, também vim aqui dar uma olhada nela. Acho que foi melhor eu ter perdido a oportunidade de começar uma conversa.

Reviro os olhos com tanta força que outra pontada de dor atravessa meu crânio.

— Não acredito no que ela fez.

— Bem, você sabe como são as mulheres rongdi. São como fogos de artifício. — Xiuying se aproxima um pouco, sussurrando, brincalhona. Tem um sotaque forte do Norte, enfatizando os erres. — Ouvi dizer que, na noite da Coroação de Par, ela colocou uma faca de caça no pescoço do príncipe-general Yang e o fez prometer nunca levar outra mulher para a cama. E é por *isso* que ele nunca teve uma concubina.

Fico um pouco assustada com o jeito que Xiuying está contando essa história, mas ouvi dizer que as tensões entre hans e rongdis são mais fortes na província Ming.

— Na verdade, não tenho nenhum problema com isso, mas *me culpar* porque talvez ele tenha pensado rapidamente em mim? É ridículo!

Xiuying franze de leve as sobrancelhas.

— Às vezes, é a traição da mente o que machuca mais. Muito mais do que a traição do corpo.

— Tudo bem, *é mesmo* estranho que eu esteja na mente dele, mas ainda assim...

Xiuying dá de ombros.

— Não é de se admirar que os homens achem você intrigante. Ainda mais os pilotos. Se eu procurasse bem durante meu elo de batalha com Yuanzhang, provavelmente também encontraria traços de você.

— Sério?

— Mesmo que não queiram admitir, os homens sempre ficam atraídos pelo que é jovem e novo. Seja como for, se quiser continuar conversando, que tal a gente...? — Ela gesticula em direção a uma banheira de madeira no lado oposto aos chuveiros. Seus dois filhos pequenos estão lá, rindo e jogando água um no outro.

Sem querer ser rude, forço um sorriso e a acompanho, levando o banquinho e a cesta. Mas não consigo parar de pensar que as concubinas de Zhu Yuanzhang substituíram Xiuying nos estágios finais de suas gestações. Aconteceram mortes que poderiam ter sido evitadas. Não entendo por que ela teve filhos em um ambiente de tão alto risco. Tem vinte e três anos, está quase no limite da longevidade de pilotos. Zhu Yuanzhang é ainda mais velho, tem vinte e quatro. Em mais ou menos um ano, o Exército pode muito bem supliciá-lo.

Se bem que, para começo de conversa, os filhos devem ter sido ideia do Exército, e eu não deveria fazer julgamentos tão rápido. Quando uma mulher engravida, seu corpo, de repente, vira assunto de todo mundo. Fazem restrições sem fim "pelo bem do bebê". É o melhor instrumento de controle.

Se Li Shimin e eu sobrevivermos a estas duas semanas, já os vejo forçando-o a me engravidar.

Sinto o estômago revirar só de pensar. Ponho a mão na barriga, sobre o meu *útero*, com pensamentos terríveis irradiando em todas as direções. Fecho bem os olhos para afastar as imagens.

— Biao'*er* e Di'*er*, digam "oi" para a Irmã Mais Velha Wu! — diz Xiuying, com seus pés naturais, caminhando de forma muito mais estável do que eu. A braçadeira espinhal preta percorre suas costas como uma cobra negra.

Não acho que seja coincidência que duas das três Princesas de Ferro tenham pés desamarrados. Mas quando se trata de maternidade, duvido que ela tenha escolha.

— *Wu-jiejie hao* — murmuram os meninos, envergonhados de repente.

Cumprimento-os com um aceno de cabeça, ignorando o vazio crescente em meu peito, e ligo o chuveiro ao lado de Xiuying. Depois de um rangido enferrujado, a água quente jorra, limpando a camada de gosma que ganhei quando caí.

A esta altura, todas as outras mulheres já tinham saído, apressadas. Xiuying se senta em um banquinho e esfrega os filhos com uma toalha, mas ergue a cabeça, com a expressão mais sombria do que antes.

— Então, escute — diz ela. — Sei que posso estar passando dos limites, mas, se algum dia precisar conversar com alguém sobre algo, estou aqui. Sei que você é nova e que não deve ter acesso a muitas coisas. Posso emprestar qualquer coisa de que precise. Como... pó compacto. Você tem algum?

— Pó compacto? — Inclino a cabeça para o lado.

— Sabe, para o seu... — Ela aponta para a própria bochecha, depois para o pescoço.

Minha mão paira sobre meus hematomas.

— Ah, isto? Obrigada, mas não vou me dar ao trabalho. Não estou tentando agradar a ninguém.

— Apenas saiba que eu entendo. — Seus olhos cintilam com tristeza. — Sei que os homens podem exagerar. Principalmente um rongdi como o piloto Li.

Meus olhos tremem como se estivessem emperrados.

— *Ah*. Ah, não... Isto não foi... Li Shimin não fez isto! Céus, eu literalmente o mataria se tivesse sido ele!

— Ah, me desculpe. Imaginei...

— Por que *você* tem pó compacto? — Eu a examino com cuidado, embora não veja machucados, que teriam sido revelados pela água.

Seu olhar se torna severo de novo.

— Para as garotas que precisam, é óbvio.

— E por que esconder os hematomas? Os homens que fazem esse tipo de coisa deveriam ser julgados e mortos, não tolerados!

Ela abre a boca, surpresa, então a fecha e abre um leve sorriso.

— Agora entendo por que a chamam de Viúva de Ferro.

— Só não entendo por que tolerar esse tipo de coisa. — Eu me viro para a parede, fechando os punhos. A água do chuveiro corre sobre meus olhos. O fantasma da Irmã Mais Velha sorri em minha mente. Sorri, sorri e sorri, e que os céus nos livrem de ela ser qualquer outra coisa senão uma filha perfeita e obediente. — Você aguenta, e aguenta, para quê? Enquanto continuar agradando a eles, deixando que façam o que bem entenderem, por que melhorariam? A violência dá tudo o que eles querem. E então o que sobra no fim, a não ser a morte?

— Mas você tem que entender que a maioria das pilotos--concubinas não pode simplesmente fazer um escândalo — diz Xiuying, exausta e vazia. — A segurança e a sobrevivência de suas famílias estão em jogo. O melhor que podemos fazer é apoiar umas às outras. Prometa que vai entrar em contato comigo se precisar conversar sobre algo, está bem?

Uma ferida se abre devagar em meu interior. Ela tem razão. Eu deveria me esforçar mais para entender. Cada pessoa está numa situação diferente.

— Está bem. Obrigada — falo, porque ela só está cuidando de mim, e, para falar a verdade, é uma atitude legal, depois do que Qieluo fez.

Pensando bem, fui muito tola em achar que Qieluo me apoiaria só por ser do sexo feminino também.

Foi minha avó quem quebrou meus pés ao meio.

Foi minha mãe que incentivou a mim e a Irmã Mais Velha a nos voluntariarmos como concubinas para que nosso irmão pudesse pagar por uma noiva no futuro.

Eram sempre as tias da aldeia que se sentavam juntas fofocando sobre qual garota ainda não se casara, embora reclamassem sem parar sobre os próprios maridos. Depois parabenizavam jovens mães por serem "abençoadas" por ter um menino, embora elas próprias fossem mulheres.

Como se aniquila o poder de luta de metade da população e transforma essas pessoas em escravas bem-dispostas? Basta dizer que foram feitas para servir e mais nada, a partir do minuto em que nascem. Basta dizer que são fracas. Basta dizer que são presas.

Basta dizer isso inúmeras vezes, até que essa seja a única verdade que conhecem.

⁂

De volta à suíte, no banheiro, me encaro no espelho. Uma luz amarelada e opaca entra pela janela de vidro jateado. O barulho das infindáveis obras na Muralha tilintam, tamborilam e ecoam do lado de fora. Yizhi está no quarto de Li Shimin, ao lado dele o tempo todo para impedi-lo de ultrapassar os portões da morte.

De acordo com nossa grade de horário noturna, eu deveria estar dormindo. Hunduns atacam com mais frequência à noite, então é melhor que estejamos acordados a essa hora e preparados para lidar com An Lushan, caso outra batalha aconteça antes que o nosso período de recarga se complete.

Mas como é que vou descansar? Posso ter conquistado Xiuying como aliada, mas ela não consegue nos ajudar em nossos problemas mais urgentes, já que não tem conexões em Sui-Tang. Suas palavras, e as de Qieluo, continuam girando em minha cabeça.

Não é de se admirar que os homens achem você intrigante.

Deixe-me contar uma coisa a você, garota raposa. Conheço o seu tipo.

Meu tipo? Qual é o meu tipo?

Será que pareço *tanto* uma predadora que gosta de manipular rapazes e arruinar vidas?

Penso nos comentários que Yizhi me mostrou, de pessoas tentando entender o que sou, discutindo se o Exército deveria me usar ou me executar. Dá para imaginar por que Yang Jian estava pensando em mim. A maldita garota nova a quem nem mesmo ele, um príncipe-general, sobreviveria. Estremeço ao pensar sobre o que Qieluo realmente viu na mente do parceiro, mas ela não deveria ter se sentido ameaçada. Duvido que tenha sido qualquer coisa próxima a amor ou respeito.

Mas talvez eu não esteja aproveitando esse poder de atrair a atenção como deveria.

Sinto o sangue correndo mais rápido em minhas veias. Aproximo-me do espelho, examinando minhas feições machucadas. Os olhos estão assombrados, injetados e rodeados por círculos escuros. Os lábios estão rachados. Minha pele parece sem viço, morta. Mas a base ainda está lá; tenho uma boa estrutura óssea.

Observo enquanto me afasto do espelho, com um fogo escuro queimando em meus olhos. Todo mundo adora cobiçar garotas bonitas, mas gosta ainda mais de odiá-las. As massas são completamente obcecadas por xingar as mulheres que ousam se distanciar do ideal dócil de esposas e mães. *Vaidosas demais*, pessoas como meu pai praguejam. Muito autocentradas. Muito diferentes, conseguindo tudo o que querem sugando os homens.

Esse é o tipo de garota que Qieluo pensa que sou. E, por causa do que fiz e de como agi, nada do que eu disser ou fizer vai me afastar dessa imagem.

Mas ser odiada assim pode render dinheiro, e ser uma fonte de dinheiro significa poder e proteção. O tráfego de mídia não se importa com certo ou errado. Cada clique em uma manchete escandalosa gera lucro; cada visualização de uma imagem condenatória gera dividendos. Se você é uma galinha de ovos de ouro grande o bastante, as empresas vão fazer lobby e subornar todos os seus contatos do governo para não perderem você. Sei disso porque Pan Jinlian, uma amiga próxima da família de Yizhi, está frequentemente nas manchetes por ser frívola e ousada. Com certeza os Sábios a teriam banido da mídia há muito tempo por "corromper valores sociais", mas enquanto as pessoas não conseguirem parar de falar sobre ela, as empresas continuarão a apoiá-la por baixo dos panos. Yizhi diz que ela sabe muito bem o que está fazendo ao rir dos comentários cheios de ódio enquanto observa sua fortuna aumentar cada vez mais.

Eu poderia ir pelo mesmo caminho. Se assinasse um contrato exclusivo com uma empresa de mídia, eu os tornaria mais ricos, o que os faria me apoiar.

Poderia convencer *o pai de Yizhi*.

Uma energia obstinada espirala até minha cabeça. Minhas mãos agarram o balcão da pia. Durante todo esse tempo, não dei bola para Gao Qiu porque nunca acreditei em sua capacidade de se enternecer pelo amor que Yizhi tem por mim e porque ouvi histórias demais sobre suas táticas suspeitas de negociação. Mas a única coisa capaz de mudar o destino de um piloto é a influência de empresas de mídia. O maior exemplo é Sun Wukong, ex-piloto do Rei Macaco. Ele ajudou um monge distinto a atravessar as planícies hunduns e a completar a missão lendária de recuperar manuscritos acadêmicos e diagramas de tecnologia de outro reduto humano, Indu, com o qual Huaxia perdeu a comunicação depois da queda de Zhou. Após seu livro de memórias *Jornada à fortaleza oeste* e as sucessivas adaptações, sua popularidade explodiu de tal maneira que seus compromissos de mídia o salvaram de participar de batalhas de verdade pelo resto de sua vida útil como piloto. Depois disso, Sun Wukong se aposentou e virou ator e comediante, e ainda é superpopular. Meu irmão assiste a seus vídeos todos os dias.

A Gao Enterprises gerencia sua carreira.

O que significa que Gao Qiu é capaz de impedir que um piloto seja supliciado. Se eu começar a render uma quantidade absurda de dinheiro, aposto que ele tem todos os meios necessários para forçar os estrategistas de Sui-Tang a mudar de ideia.

Saio correndo do banheiro. Desta vez, quando procuro Yizhi, não é para beijá-lo.

CAPÍTULO VINTE E SEIS

APESAR DE TUDO

Lidar com Gao Qiu é tão irritante quanto imaginei. Ele só vai trabalhar comigo de fato se eu provar que consigo sobreviver a Li Shimin outra vez.

— Os Sábios não estão contentes com ela, então eu precisaria molhar a mão de muita gente para que eles fizessem vista grossa se eu quisesse promovê-la de verdade na mídia — diz ele a Yizhi, em uma mensagem de voz, pois nem sequer concorda em falar direto comigo. — Não faz sentido se ela vai morrer dois segundos depois.

Então tudo ainda depende de como meu parceiro e eu vamos nos sair na próxima batalha.

Paro de repeli-lo, apesar das coisas que fez e de meus sentimentos confusos em relação a ele. Depois que Li Shimin sobrevive à pior fase da abstinência, com a ajuda de Yizhi, faço todos os exercícios de parceria que Sima Yi sugere, sem reclamar. Dança no gelo, dança normal, quedas de confiança, equilíbrio em uma trave elevada com as mãos dadas, o que for. Não questiono seus métodos.

Nem mesmo quando nos manda pular juntos da Grande Muralha.

Enquanto a lua transpassa as nuvens acima em uma nódoa luminosa, Li Shimin põe os braços ao meu redor, como se estivesse tentando começar outra dança. Graças aos desastres em série, Sima Yi obteve apoio suficiente de seus colegas estrategistas do Comando Central para conseguir privilégios de armadura vital para nós — em parte para ajudar com o treinamento, em parte para impedir mais ataques de outros pilotos.

O peso das asas escarlates expansíveis, ambas da nossa altura, pertencentes à armadura do Pássaro Carmim, nos faz oscilar na beirada de concreto da Grande Muralha. A encosta castigada pelas intempéries e coberta de líquen mergulha na noite, com o solo tão distante que não passa de um vislumbre longínquo. Eu preferiria aprender a voar a partir do chão sólido, mas Sima Yi diz que eu poderia gastar muito *qi* sem querer no processo, então só vai me deixar tentar uma vez, nas condições estritas que determinou.

O vento noturno uiva pelas planícies hunduns, como uma concubina morta lamentando no além, revolvendo o cabelo cortado de Li Shimin e me gelando até os ossos. Os tremores dele não pararam por completo, e suas feições continuam apáticas e impassíveis, abatidas por sombras enormes.

Se era estranho ver o piloto mais poderoso de Huaxia sem uma coroa, é mais bizarro ainda vê-lo com a armadura. Quer dizer, ele está vestindo uma armadura grandiosa, com asas e saias semelhantes à de uma fênix e ombreiras semelhantes a plumas de metal resplandecentes, mas no topo há somente sua cabeça, deixando bem óbvio que está faltando alguma coisa.

Estou imaginando qual seria a aparência de sua coroa quando Sima Yi dá a ordem:

— Pulem!

Pela primeira vez, vejo com meus próprios olhos o espetáculo que é Li Shimin, o Demônio de Ferro, canalizando seu *qi*.

Um fulgor vermelho do tipo Fogo flui como rios de lava sob sua pele e se infiltra na armadura. Calor corre rente a meu corpo, pressionado ao dele. Suas íris chamuscam num tom tão claro quanto brasas. Suas asas se abrem na noite, flamejantes.

Uma vez que a força máxima com a qual alguém consegue canalizar o *qi* é diretamente proporcional à sua pressão vital, esta intensidade é realmente a maior que qualquer pessoa de Huaxia tem no momento.

Com um estalo sônico de asas, ele pula da Muralha comigo nos braços. Eu me agarro à armadura quente, reprimindo um grito diante da repentina ausência de peso. O vento assobia em meus ouvidos. O mundo perde os contornos, a lógica. As lufadas de ar aquecidas pelo *qi* do bater das asas se agitam ao redor. Não faço ideia se isso significa que estamos morrendo ou não, e não tenho coragem de abrir os olhos para confirmar.

De qualquer forma, enquanto o oxigênio entra e sai sincopado de meus pulmões, uma frustração faísca dentro de mim.

É essa a pessoa que quero ser? Uma garota que precisa ficar grudada a um rapaz?

Com uma inspiração profunda, canalizo o *qi* branco do tipo Metal para fora dos meridianos de meu corpo. Uma sensação gelada percorre minha coluna e penetra a armadura. Solto Li Shimin, empurrando seu peito para longe, por precaução.

Meu terror chega ao ápice quando começo a cair de imediato, mas bato as asas de novo e de novo, canalizando o *qi* para elas, incansável. Um brilho fraco surge nas extremidades de meu campo de visão. As rajadas de ar refrescam o suor que me encharca.

E, simples assim, estou voando.

As asas amplas me fazem planar no vento, desafiando a gravidade, desafiando a morte. Adrenalina corre por todas as células de meu corpo, tão cintilante e etérea como a luz das estrelas. Devagar, pairo mais alto, desenhando um círculo, e vejo o mundo com outros olhos. Um mundo muito maior, repleto de muito mais espaço, som e liberdade. É um ponto de vista que apenas crisálidas deveriam ter, mas aqui estou eu, uma humana flutuando no ar como se fosse tão amplo e seguro quanto o oceano cheio de hunduns ao extremo leste de Huaxia. Na Grande Muralha, os quadrados de luz das torres de vigia formam uma constelação serpenteante que vai de uma ponta a outra no horizonte.

Olho para meus braços. Meu próprio *qi* do tipo Metal, frio, calmo e branco-prateado, corre sob a textura emplumada da armadura.

Tantas emoções se desprendem em meu interior que não faço ideia de como lidar com elas, como controlá-las, evitar que transbordem de meus olhos em lágrimas levadas pelo vento. Soluços perpassam meu corpo sem peso de tal forma que rodopio e me desequilibro, com uma asa mais alta do que a outra. Li Shimin toma impulso em minha direção e me pega pela cintura. O bater frio de minhas asas se mistura ao bater quente das asas dele, como uma só respiração.

Estou tão perturbada que não tento afastá-lo.

— Até *caminhar* era um luxo para mim — sussurro, batendo o punho em sua couraça peitoral emplumada. Então simplesmente me reclino contra ela. O calor de seu *qi* esquenta minha face.

Ele fica em silêncio. Só me segura, agitando-se em pleno ar, na distância impensável entre céu e terra que os humanos não deveriam atingir.

Apesar de tudo, e de Sima Yi parecer bastante feliz depois que voltamos à Muralha, nossa sinergia não melhora.

— Você está só entregando o controle a ele, e não cooperando com ele! — grita Sima Yi para mim depois que Li Shimin me conduz em mais uma coreografia atrapalhada na pista de patinação. — Não é a mesma coisa!

É fácil falar. Queria que *ele* tentasse cooperar na pista de gelo com alguém cuja mente está sempre agitada em centenas de direções, atrás da garrafa de bebida mais próxima.

Lá pelo nosso quinto dia de treinamento, uma ansiedade constante toma conta de mim, minando a esperança de que sejamos capazes de virar um time. Para combinar com meu humor, uma tempestade de raios desaba sobre o prédio onde fica o rinque, fremindo pelo concreto e tilintando nas janelas.

— Ei. — Sima Yi me chama da beirada do rinque quando Li Shimin sai, amuado, para ir ao banheiro. — Preciso falar com você.

— Sobre o quê?

Patino em sua direção, hesitante, agitando as asas atrás de mim para me equilibrar. Pelo menos usar uma armadura evitou que caíssemos o tempo todo no gelo e impediu que meus pés ficassem muito doloridos.

Sima Yi agarra a mureta baixa de vidro que contorna o rinque.

— É melhor vocês não se envolverem em um triângulo amoroso.

Meus patins minúsculos param com um rangido agudo. Abro a boca para balbuciar uma negativa.

— Nem tente. — Sima Yi ergue a mão. — Já vi como você e o Garoto Rico olham um para o outro. Mas é melhor você não estar passando dos limites com ele. — Sima Yi se curva um pouco e baixa a voz. — O seu parceiro, seu Par Verdadeiro, deve ser Li Shimin. Lembre-se disso. E, sobretudo, atenha-se a isso em público. A opinião do Exército já está contra você. Você não pode se dar ao luxo de ser rotulada de *infiel* também.

Recuperando a compostura, reviro os olhos.

— Pare de se preocupar. Conheço minhas prioridades. — Não é mentira. Não beijei Yizhi desde a confusão daquela noite. — Além disso, não sabe geometria básica, estrategista Sima? — Faço um triângulo com os dedos e olho através dele. — O triângulo é a forma mais forte.

— Estou falando sério — replica ele. — Você e Shimin ficam estranhamente desconfortáveis juntos. O que está acontecendo? Não estão desempenhando seus deveres de marido e mulher direito?

Quando me dou conta do que ele quer dizer com "deveres de marido e mulher", um calor irradia de meu pescoço para minhas orelhas.

— Não! Isso não é da sua... nós nunca fizemos!

Sima Yi segura o próprio rosto com ambas as mãos.

— Ah, isso explica *muita coisa*. Não é à toa que não estão progredindo.

— O que *isso* tem a ver com nosso treinamento?

— Está de brincadeira? É a atividade de conexão de parceiros por excelência! Por que não fizeram? — pergunta Sima Yi, como se estivesse questionando por que não desliguei o fogão antes de sair da cozinha.

Recuo, batendo as asas para manter o equilíbrio.

— Eu... não quero!

— Não se trata do que você quer — diz Sima Yi entredentes, e sinto um arrepio diante da severidade absoluta com que ele trata esse assunto ridículo. — Se conseguiu fazer com o príncipe-coronel Yang, pode fazer com Shimin. Entendo se você estiver com medo de ficar com um rongdi, mas...

— Também não fiz com Yang Guang! — disparo, quase gritando para expulsar a frase dos ouvidos.

Sima Yi fica boquiaberto por um bom tempo.

— Você ainda é uma *donzela*?

— Faz diferença? — Minhas bochechas ficaram tão quentes que tenho certeza de que estão em um tom impossível de vermelho.

— Claro que sim! — Ele dá um tapa na mureta de vidro. — Escute, você não vai conseguir pilotar direito com Shimin se tiver esse bloqueio mental contra ele, então precisa superar isso. Vou literalmente dispensar você e Shimin para resolverem a questão agora mesmo. É urgente. Não é hora de você se comportar como uma garotinha!

— Que pena... eu *sou* uma garota! — Lágrimas brotam em meus olhos, acumulando até quase transbordarem. — Passaram a minha vida toda dizendo que essa é a pior coisa que eu poderia fazer! A mais suja! Sabe quantas vezes a minha família ameaçou me jogar num chiqueiro e me afogar só porque *suspeitaram* que eu havia me aproximado de um rapaz? E agora você quer que eu durma espontaneamente com um cara que eu *odeio*?

Minha voz ricocheteia nas paredes de concreto, produzindo ecos cavernosos. Sima Yi abre a boca para contra-argumentar, mas olha para o lado de repente.

Faço o mesmo.

Li Shimin voltou do banheiro e está nos olhando, petrificado. Não ouvimos o clangor de sua armadura por causa da chuva açoitando as paredes e dos trovões retumbando acima do prédio.

Arrependimento me atravessa. Quase cubro a boca.

Mas nunca tentei esconder meu desprezo por ele, então, qual é o problema?

Mantenho as mãos fechadas em punho, ao lado das pernas.

— Ah, que seja. — Sima Yi balança a cabeça. — Talvez... Shimin! Venha cá! Preciso falar com você sobre consumar sua parceria com a piloto Wu!

Li Shimin franze as sobrancelhas, formando uma expressão que não consigo decifrar. Depois se vira e sai num ímpeto em direção aos banheiros, com as saias longas da armadura tilintando contra as grevas.

— Não vou falar sobre isso.

Sima Yi fica estarrecido.

— Qual é o problema de vocês? Ela pode ser um pouco gordinha, mas mesmo assim tem uma aparência decente!

Li Shimin se vira e lhe lança um olhar com o tipo de fúria que demonstrou na briga do refeitório.

— Não sou um bicho, estrategista Sima. — Seus olhos cintilam para mim. — *Nós* não somos bichos.

— Não, mas são pilotos! — insiste Sima Yi. — E a vida de vocês depende da próxima batalha. Olhem como ficam atrapalhados um com o outro. Precisam resolver isso!

Li Shimin continua se afastando. Fecho os olhos, respirando lenta e profundamente.

Será que estamos fazendo tudo errado? Talvez isso seja mesmo parte do problema.

Tento manter a racionalidade: se não resolvermos agora, isso vai continuar sendo um problema, até maior do que antes. E não temos tempo nem podemos nos dar ao luxo de passar por isso.

Com o rosto fervendo em outra explosão de calor, respiro fundo.

— Li!

Luzes vermelhas piscam no teto. Sirenes hunduns soam pelo prédio.

Li Shimin se vira.

O pânico atravessa o rosto de Sima Yi, mas ele se controla em um segundo e começa a gritar ordens pertinentes, não absurdas.

O instinto de sobrevivência apara todas as arestas afiadas de nosso conflito. Li Shimin corre em minha direção. Envolvo o corpo com as asas para facilitar que ele me carregue. Li Shimin me pega no colo, pois é mais rápido do que se eu for caminhando. Não podemos voar. Nós nos tornaríamos dois alvos brilhantes na noite, e qualquer soldado poderia nos abater com a desculpa de que estava tentando impedir uma deserção.

Mas mal damos dez passos para fora do prédio antes de soldados se amontoarem a nossa volta, com as botas chapinhando na tempestade. Aguço meu sentido vital, canalizando o qi pela armadura numa intensidade especialmente alta. Como um terceiro olho se abrindo, meu corpo alcança um novo nível de consciência, percebendo as pressões vitais espalhadas pelo campo. Sinais chegam de todas as direções.

Será que mandaram todos os soldados no campo nos encurralarem?

— Ah, vocês não vão escapar da batalha desta vez! — sibila a voz de An Lushan em um tablet.

Um soldado ergue o aparelho que transmite ao vivo o rosto em foco do estrategista, enquanto outro segura um guarda-chuva acima da tela.

Sima Yi levanta as mangas de uma vez, já encharcado.

— Tenho ordens do Comando Centr...

— Ordens anuladas. — An Lushan segura seu próprio tablet, exibindo um documento. — Pelo sábio decreto do próprio presidente Kong.

CAPÍTULO VINTE E SETE

COM UM ESTRONDO

Meu rosto fica mais frio do que a chuva que cai sobre ele. O presidente Kong é o líder dos Sábios. E basicamente declarou que está desistindo de nós e da chance de um contra-ataque.

Meus olhos voam para Sima Yi, mas há apenas pavor em seu rosto, iluminado parcialmente pelas lanternas encobertas devido à chuva. Com o clarão do trovão seguinte, me dou conta do quanto estes últimos dias foram difíceis para ele também. A água corre pelos vincos aprofundados de seu rosto e pingam de sua barba encharcada.

Ele não olha para mim, só fecha os olhos e diz:

— Entendido.

Meu coração despenca como uma pedra em um abismo sem fim. An Lushan abre um sorriso ainda maior, depois levanta o queixo.

— Levem-nos para o Pássaro Carmim — ordena Li Shimin.

Os soldados se aproximam. Um deles está segurando uma focinheira. A chuva corre sobre o aço escuro.

— Não coloquem isso em mim! — grita Li Shimin, com o timbre grave da voz ribombando por nossa armadura. O eco abala os soldados e os faz hesitar. Ele me aperta ainda mais nos braços. — Eu vou. Não vou resistir desta vez. Tenho *ela*, agora.

Fico agitada com uma percepção tardia, ou talvez mais um lembrete. Não sou a única que está sendo supostamente "domada" com este arranjo.

Mas nada disso é real. Não somos parceiros funcionais. Mal conseguimos olhar um para o outro. Só faz seis dias que nosso *qi* está recarregando.

Não vai dar certo.

Li Shimin começa a seguir os soldados, com as gotas de chuva turvando seus óculos. Sima Yi também começa a se mover, mas é detido.

— Estrategista Sima, você não precisa acompanhá-los — diz An Lushan com um sorriso e um aceno de mão, como se estivesse lhe fazendo um favor.

Sima Yi cerra os dentes, mas não tem escolha a não ser permanecer sob a mira das armas.

— Lembrem-se, vocês ainda podem tentar uma recarga rápida no próprio Pássaro Carmim! — grita ele para nós em meio ao aguaceiro. — Extraiam o máximo que puderem do *qi* de outras crisálidas, pode dar certo!

Não, não vai dar certo! Quem vai nos *emprestar qi*? Xiuying talvez tenha, mas ela também está recarregando. Não vai participar da batalha.

Quero pular dos braços de Li Shimin e correr, mas de que adiantaria? Sou fisicamente incapaz disso. É impossível!

Espere. A armadura.

Talvez eu consiga alguma coisa.

Torço meu corpo para abrir as asas, que arranham a couraça peitoral de Li Shimin, depois tento batê-las...

Bang.

Uma força branca e ofuscante me joga contra ele. Um segundo depois, sinto uma dor explosiva nas costas. Manchas borram minha visão. Abro a boca, tentando emitir algum som, mas todos os músculos estão tensos demais para isso. Gritos entram e saem de meus ouvidos como se eu tivesse mergulhado em água gelada.

— ... está de brincadeira...

— ... como é que ela vai...

O cheiro de pólvora viaja no ar úmido. Li Shimin está gritando meu nome — será que ele já o pronunciou antes? — e me sacudindo em seus braços, mas não consigo focar. A dor devora todos os meus sentidos, toma conta de cada célula.

O mundo gira.

Ainda estão nos mandando seguir. Vagamente, em minha agonia excruciante, sinto minhas asas caídas se arrastando pelo chão de concreto inundado.

Não há escapatória.

Minha consciência vai e vem durante o trajeto até o topo da Grande Muralha. Luzes sombrias no elevador. Estalos. Brilho de armas. Gemidos roucos vindos de minha garganta. Chuva colidindo contra uma camada fina de umidade nas estruturas de concreto e nos trilhos de aço.

Depois estamos em um *shuttle*, ganhando velocidade enquanto seguimos em direção à torre de vigia Zhen'guan, onde o Pássaro Carmim está estacionado. Gotas de chuva correm pela janela como garras luminosas na escuridão noturna.

— Eles... eles realmente atiraram em mim — sussurro, encolhida e rígida no colo de Li Shimin, olhando para ele. Talvez já tenha dito essas palavras várias vezes. Não sei. Um suor gelado escorre por minha testa.

— Aguente firme. — Ele me segura pelos ombros, apertando mais meu corpo junto a si. — Aguente firme até nos conectarmos ao Pássaro. Então você não vai sentir mais nada.

Meus dentes batem. Não consigo parar de tremer. Será que foi assim que ele se sentiu na primeira noite de desintoxicação? Sob a armadura, meu traje de condução molhado gruda à minha pele como se fosse feito de gelo.

Uma luz vermelha fumega sob as penas de metal da armadura dele. Sinto um calor me envolver, ondulando pelo ar. Engasgo, trêmula.

— Não... — Coloco a palma da mão em sua couraça peitoral. — Não... não desperdice *qi*...

— Não faz diferença, a esta altura — murmura ele, com as íris brilhando, vermelhas.

As gotículas de umidade em seus óculos se evaporam rapidamente. Ele esfrega minhas mãos protegidas pela armadura para aquecê-las. Suas feições pálidas, exauridas e torturadas pela abstinência se tensionam em concentração. A tempestade assobia do lado de fora e golpeia o metal à nossa volta como mil batimentos cardíacos invasores.

O *shuttle* chacoalha sobre os trilhos molhados. As sombras das gotas de chuva atravessam seu rosto. Levanto os olhos para encará-lo, boquiaberta.

— Por que você é tão legal comigo? — pergunto num grunhido, esforçando-me para desfazer um nó na garganta. — Se sou tão horrível com você?

Ele baixa os olhos, surpreendentemente ternos mesmo com o vermelho demoníaco das íris. Depois entrelaça os dedos nos meus.

— Você é o milagre pelo qual estive esperando todo esse tempo que passei indo para batalhas e rezando para que algo mudasse. Não consigo suportar a ideia de perder você.

Meus tremores se aprofundam. Sinto meus olhos arderem; minha visão ondula. Eu me viro para suas pernas para que ele não veja as evidências.

— Não odeio você. — Minha voz sai mais aguda e mais frágil do que nunca. — Não muito. Não mais. Você me deixa confusa, só isso.

— Me desculpe — sussurra ele, com as mãos soltando as minhas.

Trato de segurá-las firme.

— Ouvi dizer que você escreve coisas muito bonitas. — Passo meu polegar no dele, com os pensamentos patinhando como a água lá fora. Não sei mais o que estou falando. — Você deveria voltar a fazer isso.

Ele solta uma risada seca, depois entrelaça os dedos nos meus. Eles tremem.

— Minhas mãos... Todo o trabalho forçado que fiz... Acho que nunca mais vou conseguir segurar um pincel direito de novo.

Sinto um aperto no coração. Levo suas mãos ao meu peito, delirante.

— Você precisa tentar. Precisa tentar de novo.

O *shuttle* guincha e para, chacoalhando-me contra ele. Grito de dor. Suas mãos soltam as minhas para me proteger. Os soldados se levantam, engatilhando as armas.

Ele enfia os braços sob meu corpo.

— Temos que ir agora. Vou levantar você.

Assinto, estremecendo.

Mesmo assim, não estou pronta para a dor que me rasga. Eletricidade estática turva meus olhos. Reprimo um grito enquanto apoio a cabeça no ombro dele.

Talvez não seja tão terrível morrer na batalha. Pelo menos eu me livraria *disso*.

Mas depois que entramos no elevador, que desce até as plataformas de encaixe, uma nova pontada de medo se crava em mim, afiada pela resignação no rosto de Li Shimin.

Será que ele está desistindo?

— Li Shimin... *Shimin* — imploro.

Ele me lança um olhar triste, mas ainda assim cálido. O mais cálido que já recebi desde que o conheci, desde que saiu deste mesmíssimo elevador, usando um macacão de prisioneiro e uma focinheira no rosto, com os olhos repletos de fúria.

Assim não vai adiantar.

Segurando seu pescoço, me ergo e pressiono meus lábios nos dele.

Li Shimin inala o ar com força. Ele recua aos tropeços. Sua armadura brilha como brasa em chamas, exalando calor no elevador. Uma conexão corre em circuitos entre nós, mais radiante do que a minha dor, como a luz de um raio. Fico tão surpresa quanto ele.

— Lute — sussurro, afastando um pouco a boca da dele. Meu coração se lança contra nossas couraças peitorais conectadas como um monstro descontrolado e livre. — Lute, não importa o quanto doa. — Deslizo os dedos por sua nuca. — Porque não merecemos morrer assim.

Ele me aninha mais junto de si, cravando os dedos fundo em minha armadura.

As portas do elevador se abrem para a umidade inclemente, indomável e uivante lá fora, lançando luz sobre o pescoço longo e arqueado do Pássaro Carmim, ao final da ponte de encaixe. Os soldados saem em fila, o clangor das botas nas grades de metal, depois se alinham em ambos os lados da plataforma, apontando as armas porque nos odeiam, mas saindo do caminho porque precisam de nós.

Shimin marcha entre eles até o Pássaro Carmim, me carregando. A tempestade bate em sua armadura, formando um halo de vapor. Em minha dor febril, encaro com ódio cada um desses covardes.

Justo quando me pergunto como pretendem nos obrigar a lutar, já que não queremos ir, dois soldados pulam no cockpit atrás de nós. Depois que nos sentamos nos assentos yin e yang, eles se afivelam em dois assentos laterais que eu não havia percebido antes.

Então apontam as armas para nossa cabeça.

CAPÍTULO VINTE E OITO

A FORMA MAIS FORTE

Enquanto minha mente ascende ao Pássaro Carmim, a raiva me queima por dentro. Flamejante, retumbante.

Desta vez, não mergulho no terrível reino mental de Shimin. Minha ira colide direto com a dele, como óleo sendo jogado no fogo, e um grito irrompe do bico do Pássaro, luminoso na noite. A chuva nos açoita como milhares de agulhas por segundo, iluminada pelo brilho dos olhos da crisálida — um, branco do tipo Metal, e o outro, vermelho do tipo Fogo.

— *Mexa-se, Pássaro Carmim, ou será executado por desobediência!* — A voz de An Lushan sai, ríspida, dos novos alto-falantes que devem ter sido instalados.

Outro grito ecoa pela garganta do Pássaro, partindo de mim ou talvez de nós dois. O único consolo é que fui libertada de meu corpo cheio de dor. Os limites de minha existência se desfazem como a neblina envolvendo as asas gigantescas do Pássaro. Eu as bato, dando-lhes vida. Quero me virar e esmagar a Grande Muralha, mas os soldados com certeza espalhariam meus miolos pelo cockpit assim que eu fizesse um movimento em falso.

Enquanto Shimin e eu pilotamos o Pássaro em uma sincronia desajeitada, uma confusão de preto e branco persiste em minha consciência como uma segunda camada da mente. Quando a forço a entrar em foco, vejo o reino yin-yang. A forma vital de Shimin se ajoelha diante da minha, nossos joelhos se tocam na fronteira das cores. Seguro seu rosto.

— Vamos lançar os soldados do Pássaro como fizemos com os alto-falantes da última vez.

Ele hesita, parecendo chocado em me ver, em estar consciente deste reino. Percebo que é a primeira vez que agimos normalmente aqui. Sem sede de sangue de sua parte. É um bom sinal.

Seus olhos faíscam antes de se abrandarem, examinando os meus.

— Vamos lançar os soldados do Pássaro, mas e depois...?

Minha boca permanece aberta.

É, e depois? Desativar o Pássaro e esperar até que a batalha termine, só para voltar e sermos sentenciados à morte de qualquer maneira? Recusar-se a deixar o cockpit e morrer por causa de meu ferimento? Tentar fugir para as planícies hunduns com o Pássaro, onde cercarão uma crisálida do tamanho da nossa aonde formos?

Se. Se. *Se.*

Resistir e sermos executados. Ou lutar contra os hunduns para provar do que somos capazes e viver.

A expressão de Shimin se torna impassível, e de repente compreendo melhor sua resignação de mais cedo. Ele já foi levado contra a vontade a muito mais batalhas do que eu.

Quando o sinto fazer a garra do Pássaro avançar no escuro, entre as poças turbulentas atravancando as planícies hunduns, não consigo encontrar forças para contrariar seu ímpeto.

Falsas esperanças. É isso que sustenta o Exército.

Mas a exaustão e o *qi* recarregado pela metade imediatamente cobram seu preço. Os movimentos do Pássaro são lentos e pesados, como os de um pássaro de verdade atravessando uma tempestade com as penas encharcadas. Drones equipados com câmeras zumbem ao nosso redor como moscas provocadoras, com os olhos vermelhos cobiçosos. Imagino Gao Qiu, os Sábios e os estrategistas da fronteira Sui-Tang e do Comando Central nos observando, fazendo seus julgamentos. Raios rasgam as nuvens pretas e pesadas acima de nós, iluminando as planícies em flashes.

No horizonte, os primeiros hunduns se aproximam em menos de cinco minutos, perturbadoramente próximos da Muralha. Primeiro o minúsculo brilho de *qi* que emanam se espalha através da chuva, na escuridão, e logo depois é possível avistar a silhueta de seus corpos.

— Uau, os drones patrulheiros estão fazendo um péssimo trabalho! — esbravejo no reino yin-yang.

— Ou então disseram de propósito aos outros para não retardar os hunduns que vierem atrás de nós.

As mãos de Shimin se fecham em punhos sobre os joelhos. Com nossas formas espirituais sentadas em seus lugares, parece que estou olhando para uma tela de comunicação de Li Shimin em minha cabeça.

— Ah, sim, *com certeza*.

O objetivo dos hunduns é destruir crisálidas, não a Muralha em si. Bandos inteiros devem estar se afastando da batalha principal para vir atrás de nós, como insetos atraídos por um pêssego doce e putrefato.

Enquanto nossa colisão com a primeira leva se torna iminente, Shimin estende as asas do Pássaro para trás e as agita à frente. A força do vendaval desequilibra os hunduns comuns. Água respinga e esguicha para toda parte. Três hunduns categoria Nobre, que parecem do tamanho de gatos, mas que na realidade são maiores, avançam contra o vento e nos atacam.

Agito uma garra em direção a um deles.

— Não! Não faça isso!

A resistência mental de Shimin desacelera o movimento da garra, mas é tarde demais. As unhas furam o corpo redondo do hundun.

Em vez de uma cravada assassina tranquilizante, tenho a sensação de que apunhalei um punhado de arroz com *kuàizi*. O metal primordial do hundun ondula em volta das unhas, então as prende. Sacudo a garra, mas não consigo libertá-la.

— Ah, é óbvio! Nenhum brilho à vista: é do tipo Água! — repreendo a mim mesma.

Os outros dois hunduns se prendem à garra em que nos apoiamos, tentando nos derrubar.

Eles sabem que devem ser um time. As palavras de Sima Yi sobre as proezas de Qieluo e Yang Jian ecoam em minha mente. *Cada um desempenha a parte em que é melhor e recua quando necessário.*

Sem receio de perder o controle do Pássaro, momentaneamente paro de tentar comandá-lo, confiando em Shimin para lidar com a situação. Com algumas batidas das asas molhadas, ele dá uma guinada no Pássaro e o tira do chão. Prepara um golpe de *qi* no bico enquanto remove o hundun da garra em que estamos apoiados com a ajuda da outra. O hundun tropeça e cai, com as patas agitadas, como um inseto de barriga para cima, do tipo que explodiria em um jorro de entranhas se alguém pisasse nele.

Shimin joga a cabeça do Pássaro para trás antes de soltar o golpe de *qi*, formando um fluxo largo na direção das manadas e arrasando a paisagem inundada. Hunduns racham e explodem sob o ataque vermelho do tipo Fogo. Eu me uno a ele rapidamente, adicionando meu próprio *qi* e deixando o fluxo rosa. O golpe nos impele por mais alguns segundos, então não conseguimos mais sustentá-lo. Num estalo, somos arremessados e aterrissamos sobre os restos fumegantes dos hunduns. As asas do Pássaro parecem murchar e se apagam.

— De que categoria eram aqueles nobres? — pergunto, atônita. — Não consigo distinguir. O ângulo está me atrapalhando.

— Categoria Conde. Talvez Conde inferior.

O lembrete sobre nosso tamanho neste momento me inunda com uma onda de terror, náusea e *adrenalina*. A altura de hunduns categoria Conde vai de dez a quinze metros, ou seja, eles são do tamanho de um prédio de três ou quatro andares, mas para nós não passam de um gato médio de rua.

No entanto, esse poder não significa nada enquanto eu estiver sendo mantida sob a mira de armas no cockpit. Posso *sentir* os dois soldados agitados nos assentos, recuperando-se de nossa queda. Preciso de muito autocontrole para não fazer nada enquanto eles se ajeitam.

Shimin faz o Pássaro se levantar de novo e continuar avançando pelas planícies lodosas em direção a uma massa de manchas coloridas — a próxima leva de hunduns. Na nossa visão, a chuva cai como dardos brancos e vermelhos. O Pássaro patina ainda mais do que antes.

— A gente não devia usar mais ataques de *qi* — falo, sentindo a ansiedade se espalhar como uma erva daninha.

— Que pena — grunhe Shimin. — É o melhor que o Pássaro consegue fazer. Não é uma crisálida que se sai bem no corpo a corpo.

— Então vamos usar uma forma superior. Canalizar meu qi do tipo Metal para pelo menos conseguir mirar melhor. Como se faz isso?

— Não sei. Nunca comecei uma transformação conscientemente.

— Certo. Você é Fogo sobre Fogo.

Não se pode transformar Metal primordial utilizando o mesmo tipo de qi — é por essa razão que os hunduns não conseguem alcançar formas superiores, porque são sempre de um só tipo. Pilotos como Shimin teriam que se esforçar demais para usar o segundo qi dominante em seus corpos. No caso, Terra.

— Já é um milagre eu estar tão lúcido durante uma batalha. — Shimin junta as mãos de sua forma espiritual. — Não faço ideia se isso torna as coisas melhores ou piores.

A próxima fileira de hunduns se aproxima. Não temos escolha a não ser disparar mais explosões de qi na direção deles enquanto avançamos. Dou meu melhor para acompanhar Shimin. Controlar um só corpo com duas mentes é uma arte difícil de dominar. Preciso deixar o orgulho de lado — *eu* sou a piloto menos experiente.

A batalha principal finalmente se torna visível. As silhuetas enormes de crisálidas e hunduns se digladiam, com movimentos tão estrondosos quanto os trovões que ecoam ao redor. Jatos radiantes de qi atravessam as rajadas de chuva e vento.

Mal consigo distinguir hunduns de crisálidas, especialmente aquelas com formas menos proeminentes. Fica óbvio como o

Exército conseguiu sacrificar pilotos sem ser questionado pelas massas. Neste pandemônio, seria muito fácil sermos mortos por qualquer coisa — ou *qualquer pessoa*.

— Como você se sente normalmente quando está pilotando? — pergunto a Shimin, frenética.

— Fora de controle. — Seus olhos se fecham com força enquanto o Pássaro trava batalha no mundo físico. — Como se só tivesse uma coisa em mente: matar todos os hunduns que eu enxergar. Os estrategistas nem falam comigo pelos alto-falantes. Sabem que não vou ouvir nada.

— Você consegue canalizar esse estado agora? Se eu calar a boca?

— Não, não adianta. Sua mente está sempre presente. Barulhenta demais. Mesmo quando você não está falando.

Deixo escapar um grunhido exasperado.

— Está bem, então vamos tentar...

Clarões de raios revelam as crisálidas enredadas na batalha. Congelo.

O Guerreiro Sem Cabeça está aqui.

— Ah, não. Não, não, não, não. — No reino yin-yang, agarro a cabeça.

— O que houve? — Shimin roça meu ombro.

Não preciso respirar, e no entanto estou hiperventilando. Lá fora, o mundo é atravessado por trovões. Num lampejo, me lembro do peso esmagador do corpo de Xing Tian sobre minhas pernas e o aperto de suas mãos em meu pescoço.

Não existe chance de ele me deixar sair desta batalha viva. Vai encontrar algum jeito de nos matar, para nos suplicar e vingar Yang Guang ao mesmo tempo. Não vamos sobreviver.

Então qual é o sentido de acatar ordens?

Tudo em mim que estava me contendo desaparece. Num salto, jogo meu peso espiritual em Shimin, derrubando-o no chão yin-yang e montando em seu corpo. Minhas mãos envolvem seu pescoço, exatamente como da última vez. Suas mãos tentam alcançar as minhas também, mas param em meio ao movimento.

— Se lutar comigo, nós dois vamos morrer inutilmente — sussurro, com os polegares em sua garganta, mas sem apertar. — Deixe-me ficar no controle, e pelo menos vai significar algo.

Ele me encara, atônito. Não sinto qualquer pulsação no aperto. Na verdade, não sei como nosso estrangulamento mútuo funcionou da última vez, já que respirar não é uma questão aqui. Acho que é mais a violência do ato e como ela desequilibra nossas forças mentais.

Desta vez, não há muita resistência. Shimin simplesmente fecha os olhos.

Tomo o controle de cada pedaço de metal do Pássaro. A mente de Shimin lateja, em choque, mas logo se apazigua.

Caio de propósito após outro golpe que um hundun categoria Nobre desfere. Enquanto os soldados que nos supervisionam balançam nos assentos, faço uma emboscada com o metal do próprio cockpit. Enrolo-o neles e os manobro para fora como dois ratos descendo por um bueiro, engolidos por alumínio vermelho.

Talvez morram com a queda ou sejam esmagados em batalha. Não me importo.

Com a atenção fixa na silhueta do Guerreiro Sem Cabeça, com os olhos fosforescentes no lugar dos mamilos e a boca na barriga, faço o Pássaro avançar resoluto em meio ao caos da batalha. A tempestade uiva tão selvagem ao redor que ninguém se dá conta de minha intenção até ser tarde demais. Desequilibro

Xing Tian com um golpe da asa do Pássaro. É tão fácil. Ele só tem metade do nosso tamanho, e se espatifa com um impacto sísmico. Enquanto os estrategistas começam a gritar nos alto-falantes, ergo uma garra.

Quando estou prestes a empalá-lo e perfurar seu cockpit, um pensamento horripilante me ocorre. Não se trata só de Xing Tian, e sim do Guerreiro Sem Cabeça. Há uma concubina inocente lá dentro, presa em seus braços.

É impossível matá-lo sem matá-la também.

A fração de segundo em que hesito dá a ele a chance de me derrubar com um empurrão. Com a mão pesada do Guerreiro, ele segura firme a garra erguida do Pássaro. Afasto-o com um safanão, e meus pensamentos acelerados se enredam em um só fluxo oscilante. Fico tão frustrada que dou mais um guincho em direção ao céu.

O rosto de Shimin se ilumina ao entender. Ele se senta, empurrando minha forma espiritual para a posição anterior. Minhas mãos deslizam de seu pescoço.

— Espere, foi ele que tentou matar você?
— Foi. — Coço a cabeça. — É *ele*.

A expressão de Shimin se torna inexpressiva. De repente, seus olhos e meridianos brilham, adquirindo uma vivacidade escarlate ardente.

O Pássaro dá outra guinada em direção ao Guerreiro.

— Espere!

Tento pará-lo, mas a fúria de Shimin é tão intensa que é como ser jogada para trás pelo bando de pássaros barulhentos em seu reino mental.

Ele coloca os braços a minha volta e me esmaga contra seu peito. Mesmo neste reino imaginário, seu calor é sufocante. Meu coração trepida, e por um momento considero a possibilidade de derreter e deixar que ele mate o que bem desejar.

Mas não posso.

Não posso.

— Pare! — exclamo por cima de seu ombro.

Ele faz o Pássaro saltar, com as asas se abrindo como uma chama imponente e as garras viradas para o Guerreiro.

— Pare! — grito ainda mais alto, sacudindo-o. — *Você já não matou garotas o suficiente?*

As asas do Pássaro se contorcem e estremecem. Colapsam sobre o Guerreiro, com as pontas desfigurando sua dianteira, mas sem perfurá-lo totalmente.

A raiva de Shimin se transforma em um impasse de frustração igual ao meu, mas com uma tristeza que não carrego. Como água fervente sem destino, uma pressão se expande até a superfície do Pássaro. Uma pressão familiar.

Novas estruturas eclodem e se tornam salientes no Pássaro. Posso sentir a aparência grumosa e doentia que está adquirindo. A Forma Perversa.

Então vamos lá.

Não posso matar Xing Tian, mas posso fazê-lo sofrer. Não apenas isso, mas também *usá-lo*.

Cerro uma garra deformada em volta da cintura do Guerreiro e a outra em volta de sua perna. Então puxo com toda a força.

A perna é arrancada do corpo. O *qi* brilhante de Xing Tian escorre pela fissura. Enquanto recolho seu *qi* para abastecer o Pássaro Carmim, a luz amarela ondulando sob penas vermelhas de metal, Xing Tian grita com a boca localizada na barriga do Guerreiro.

Sima Yi me advertiu sobre sofrer um dano tão repentino e brutal estando em uma crisálida, então imagino que esteja doendo como se alguém tivesse arrancado a perna de Xing Tian na vida real.

Uma crisálida se aproxima para ajudá-lo, mas jogo-a para longe com a asa e arranco a outra perna do Guerreiro. O grito de Xing Tian se torna mais agudo de agonia, então gorgoleja até silenciar. Seu *qi* desvanece aos poucos. Os olhos do Guerreiro se apagam.

Arremesso a perna em sua cara no torso.

Esta crisálida nunca mais será usada. Ao redor, hunduns pacificados pela falsa morte correm em direção a outras.

No elo mental, Shimin ainda está me segurando, mas seus braços estão relaxados, exaustos. Sei que ele não vai se opor ao que vou fazer agora.

Viro o Pássaro e bato suas asas até alçar voo, queimando a pequena reserva de *qi* que recolhi de Xing Tian. Por se tratar de nosso último recurso, parece que estou injetando um líquido estranho e mortal no Pássaro, embora sirva para sustentar os movimentos básicos de voo. Algumas crisálidas correm atrás de nós, mas nenhuma pode voar — é preciso uma pressão vital muito alta para isso —, então elas nos perdem de vista rapidamente.

A Grande Muralha aparece em nosso campo de visão. Voo em direção à torre de vigia Kaihuang. Estrategistas gritam, mas não jogo fora os alto-falantes.

Adoro ouvi-los em pânico.

Quando me aproximo, faço o Pássaro descrever um arco ascendente e depois se abaixar, com o bico apontando diretamente para a torre. Muitas pessoas do lado de dentro me colocaram nesta situação ou se recusaram a me ajudar. Já que querem tanto me destruir, eu mesma vou fazer isso.

Mas eles vão junto.

Dobro as asas do Pássaro nas laterais. Ganho velocidade.

— Zetian! Shimin!

Ao ouvir aquela voz, sinto tudo dentro de mim se refrear abruptamente. *Yizhi*. Bato as asas do Pássaro, diminuindo o impulso. Depois da rajada repentina, um silêncio estranho surge. A chuva tamborila no Pássaro, ecoando no cockpit.

— Acalme-se — diz Yizhi nos alto-falantes. — Por favor, acalme-se.

A culpa me domina. Nem sequer pensei na possibilidade de ele estar na torre de vigia.

— Vieram buscar mais *qi*, certo? Esperem um pouco — continua ele.

Aterrisso o Pássaro da forma mais suave possível. Mesmo assim, o impacto balança as janelas da torre de vigia, quebrando algumas. A Grande Muralha ocupa minha linha de visão. Atrás dela, os prédios do campo de treinamento se parecem com os brinquedos vendidos pela Gao Enterprises.

Depois de um momento de calmaria, as portas do elevador se abrem nos fundos da torre, derramando luz sobre a ponte curta que a conecta à Muralha. Uma figura minúscula aparece. Uma figura que só pode ser Yizhi.

Só ele seria corajoso o suficiente para nos encarar agora.

Desvio o olhar de repente, sem conseguir suportar a ideia de ele estar me vendo nesta forma grotesca.

— Zetian! — grita ele, no topo da Muralha, através da tempestade. Tão apagado, tão minúsculo, tão humano.

Shimin faz o Pássaro se virar enquanto protelo. Nossa visão dá um zoom em Yizhi, o que me surpreende — deve ser uma técnica avançada que eu não conhecia.

A chuva faz com que o cabelo de Yizhi fique grudado ao pescoço pálido. Seu traje azul-acinzentado se molha tanto e tão rápido que parece tinta negra. A visão me causa um aperto no coração. Abro as asas do Pássaro sobre ele. Não o protege totalmente da chuva. Quero aquecê-lo como Shimin fez comigo no *shuttle*, mas não é o que o meu *qi* faz. *Qi* do tipo Metal só consegue ser frio.

De qualquer forma, não teria *qi* suficiente para isso. Mal estou conseguindo me aguentar no Pássaro.

— Pegue meu *qi*! — Yizhi levanta uma das mãos, aponta para si, então se aproxima.

Não tenho certeza do que pretende, mas Shimin e eu tomamos a decisão simultânea de nos abaixar para ele. A palma de Yizhi encontra o bico do pássaro. Um minúsculo ponto de contato, como uma estrela no céu noturno.

Você é minha Estrela Polar, ecoa a voz de Yizhi em minha cabeça. *Vou para onde quer que você me guie.*

As asas do Pássaro estremecem. Como Yizhi não percebeu que, na verdade, é o contrário?

De repente, como rajadas de vento, me lembro de alguns diagramas de suas anotações de aula, diagramas de meridianos de *qi* espalhados pelo corpo e a enorme quantidade de pontos de acupuntura que existem nas mãos. Então sei o que fazer antes que ele explique.

Com minha precisão de Metal, me concentro no ponto minúsculo que é sua mão, depois o perfuro suavemente com agulhas.

Um brilho amarelo surge em seus olhos, reluzindo na escuridão tempestuosa. Os meridianos se acendem por sua pele como uma rede de ouro derretido.

Qi corre para o Pássaro. Amarelo do tipo Terra, rajado por algumas fissuras quentes de eletricidade de verde do tipo Madeira, muito mais vivazes do que o *qi* roubado e extraído de Xing Tian. Uma força tranquilizante se espalha e se expande pelo Pássaro. Yizhi está aqui com a gente. Não em mente, mas em espírito.

No reino yin-yang, gavinhas etéreas como neblina colorida espiralam ao redor de mim e de Shimin. Em algum momento, nos levantamos, nos viramos um para o outro. As espirais douradas de *qi* envolvem nossos braços e os erguem até nossos dedos se tocarem. Sinto o batimento de Shimin pulsar pela ponta dos dedos, ambos se acalmando até adquirir um ritmo mais lento. Uma pequena borboleta branca com pontos negros nas asas emerge dos nós de seus dedos. Uma preta com pontos brancos sai, estremecendo as asas, dos meus. Não sei por que isso está acontecendo: ele, eu, ou algo intrínseco ao Pássaro Carmim? Talvez não importe.

Em vez de surtar, confio, como confio nas correntes do *qi* de Yizhi. Lá fora, Yizhi encosta a testa no bico do Pássaro. Meu coração desacelera ainda mais. Várias borboletas saem voando de Shimin e de mim.

Então nossas formas espirituais se estilhaçam em pedaços fluidos pretos e brancos e se misturam. Nossa mente está viva como nunca. Não há mais uma separação, não há mais um reino yin-yang. Somos integralmente o Pássaro Carmim e o comandamos em sincronia.

Nossa forma começa a se tornar mais humanoide. Garras se transformam em pernas. Braços se formam a partir das asas, que se iluminam e se alargam ainda mais. Nosso torso se alonga, estreitando-se. A metade inferior de uma face humana se metamorfoseia sob nosso bico, que depois se transforma na ponta de uma máscara de pássaro. Tudo se assemelha cada vez mais à aparência de nossas armaduras espirituais. Destaques brancos do tipo Metal e amarelos do tipo Terra se gravam no vermelho do tipo Fogo de antes.

A tempestade continua ao redor de Yizhi, açoitando seu cabelo e fazendo seus trajes molhados esvoaçarem, mas, quando os relâmpagos iluminam suas feições, ele está com o maior sorriso que já vi.

Nós o erguemos com uma das mãos em concha. Ele tropeça no bico de nossa máscara, rindo. Curvamos o metal primordial que há sobre sua palma, formando uma espécie de luva, para que ele possa mover o braço enquanto continua conectado a nós por um fio fino. Depois abrimos um vão entre nossos olhos, na altura do cockpit, para que ele escale e entre.

— Yizhi...

Minha consciência oscila até voltar a meu corpo mortal. Acho que estou falando, mas pode ser só em minha cabeça. Como em um sonho, meus olhos injetados o observam se aproximar, coberto pelas faixas de vermelho, branco e amarelo que ondulam nas paredes plumadas do cockpit.

— Zetian. — Ele segura meu rosto. A aura branca de meus meridianos de *qi* o ilumina como uma tela. — Estou aqui. Vou tentar cuidar de seu ferimento. Vá lutar.

— Está bem...

Minha consciência volta para o Pássaro Carmim antes que a dor me alcance. Shimin e eu fazemos o Pássaro se levantar. Saias de metal, como uma cortina longa e ampla de penas, envolvem nossas pernas. A Grande Muralha só chega à altura de nossa couraça peitoral.

Quando nos viramos, encontramos um semicírculo de crisálidas receosas.

— É hora de matar hunduns! — gritamos, avançando entre elas, sem lhes dar tempo para questionar.

No caminho, pressionamos uma mão contra a couraça peitoral, tateando à procura de uma arma que agora temos como usar. Nossos dedos afundam no metal primordial, empunhando algo. Puxamos.

Com uma cintilância de faíscas e o rascar de metal sobre metal, um arco longo sai de nosso peito.

Tomamos impulso e damos um pulo no ar. Ventos de tempestade assobiam mais rápido por nossas asas. Quando nos reaproximamos da batalha principal, puxamos a corda brilhante do arco. Com um estremecimento, uma flecha de qi concentrado surge, radiante. Miramos no maior hundun antes de soltá-la. Em um disparo limpo e perfurante, apagamos o brilho do hundun. A casca colapsa, intacta o bastante para ter uma boa chance de ser reutilizada.

Não importa o que o Exército planeje fazer para nos repreender por nossas ações nesta batalha: não vão conseguir recusar cascas aproveitáveis tão grandes.

Com o arco gigantesco, abatemos qualquer hundun categoria Nobre à vista. As outras crisálidas nos olham alarmadas, mas não param de lutar. Sempre que um hundun do tipo Madeira ou do tipo Fogo tenta nos acertar com uma explosão poderosa de qi, alguém o golpeia com uma arma branca.

Depois que abatemos o último hundun categoria Nobre, não demora muito para que a paz se instaure no campo repleto de cascas de metal úmidas. Tenho certeza do potencial que o estrategista-chefe Zhuge e o estrategista Sima viram em nós.

Eu disse que o triângulo é a forma mais forte, estrategista Sima, sinto vontade de dizer, sabendo que ele ouviria, por causa dos drones com câmeras que voam a nossa volta.

Mas não consigo mover a mandíbula do Pássaro.

Não consigo mover mais nada.

Minha mente fica em suspenso, perdendo os contornos. Por mais que eu deteste a dor, ela é importante. Permite saber quando algo está errado. Faz você entrar em pânico quando necessário.

Não é como agora. É óbvio que tem algo de errado, mas só consigo observar vagamente enquanto meu *qi* branco do tipo Metal se esvai pelo corpo do Pássaro.

Várias vozes chamam meu nome, mas é como ser carregada por uma onda em direção à escuridão.

Pelo menos é pacífico. E frio.

Tão frio...

PARTE III

O CAMINHO DA COBRA

"A cobra Ba pode engolir até um elefante, mas vai levar três anos para cuspir os ossos."

Clássico das montanhas e dos mares (山海经)

CAPÍTULO VINTE E NOVE

CIDADE DA PAZ ETERNA

Estou imersa em muitos, muitos sonhos.

Vá, digo a uma garota que treme e soluça enquanto sangue encharca minhas roupas e pinga do cutelo que estou segurando. Minha voz soa áspera como se eu tivesse engolido cinzas. Somente quando ela sai de vista, caio em uma poça vermelha entre os corpos e começo a tremer e soluçar também. O cutelo cai com um estrondo sobre os tijolos inundados de vermelho.

Mas em breve vou precisar dele de novo.

Resisto ao que é inevitável. Não quero ver acontecer. Mas não importa para onde tente escapar, só encontro outros pesadelos.

Brigas atrás de barras de aço. Dedos lacerados em campos de trabalho. Deitada de barriga para cima, com as mãos tremendo sobre pontos cirúrgicos recém-suturados em minha barriga, chocada por ter sido privada de meus próprios órgãos. Deitada de barriga para baixo, ofegante e febril, com as queimaduras recentes abrasando minhas costas.

Então surge uma garota de bochechas rosadas, rodopiando comigo em um campo de neve cintilante, ensinando-me uma forma de luta tão graciosa quanto a caligrafia que eu costumava praticar. Nossos braços e nossas mãos abertas gentilmente desviam dos movimentos uma da outra. Nossas pernas varrem e revolvem a névoa formada por cristais de gelo. Espirais de pegadas formam trilhas atrás de nós. Ela abre um sorriso doce que esconde sua letalidade.

Mas, no fim, ela não vai sobreviver, e isto é apenas um conforto temporário.

O pânico me domina. Cada pedaço de mim grita para que isso pare, para que ela desapareça de uma vez por todas antes que eu veja onde isto vai dar.

— ... *vá embora! Vá embora...*
— ... *não vá...*
— ... *por favor...*
— *Que motivos ainda tem que valessem a vida delas?*

Eu me assusto ao ouvir minha própria voz penetrando uma lembrança que não é minha.

Aos poucos, meus olhos se abrem para a vida real.

O cheiro de iodo e químicos esterilizantes invade minhas narinas como o ar cortante do inverno. Minhas mãos agarram os lençóis brancos e ásperos. Olho em volta, agitada.

Ao olhar para o lado, congelo. Eu me pergunto se ainda estou sonhando.

Yizhi e Shimin estão dormindo sentados, encostados na parede. Yizhi está apoiado no ombro de Shimin, ao passo que Shimin descansa a cabeça sobre a de Yizhi.

Suas mãos estão entrelaçadas sobre o ponto em que suas pernas se tocam.

— Ahn... — começo, mas não tenho força o suficiente para continuar.

Tudo parece confuso e etéreo. Desde quando posso habitar meu corpo mortal sem sentir dor?

Os olhos de ambos piscam e se abrem ao mesmo tempo.

— Zetian! — Yizhi se levanta, desenlaçando os dedos de Shimin para pegar minha mão.

Com a boca aberta para dizer algo, Shimin quase se levanta de seu banquinho também, mas acaba ficando onde está. Seus olhos vão de mim para Yizhi, como se fossem incapazes de decidir para quem olhar.

Um terror me domina novamente enquanto os encaro.

Meus sonhos não eram sonhos. Eram as memórias *de Shimin*. Mais lembranças dele se infiltraram em minha mente através de nosso elo de batalha.

Agora não consigo mais sustentar seu olhar.

— Então — sussurro para Yizhi a fim de me distrair, com as sobrancelhas franzidas por causa do esforço. — O que aconteceu?

⁓⁓⁓

Fui arrastada de volta dos portões da morte com três costelas fraturadas e um rim lacerado. A armadura do tipo Fogo do Pássaro Carmim pode ser a pior em relação à proteção, mas pelo menos evitou que a bala me perfurasse totalmente. Os médicos a extraíram depois que outra crisálida rebocou o Pássaro Carmim do campo de batalha, e estive me recuperando na ala médica da torre de vigia Kaihuang por dois dias desde então. A ausência de dor se deve aos analgésicos que me deram. A sensação é tão incrível que tenho medo de voltar a uma existência sem eles, mas Yizhi sugere, num sussurro discreto, que eu recuse as próximas doses. Se eu ficar viciada, o Exército vai poder me controlar como faz com Shimin utilizando a bebida.

Sigo seu conselho.

Avarias da última batalha: dois soldados mortos, uma crisálida categoria Duque mutilada e um Xing Tian traumatizado — cuja piloto-concubina provavelmente acordou para se deparar com uma cena chocante.

Êxitos da última batalha: doze cascas de hunduns categoria Nobre em condições ideais para serem convertidas em crisálidas ou oferecidas aos deuses como matéria-prima de metal primordial, e a prova definitiva de que Shimin e eu podemos manter uma Forma Heroica.

Se os estrategistas estavam divididos sobre o que fazer com a gente antes, não consigo imaginar como estão sendo suas videoconferências agora.

Meu único arrependimento é ter tentado destruir a torre de vigia Kaihuang. Apesar disso, Sima Yi nos ajudou a negar veementemente que nossa intenção fosse um assassinato em massa quando voamos de volta para a Grande Muralha. Foi ele quem deixou Yizhi entrar na sala de guerra e falar com a gente pelos alto-falantes. Alegou que uma vez comentara sobre a possibilidade de usar uma terceira pessoa para realizar uma recarga extra de *qi* e que recomendara que tentássemos caso ficássemos desesperados. O conceito não é sem precedentes, embora historicamente tenha tido um índice muito baixo de sucesso. Em geral, o acréscimo do *qi* de uma terceira pessoa causa dissonância entre o par de pilotos principal. Ninguém sabe dizer ao certo por que funcionou com a gente.

E, óbvio, duvido que os outros estrategistas tenham acreditado nessa história. Mas não importa.

O que importa é que voamos rápido demais para que as câmeras dos drones acompanhassem, e eles só conseguiram pegar a parte que Yizhi foi até nós na Muralha.

O que importa é que Gao Qiu está empolgado com os acontecimentos. Já molhou as mãos que precisava molhar e recebeu autorização dos Sábios para nos convidar oficialmente para Chang'an, a capital de Huaxia, a fim de negociarmos um contrato de mídia. Enquanto eu ainda estiver em recuperação e nós dois estivermos esperando nosso *qi* recarregar, An Lushan não tem uma desculpa para impedir que deixemos a fronteira.

※

Quando as luzes de Chang'an surgem ao longe, é desorientador — seu brilho é mais forte do que o das estrelas. Por um momento, meu cérebro entra em pânico com a possibilidade de a nave flutuante ter virado de cabeça para baixo enquanto eu cochilava e de que estejamos, na verdade, mergulhando para a morte. Eu me reteso contra as faixas cruzadas do assento e aperto a mão de Shimin, apavorada.

Então cruzo o olhar com o de Yizhi, que está afivelado em um assento à frente.

— Zetian, acho que você está machucando Shimin — diz ele, com um sorriso estranho.

Ouço sua voz pelos fones de ouvido, por sobre o *bump bump bump* das lâminas dos rotores.

— Estou bem. — Shimin arqueja.

— Me desculpe. — Solto-o, enrubescendo.

O vento uiva do lado de fora da nave flutuante particular que Gao Qiu enviou para nos buscar. Nuvens roçam as janelas, pálidas como *qi* do tipo Metal contra a noite. Apesar da ansiedade, que permanece, me viro para observar a vista, de forma que não precise encarar nenhum dos dois. Meus lábios formigam ao lembrar o beijo trocado com Shimin antes da batalha.

Não contei a Yizhi.

Será que deveria?

Não tenho obrigação de contar. Desde o momento em que chegou à Grande Muralha, Yizhi sabia que precisaria lidar com o fato de eu estar atrelada a Shimin para sempre.

Mas não consigo ignorar o jeito como ele olha para mim e Shimin quando acha que não estou vendo. E não sei se contar melhoraria ou pioraria as coisas.

Argh.

Eu me perco na visão da cidade.

Bastante rápido, a confusão em minha cabeça cede espaço à surpresa.

Esta viagem de nave flutuante não é como a que fiz para a Grande Muralha. Daquela vez, apenas ocupei temporariamente um espaço escuro e sombrio em uma jaula de metal que calhou de ser muito barulhenta e chacoalhante.

Isto aqui é tão transcendental quanto pilotar uma crisálida.

Prédios altos repletos de letreiros neon logo preenchem todo o espaço visível lá embaixo, uma floresta de metal e concreto banhada por luzes e hologramas. Pontos de pessoas e veículos circulam como células no sangue. Há tanto para absorver que, quando me dou conta, estou com a cara colada na janela.

Então é assim que é uma cidade.

Anúncios ocupam laterais inteiras de prédios. O rio Wei desliza como uma serpente negra pela cidade, brilhando com foices de luz refletida. Feitos humanos ocupam cada pedacinho entre as duas montanhas que separam Chang'an das províncias de Han, Jin, Sui e Tang. Como o coração de Huaxia, ela é sua própria região administrativa.

Estou tão deslumbrada que preciso me esforçar para me lembrar das histórias de Yizhi sobre luzes fascinantes serem apenas um glamour superficial, como os sapatos de seda perfumados que as meninas usam nos pés amarrados e putrefatos. A maioria dos habitantes de Chang'an luta muito para sobreviver. Apartamentos inteiros podem ser desmembrados em verdadeiras jaulas empilhadas umas sobre as outras, contendo espaço apenas para uma pessoa dormir, e ainda vendidos a preços astronômicos. Doze pessoas podem compartilhar a cozinha e o banheiro de uma suíte do tamanho da nossa na Muralha.

Esse é o nível da competição que acompanha o desejo de morar no lugar mais seguro de Huaxia — uma competição que envolve mais de seis milhões de pessoas, ou seja, quase um quinto da população de Huaxia. Não é à toa que é chamada de Cidade da Paz Eterna. Os habitantes de Chang'an lutam para pagar os aluguéis, mas são os últimos a precisar se preocupar com hunduns.

Meu deslumbramento se esvai. De repente, lembro que isto *não é* o melhor que a humanidade conseguiu alcançar, apenas o melhor que conseguimos recuperar. Minhas entranhas se reviram enquanto tento imaginar a civilização humana antes da invasão, dois milênios atrás. Os prédios, que devem ter sido muito mais altos do que estes. A tecnologia que se perdeu, até mesmo para os deuses. Os milhares e milhares de anos de história que nunca vamos ter de volta.

Fico ainda mais furiosa com o fato de que Shimin e eu tenhamos sido jogados para os hunduns como lixo.

Yizhi nos indica o Palácio dos Sábios. É um complexo de mansões e templos de telhados largos construído nas encostas das montanhas, pairando imponente sobre a cidade e abrigando a sede do governo de Huaxia. Bufo, desejando poder ir até lá e exigir uma audiência direta com o presidente Kong. Mas seu novo decreto é claro: ele e os Sábios aprovarão o contra-ataque *apenas* se todos os estrategistas da fronteira Sui-Tang garantirem que é uma aposta certeira.

Embora a condição não pareça despropositada, considerando-se os riscos, estrategistas como An Lushan provam que nem todo mundo com poder tem o bem comum em mente.

Ok. Não nos deixam alternativa senão também usar forças questionáveis.

Shimin e eu estamos fartos de implorar perdão por sermos o que somos.

A nave flutuante aterrissa em uma plataforma na propriedade Gao, outro complexo construído de forma suspeita nas encostas das montanhas para parecer uma imitação do Palácio dos Sábios. Se bem que eu aposto que os Sábios não colocam música no último volume nem têm luzes estroboscópicas piscando por todo lado.

Assim que a escotilha da nave flutuante desliza para o lado, o frenesi da festa flutua em minha primeiríssima lufada de ar da cidade, surpreendentemente fumacento. Risadas e vozes distantes temperam a batida eletrônica lúgubre que ressoa como batimentos cardíacos pela montanha. De acordo com Yizhi, todas as pessoas importantes de Chang'an vieram para nos devorar com os olhos.

Uma fileira de serventes se apressa para a plataforma de pouso, com vestidos de seda se agitando por causa do vento dos rotores.

— *Wushaoye* — cumprimentam em uníssono, tremendo. *Quinto Jovem Mestre.*

Removendo os fones de ouvido e com um sorriso manso, Yizhi retribui com uma reverência. Sua mãe também era uma servente. Engravidou de Gao Qiu e foi por ele esquecida, até o dia em que ele ordenou que a açoitassem até a morte por não sorrir com o devido entusiasmo no banquete que ele ofereceu aos Sábios.

Sou tomada por uma onda de enjoo ao notar as provas oniscientes de seu poder intocável. Esse é o tipo de homem a quem preciso me aliar para conseguir o que quero.

Esses são os tipos de homem que mandam no mundo.

Uma das serventes se aproxima com uma cadeira de rodas. É perigoso demais ficar de pé com meus ferimentos. As mãos solícitas de Shimin sustentam meu corpo, e sou forçada a aceitar a ajuda. Yizhi pula da nave para pegar a cadeira de rodas.

Uma frustração se revira dentro de mim. Sei que, ao fazer essas coisas, eles não têm nenhuma intenção maliciosa de conseguir algo de mim ou de me atar ainda mais a eles, então não resisto nem digo nada, mas detesto que o mundo continue me abstendo da capacidade de fazer as coisas sozinha. Detesto o fato de precisar de Yizhi e Shimin, embora ame um deles e o outro seja um parceiro necessário. Posso mesmo me considerar uma garota forte quando dependo de dois garotos?

Mas o que eu poderia fazer? Afastá-los e sofrer uma queda que me levaria à morte só por teimosia? Não seria nobre nem respeitável só pelo fato de fazê-lo sozinha.

Depois de me acomodar na cadeira de rodas e descobrir como utilizar o controle para movê-la, as serventes nos levam até um pátio rodeado por prédios de vários andares. Já tinha visto fotografias da propriedade de Gao, mas mesmo assim estou perplexa. Está mais para uma cidadezinha do que para a casa de uma família.

Uma brisa sopra em meu rosto, trazendo um cheiro de algas que me lembra os terraços de arroz. À frente, há um lago com lírios iluminado por dentro com cores cambiantes e seccionado por uma passarela de pedra sinuosa, formando o símbolo de yin-yang. Por sorte, os convivas da festa não estão por perto, e sim aglomerados nas varandas e sacadas que contornam os prédios. Em todos os andares, pilares vermelhos sustentam telhados amplos, revestidos por peças de cerâmica. Fileiras de lanternas vermelhas tradicionais pendem nos cantos, mas uma luz neon pulsante atravessa os painéis de papel das janelas e as portas abertas, iluminando a multidão por trás, em flashes. Música ribomba no quadrado de céu estrelado acima do pátio.

Para meu choque, alguns convivas estão usando peças e cotas de malha de armadura vital sobre os ombros, braços e, às vezes, cobrindo o torso inteiro. Pensei que só pilotos fossem autorizados a usar peças de metal primordial, e ainda assim com grandes restrições. Shimin e eu fomos proibidos de trazer nossas armaduras na viagem. Mas pelo jeito pessoas ricas riem na cara da lei e não correm risco algum, uma vez que suas pressões vitais são muito baixas. Não podem fazer nada além de pulsar vagamente seu *qi* ao ritmo da música.

À medida que nos aproximamos, as vozes silenciam. Os flashes de câmeras persistem, mas a festa, antes alegre e viva, congela e se imobiliza.

Todo mundo olha para nós. Raios neon dançam sobre rostos masculinos hesitantes e rostos femininos semiocultados por véus.

Também paro, sem saber o que fazer. Outra rajada de vento passa por nós, trazendo o cheiro penetrante de álcool.

Shimin agarra meu ombro, e eu permito.

— Bem-vindos! — soa uma voz rouca nos alto-falantes.

Procuro a fonte do som e a encontro no terceiro e mais alto andar de um prédio do lado oposto do pátio.

— Bem-vindos, meus convidados de honra: Li Shimin, o Demônio de Ferro, e Wu Zetian, a Viúva de Ferro! — Gao Qiu levanta os braços, apenas visível como uma silhueta na luz das portas duplas abertas atrás dele.

O enfeite de bronze em seu coque é quase do tamanho de sua cabeça. As mangas de seus trajes pendem em ângulos agudos. De ambos os lados, fileiras de serviçais estão a postos como bonecas dóceis, de cabeça baixa e com o cabelo preso em dois círculos nas laterais, como penteados de crianças.

O desgosto me corrói por dentro enquanto os convivas aplaudem.

— Pai. — Yizhi junta as mãos e faz uma reverência, o que me lembra de fazer o mesmo.

— Gao-*zong* — dizemos Shimin e eu, o que significa Grande Chefe Gao. Se bem que há tanto barulho que duvido que ele consiga nos ouvir.

— Obrigado por seu serviço, pilotos! — agradece ele.

— Obrigado por seu serviço! — murmuram os convivas numa sincronia incrível, subitamente amigáveis porque Gao Qiu demonstrou que não tinha problema agir assim. Figuras ensombrecidas em trajes finos se apoiam umas nas outras ou se debruçam sobre os anteparos das sacadas, erguendo cálices de bronze. Mulheres da nobreza, que, segundo ouvi, não podem exibir o rosto em público, bebericam drinques com auxílio de canudos de metal sob véus etéreos, presos de uma orelha a outra, em molduras de bronze intrincadas.

— E meu filho: o herói! *Baofeng Shaoye*!
— *Baofeng Shaoye*! — repetem os convivas.

Jovem Mestre da Tempestade. Pelo jeito, Yizhi nunca vai voltar a ser apenas *Wushaoye*, ou seja, o Quinto Jovem Mestre. Seus olhos se arregalam sob o brilho fluido do lago, e ele aperta a bainha das mangas.

Depois do que Yizhi fez, Gao Qiu percebeu seu potencial para se tornar uma estrela. Uma foto arrebatadora dele viralizou. Tirada em meio a um raio, a imagem o capturou com a mão no bico do Pássaro Carmim, o cabelo revolto na tempestade, as mangas molhadas ondulando acima do cotovelo, e olhos e meridianos acesos formando um glorioso halo dourado. Um garoto humano corajoso no topo do bastião mais forte de Huaxia dando forças à besta de metal gigantesca que é a maior esperança de Huaxia.

Gao Qiu o proclamou como seu filho num piscar de olhos. Até enviou roupas civis com estampas de raios dourados em vez dos desenhos de bambu que ele geralmente prefere.

— Meus convidados serão liberados para vocês após uma reunião rápida entre nós — anuncia Gao Qiu. — Enquanto isso, aproveitem a melhor comida e bebida de Huaxia!

Mais comemorações rasgam a noite. Vários fogos de artifício estouram em meus ouvidos e enchem o pátio de fumaça, zunindo no ar noturno e explodindo como miolos hunduns contra as estrelas.

As serventes abrem caminho pela ponte sinuosa do lago. Ativo novamente a cadeira de rodas, mas Yizhi segura o encosto.

Não ousa dizer nada, mas consigo entender a urgência em seus olhos. *Cuidado com meu pai.*

CAPÍTULO TRINTA

O ACORDO

Não estava esperando que as motivações de Gao Qiu para nos ajudar tivessem surgido de um senso de dever, como aconteceu com os estrategistas do Comando Central. Ele só está considerando a possibilidade de fazer lobby por nossa vida a fim de lucrar com nossa fama. Mas imagino que já tenha gastado bastante dinheiro para nos tirar da fronteira, pois — como faz questão de nos dizer — de agora em diante vai usar apenas os lucros que gerarmos para convencer o Exército e os Sábios a aprovar um contra-ataque. Não vai usar nenhum yuan de sua fortuna para mais propinas.

Há algumas peças-chave, como An Lushan, que provavelmente não podem ser compradas por nenhuma quantia em dinheiro, mas não é nenhum segredo que as conexões de Gao Qiu adentram o submundo. Acredito que ele tenha métodos mais eficazes de persuasão.

No entanto, para usá-los, ele com certeza está pensando em cobrar um preço especial, alguma espécie de limiar a partir do qual Shimin e eu começaremos a valer o esforço de ativar seus contatos mais duvidosos. Precisaremos nos provar valiosos. O que significa lhe dar absoluta liberdade sobre a edição de nossas imagens para obter a maior quantidade de dinheiro possível.

— Vejo um tremendo potencial em vocês dois. — Ele agita os *kuàizi* longos, com pontas de ouro.

Está sentado diante de nós a uma mesa redonda cheia de comida colorida e fumegante, cuja maior parte não reconheço. Uma luz de tom cálido flui das fendas de madeira esculpida da sala privativa, inundando suas feições.

Fico tensa ao perceber suas semelhanças com Yizhi. As mesmas inflexões de voz, só mais graves devido à idade. O mesmo rosto esbelto, só salpicado com fios de barba pretos e brancos. É fácil imaginar Yizhi se tornando o pai, ou ele tendo sido um garoto delicado e generoso como Yizhi. Essa é a parte mais aterrorizante de encará-lo.

Este mundo pode transformar qualquer pessoa em um monstro.

— Li Shimin. — Com as roupas luxuosas reluzindo com um brilho coriáceo, Gao Qiu apoia o cotovelo na toalha de mesa dourada e aponta para Shimin. — A reformulação de sua imagem é quase desnecessária. Você é o mais malvado dos *bad boys*. A quintessência do macho alfa. Vive de acordo com as próprias regras, sem dar a mínima para o que as outras pessoas pensam, e é exatamente isso que o torna tão atraente. Os homens querem ser você; as mulheres querem ser protegidas por você.

— Hum — diz Shimin. — Ok.

Ele não olha para mim, nem para Gao Qiu, nem mesmo para a minuta do contrato que repousa sobre a mesa diante de nós, e sim de soslaio para a garrafa de cristal sobre o vidro giratório que sustenta a comida. Sob a mesa, seu braço treme em minha mão.

Uma risada sem graça morre sem sair de meu peito. Mas dá para imaginar as pessoas acreditando em tudo isso sobre ele. Prestando atenção apenas no glamour superficial de sua força.

Gao Qiu volta o dedo em minha direção.

— Wu Zetian. — Ele pronuncia meu nome como se fosse uma comida nova e exótica. — Ah, Wu Zetian. Surgindo do nada como fogos de artifício e apagando aquele moleque Yang Guang. Uma estreia fantástica, aliás. Não consigo tirar esse momento da cabeça. "*Bem-vindos ao seu pesadelo!*" — diz ele, repetindo minha frase num grunhido teatral.

Aiá. Agora, o fato de eu algum dia ter gritado essas palavras para uma dúzia de câmeras parece bizarro e constrangedor.

— Não foi exagerado?

— Ah, piloto Wu, as pessoas *amam* o exagero. Os pilotos precisam ser maiores do que a própria vida. É o que faz de vocês celebridades tão eficazes! Na verdade, eu gostaria de reaproveitar o rumor sobre o espírito de raposa. Você pode ser uma raposa misteriosa. A *femme fatale*. — Seus olhos, de uma incrível beleza felina, me penetram com um brilho malicioso. Sombras deslizam sobre suas feições, projetadas por três lanternas salpicadas de dourado sobre a mesa. — As mulheres odeiam você por se portar com o tipo de confiança dominadora que gostariam de ter; e os homens odeiam você por bagunçar a mente deles e atrair seus pensamentos para lugares que sabem que não deveriam frequentar. Mas esse ódio vai se intensificar tanto sob a pele que eles não serão capazes de ignorá-la nem de parar de falar sobre você. Junto com Shimin, vocês vão ser o casal mais forte de Huaxia. Vocês não são bonzinhos, mas são malvados no melhor sentido. — Ele agita as mãos, como se estivesse nos oferecendo algo invisível. — Que tal?

Perceber como os pensamentos dele são parecidos com os meus me deixa nervosa.

Shimin leva o dedo aos lábios em um gesto de reflexão, mas me lança um olhar de pânico. Ele livra o braço de meu aperto e segura minha mão embaixo da mesa. Tendões se sobressaem em seu pescoço por causa de um esforço ativo e desesperado para manter os olhos longe da garrafa de bebida.

Capto a mensagem. Não está conseguindo pensar direito. Vai fazer o que eu disser para fazer.

— Estamos dentro — falo.

— Perfeito. — Gao Qiu abre um sorriso, que cava na bochecha uma covinha igual à de Yizhi, provocando mais um calafrio em meu corpo.

Shimin e eu assinamos o contrato com nossas digitais. Minha mão treme tanto quanto a dele, mas este documento é só uma formalidade. Gao Qiu é poderoso demais, e nosso status é único demais. Se ficarmos descontentes, ou se ele não ficar satisfeito com a gente, este jargão legal não vai adiantar de nada.

— Negócio fechado! — Gao Qiu bate palmas. — Vamos beber para celebrar!

Shimin e eu congelamos. Uma serviçal gira o tampo de vidro até parar na garrafa de bebida, depois tira a tampa de cristal.

Eu me empertigo na cadeira de rodas, abrindo um sorriso pesaroso.

— Ah, adoraríamos, mas... — Olho para Shimin. — Querido, os médicos não disseram que seu fluxo de *qi* ficaria bagunçado se você continuasse bebendo?

Sabendo o que aconteceu com a mãe de Yizhi, preciso desempenhar o tipo de feminilidade que Gao Qiu tolera. Não basta ser subserviente; preciso parecer *feliz*.

— Bobagem! — Gao Qiu agarra seu cálice de bronze enquanto a serviçal o enche. — É só um brinde. Qual é o problema?

Shimin começa a dizer alguma coisa, mas a serviçal se aproxima com a garrafa. A luz das lanternas rodopia pelo cristal cinzelado.

— Um drinque pode ser a gota d'água. — Minha atenção oscila entre Shimin e Gao Qiu, enquanto me esforço para manter o sorriso. — Não acho que seja uma boa ideia.

A servente enche o cálice diante de Shimin com uma bebida frisante e gorgolejante. O cheiro do álcool atinge em cheio meu rosto, me causando enjoo. Mas o que ele provoca em Shimin é infinitamente pior.

Algo se descontrola em seu olhar. A tensão desaparece de seu rosto.

— Não, tudo bem. É só um gole.

Meus dedos se cravam como esporas na manga apertada de seu uniforme de piloto.

— Mas os médicos...

Ele dá um puxão no braço sem olhar para mim.

— É só um gole.

A serviçal enche meu cálice também.

— Perfeito! — Gao Qiu se levanta, com a cadeira riscando o assoalho de madeira polida, depois ergue o cálice.

— Um brinde à nossa parceria!

Shimin o imita.

Enquanto faço o mesmo, esbarro com força em seu cotovelo. A bebida voa de seu copo e espirra sobre a toalha de mesa dourada. Engasgo com uma dor ao mesmo tempo real e fingida.

— Me desculpe, querido. Meus ferimentos...

— Tudo bem, piloto Wu — diz Gao Qiu, embora sua voz soe lenta como lama e toda a sua atitude se torne sombria. — Não precisa se levantar.

Ele lança um olhar para a serviçal e faz um gesto em direção à sujeira. Mordo o lábio enquanto ela corre para trazer algumas toalhas.

— Acho que é um sinal do universo, querido. — Dou mais um aperto em seu braço. — Você deveria cuidar do seu fluxo de *qi*. Seria péssimo termos problemas na próxima batalha por causa disso. Gao-*zong*, eu ficaria feliz em beber por nós dois.

— Bem. — Gao Qiu nos encara com uma expressão lânguida. — Se é o que manda o *universo*.

Ah, céus. Deixei-o descontente.

Com sorte, o lucro que eu der vai apagar essa memória de sua mente.

Pego o cálice meio cheio da mão de Shimin para que não o enfeitice mais, completo eu mesma a bebida e depois o ergo em direção a Gao Qiu, como uma oferenda.

— Sim um prazer fazer negócios com o senhor, Gao-*zong*.

Levo o cálice aos lábios. É a primeira vez que ingiro uma bebida alcoólica. Queima como fogo líquido ao descer pela garganta, tão intenso quanto o cheiro. Tusso, mas me obrigo a beber tudo em vários goles rápidos.

— Sim. Um verdadeiro prazer. — Gao Qiu faz o mesmo.

Shimin se senta, desajeitadamente. Pego meu próprio cálice, prendo a respiração e emborco também.

Não faço ideia de como ele conseguia beber garrafas e garrafas disso todo dia. Não é à toa que seu *qi* do tipo Fogo seja tão dominante.

— Você fechou o negócio, piloto Li. — Gao Qiu aponta para seu relógio de pulso. — Vários convidados meus estão perguntando por você. É melhor ir para a festa. Eles estão ficando impacientes de esperar.

Shimin alterna um olhar confuso entre mim e Gao Qiu, embora seus olhos continuem sem foco.

— A piloto Wu e eu ainda precisamos discutir alguns assuntos. Tenho algumas opções de acomodação em Chang'an caso ela queira trazer a *família*. — Gao Qiu pronuncia a palavra como um insulto. — Acho que você não acharia esse assunto muito interessante, acharia?

Os olhos de Shimin se arregalam, e os meus também.

— Por favor, vá se divertir. — Gao Qiu abre um sorriso amplo demais.

Meu terror chega ao ápice. Encaro Shimin como se pudesse segurá-lo com o olhar, mas Gao Qiu não parece disposto a nos dar opção. Se queremos seu apoio, teremos que fazer as coisas do seu jeito.

Baixo os olhos.

— Obrigado, Gao-*zong* — murmura Shimin após uma pausa sufocante.

Ele se levanta de novo e faz uma pequena reverência, então ouço seus passos se distanciarem aos poucos sobre o assoalho.

Sem me sentir pronta para encarar Gao Qiu, sigo Shimin com o olhar. Baixo a cabeça. Meu peito queima. Até mesmo as lufadas de ar que exalo parecem inflamáveis. Gostaria que este momento silencioso se perpetuasse para sempre, mas a porta logo se fecha, e sou forçada a me virar.

O olhar frio de Gao Qiu me captura.

— Você é realmente uma moça perigosa, piloto Wu — pronuncia ele devagar, soando completamente diferente. — Mais perigosa do que imaginei. Massageando o ego do seu homem enquanto, na verdade, toma todas as decisões? Muito ardilosa.

— Só quero dar todo o apoio possível ao meu parceiro — falo, apressada. — Ele é meu céu e minha terra.

— Ah, é? — A cabeça de Gao Qiu pende ligeiramente para o lado. — E o meu filho herói? O que *ele* é para você?

Um espasmo me paralisa. As palavras se derramam de minha boca.

— O estudante de estratégia Gao foi muito solícito quando meu parceiro...

— Pare de fingir. — A voz de Gao Qiu açoita o ar entre nós como um chicote. — Eu sei sobre você e meu filho. Nas montanhas.

Esqueço como respirar.

Seu olhar se torna ainda mais frio e sombrio.

— Não sou um pai tão relapso quanto você imagina, piloto Wu. Meu quinto filho não é do tipo que se apaixona. Me pergunto que tipo de feitiço você lançou sobre ele.

— Ele e eu nunca fizemos nada de inadequado — consigo dizer, de algum jeito.

O que ele sabe? Será que havia um microfone escondido em Yizhi ou algo assim? Desde quando?

— Mas é justamente a história de levar dois rapazes pela coleira como bichinhos de estimação, não é?

O quê, *dois rapazes*?

Mas não consigo me defender contra isso. Dois rapazes é demais para pessoas como ele.

— Eu... ainda sou uma donzela. — Gaguejo o único outro argumento a meu favor em que consigo pensar. — De verdade. Pode pedir a uma das tias para confirmar.

A surpresa perpassa o rosto de Gao Qiu. Alimento a esperança de que ele recue e me deixe em paz, mas então suas feições formam uma carranca ainda mais severa.

Ele se levanta de novo, arrastando a cadeira com um ruído irritante. Eu gostaria de poder levar minha cadeira de rodas para longe agora mesmo e nunca mais olhar para trás, mas Gao Qiu já gastou muito dinheiro para tirar Li Shimin e a mim da Grande Muralha. Se eu não fizer o que ele quer, com certeza vai se voltar contra mim. E não posso me dar ao luxo de adicioná-lo a minha lista de inimigos.

Com passos lentos, ele vem até meu lado da mesa, agarra meu ombro, se inclina e sussurra em meu ouvido:

— Se você não está mentindo descaradamente, então é *muito pior*.

— Por quê?! — pergunto, quase gritando.

Assustada demais para encará-lo, só consigo ouvir a voz de Yizhi. Um Yizhi distorcido, vindo das profundezas dos dezoito infernos.

— "Por quê"?! Será que é tão difícil? Você não entende o conceito de retribuir quando recebe algo? Isso seria muito problemático, piloto Wu.

— Eles não quiseram.

Meu corpo estremece a cada respiração. Seu toque queima sobre meu uniforme de piloto, fazendo-me querer decepar meu próprio ombro para fugir.

— Todos. Os. Rapazes. Querem. — Sua voz rascante realçada pela bebida penetra em meu ouvido como um verme. — Vejo o jeito como eles correm para satisfazer seus caprichos. Se você realmente não tem a intenção de trepar, então eles ainda não entenderam que foram enganados.

Será que ele está falando de como Yizhi e Shimin me ajudaram a desembarcar da nave flutuante? Foi esse o pivô da conversa?

Não fale por eles, quase digo. *Não são como você.*

Então o horror me atravessa. Qual foi o verdadeiro motivo para Gao Qiu me segurar aqui por mais tempo?

Levanto um olhar aterrorizado à serviçal. Ela está entre dois pergaminhos pintados pendurados na parede fracamente iluminada, com o olhar voltado para baixo. Sua presença é a única coisa que mantém a ambiguidade da situação.

Mas ela não poderá fazer nada para deter Gao Qiu se ele decidir...

Minha mente congela.

Não consigo pensar.

Não consigo falar.

Socorro!, grito mentalmente para ninguém em particular. Shimin? Yizhi? Não sei. *Não sei.*

— Sabe, piloto Wu, qualquer negociação se baseia em uma troca equivalente, em oferecer um valor correspondente sempre que você recebe algo. É um princípio muito importante. Preciso ter certeza de que você entende esse conceito e de que não se acha esperta demais para tentar se esquivar. — Gao Qiu dá a volta em minha cadeira e segura com força meus ombros. — Então, para nos certificarmos de que podemos confiar um no outro, quero que você tire toda a roupa e leia o contrato para a câmera. Nua.

De repente, o chão desaparece. Sinto que estou caindo num abismo sem fim. Minhas mãos se flexionam, ansiando pelo poder da armadura espiritual. Mas não há nada. Não tenho nada.

— Eu... não sei ler muito bem — falo, quase sussurrando. Inofensiva.

— Eu leio para você, e você repete.

Lágrimas ardem em meus olhos, como ácido. Minha garganta incha e quase se fecha. Fico tensa, o que só aumenta a força de seu aperto em meus ombros.

— Gao-*zong*... por que você odeia tanto as mulheres?

Após uma pausa breve, ele solta uma gargalhada assustadora. O som atinge meu crânio como batidas de tambor e vibra por minha cadeira de rodas.

— Odiar mulheres? Não seja ridícula! O mundo não funcionaria sem as mulheres! Quem teria nossos filhos, prepararia nossas refeições, costuraria nossas roupas, esquentaria nossas camas e tantas, *tantas* outras coisas? Ora, por favor. — Ele se inclina para mim, com os olhos felinos se estreitando em fendas. — Ninguém neste mundo detesta as mulheres como um todo. Só são odiadas aquelas que *não nos ouvem*. Que pensam que podem quebrar as regras e se safar disso. E então, piloto Wu, você é uma delas?

— Meu corpo.... — Continuo tentando. — Levei um tiro. Não é uma visão bonita no momento.

— Não estou aqui para comer você com os olhos — diz ele, categoricamente.

Suor frio encharca minha pele sob o uniforme. Trata-se de controle. Apenas controle.

— Mas a escolha é sua, claro — acrescenta ele, soltando meus ombros e voltando para seu lado da mesa. Seus dedos arranham a toalha.

Minha escolha uma ova.

Escolha? Como se houvesse uma escolha de verdade! Se eu me recusar, ele vai usar seu dinheiro e seus recursos para difamar a mim e Li Shimin. Só está querendo me humilhar mais ainda. Me amarrar à vergonha de ter eu mesma escolhido isso.

Vergonha.

Minha mente se atém à palavra.

É mesmo uma coisa vergonhosa de se fazer? Ele vai ter um vídeo de mim... o quê, nua? Ah, que horror! Como se eu não tivesse nascido nua.

Meus pensamentos se organizam. Com muito esforço, saio do poço da vergonha sem fim em que minha família me aprisionou durante toda a minha vida, e de repente o cenário se torna hilário.

Este homem tolo está tentando me envergonhar com meu próprio corpo.

Bem, adivinhem? Tenho um corpo bonito. Ele pode gravá-lo de quantos ângulos quiser, mas não vai exercer nenhum domínio sobre mim. Estou cagando se Gao Qiu quiser divulgá-lo publicamente.

Vergonha e humilhação são emoções autoimpostas, e, de hoje em diante, escolho não senti-las mais.

Mas não há saída. Ele é um homem *morto*. Assim que Shimin e eu retomarmos Zhou e recebermos todos os créditos pela conquista, voltarei apenas para matar Gao Qiu da pior maneira possível. Ele não sabe o quão longe estou disposta a ir para conseguir o que quero, e é assim que levarei vantagem sobre ele.

Ele não venceu. Este é apenas um gesto de misericórdia temporária.

Com a cabeça cheia de fantasias sobre como vou esfolá-lo vivo quando ele não tiver mais serventia, abro meu casaco de piloto.

CAPÍTULO TRINTA E UM

MAUS EXEMPLOS PARA AS CRIANÇAS

Na manhã seguinte, Shimin e eu somos levados para nossa primeira sessão de fotos em estúdio. As imagens são divulgadas a tempo para que o alvoroço nas redes sociais atinja o ápice durante o jantar.

Levados por uma curiosidade mórbida, nos reunimos e avaliamos as imagens no tablet que Gao Qiu nos deu e que guarda a cópia do contrato. Ao cair a noite, a primeira onda de frio varre o gazebo em que estamos, agitando os galhos dos salgueiros sobre o telhado pontiagudo. Um lago ondula de leve ao redor, isolando-nos dos outros prédios da propriedade Gao. O sol poente se derrete em uma trilha dourado-alaranjada sobre a água.

Embora não culpe Shimin pelo que aconteceu na reunião, não estou contente. Pelo menos ele não estragou tudo assim que ficou de frente para as câmeras.

Ver fotografias editadas de nós mesmos nos causa um novo nível de estranheza. Gao Qiu realmente alimentou a polêmica. A equipe de produção arrumou meu cabelo com o mesmo penteado de orelhas de raposa com que matei Yang Guang, inclusive com os enfeites prateados e lírios de cristal. E, como se vestidos normais de concubina já não fossem suficientemente sugestivos, deixaram meu visual ainda mais ousado: um vestido curto e decotado, com debruns de pelos que enquadravam o decote e exibiam minhas coxas. Nove caudas enormes e peludas se arrastavam às minhas costas.

Shimin, por outro lado, ganhou um traje longo de couro com mangas justas. Plumas cor de brasa se projetavam de seus ombros e mergulhavam em um recorte profundo em seu peito, que expunha uma pequena faixa de pele coberta por cicatrizes. Além de ter que se livrar dos óculos, havia outra grande diferença: embora ele ainda usasse uma coleira do Exército com a insígnia do Dragão Amarelo, não tinha mais uma guia.

Eu, sim.

Na primeira foto estou no chão, com as pernas curvadas de forma sensual, em frente a uma cadeira sofisticada de bronze. O fundo é totalmente preto. Shimin está recostado na cadeira, puxando minhas correntes, com uma expressão casual, como se eu fosse um dos seus bichinhos de estimação. Apesar disso, estou fitando a câmera com uma faísca de *qi* no olhar, como se fosse tudo parte de um plano malévolo.

Você vai parecer a escrava dele, mas o público vai se perguntar: quem, na verdade, está no comando?, foi o que Gao Qiu disse ao dirigir essa tomada de fotos.

Meu comportamento na reunião da noite anterior deve tê-lo inspirado. Digo a mim mesma que estou tranquila com o que ele me obrigou a fazer, mas mesmo assim a raiva fervilha dentro de mim de forma constante.

No entanto, não posso negar que ele sabe como chamar a atenção. O impacto de cada fotografia é de tirar o fôlego. Lembro o momento da sessão — a estranheza, as luzes cegantes e a dor enquanto os assistentes posicionavam meu corpo —, mas o resultado parece passar uma mensagem diferente, capturando dois párias intocáveis e sobrenaturais, que sabem provocar toda Huaxia com intrigas carnais.

— Me desculpe — solta Shimin quando posamos para uma foto particularmente ousada, em que ele está de pé atrás de mim, segurando minha guia com firmeza.

Estava tão enojada enquanto posávamos para essa foto que mal consegui fazer a expressão sedutora que Gao Qiu pediu. Porém, vendo-a agora, é tão dissonante da realidade que me dá vontade de rir.

— Não precisa se desculpar. — Aponto para sua expressão impassível na fotografia. Seus olhos iluminados de *qi* brilham ainda mais intensamente do que o normal graças à sombra cinza que lhes dá definição. — Olhe só para você. Está arrasando.

Um desconforto perpassa seu rosto.

— Você realmente não vê problema em fazer fotos desse tipo?

— Agora entendo melhor. — Solto um suspiro profundo, então sorrio. — As pessoas das fotos não somos nós. São dois personagens que estamos encarnando. Você não acha engraçado saber que estamos convencendo as pessoas a acreditarem em uma versão totalmente fabricada da verdade?

— Nós estamos mentindo para elas.

— Prefiro pensar em termos de *enredo*, querido. — Seguro seu rosto com uma das mãos, fazendo minha melhor atuação de garota raposa. — Uma história sobre a Viúva de Ferro e o Demônio de Ferro, domando um ao outro. Redimindo-se graças a uma batalha por uma província perdida. Sendo transformados de vilões a heróis. O que é isso, se não uma manchete na primeira página?

Vários segundos se passam. Ele me encara com uma expressão tensa que não consigo decifrar.

Minha fachada começa a se desfazer, e a realidade se imiscui, como a brisa refrescada pela água que sopra em nós.

Tiro a mão de seu rosto e volto a descer a tela.

— Ah, sim, agora vamos ver as reações.

⁓⁓⁓

O falatório explodiu imediatamente. Nossas roupas insinuantes. Nossas poses provocativas. Nosso status de matadores. Nossa confiança desavergonhada, apesar de tudo.

Somos maus exemplos para as crianças.

Mas uma admiração inacreditável também surgiu com igual força, e as opiniões conflitantes apenas atraíram mais atenção e renderam mais visualizações. Todo mundo precisou ver o espetáculo por si mesmo. Na área de comentários, acirram-se debates sobre se os hunduns que matamos compensam as mortes humanas que causamos, e se podemos realmente libertar Zhou. A mera possibilidade disso, a *esperança*, queima como uma supernova brilhando em desafio ao sol, mas ainda assim muitas pessoas se enfurecem com o fato de que caiba a *nós* realizar essa proeza.

Os argumentos parecem espontâneos e casuais, mas algumas postagens devem ser feitas por lacaios de Gao Qiu com a intenção de cavar o maior espaço possível para a gente na mente dos leitores. É impossível dizer quantas conversas são legítimas e quantas são lobos pastoreando ovelhas secretamente.

Até mesmo Yizhi tem a sua participação. Quando Shimin e eu chegamos a um salão privado para jantar, coloco o tablet em pé a fim de ver o programa de variedades para o qual Yizhi foi convidado.

Seu charme modesto é naturalmente cativante na tela. Um *shaoye* rico e corajoso o bastante para confrontar uma crisálida categoria Rei em uma tempestade de raios, mas, na realidade, dolorosamente educado e até um pouco tímido.

Há um momento em que ele está concentrado respondendo a uma pergunta sobre como tem sido morar em Chang'an e a diferença desta para a vida que levava na Grande Muralha, e uma pessoa usando uma fantasia de hundun se aproxima por trás. Yizhi faz um barulho hilário quando tocam seu ombro de repente. Todo mundo ri no estúdio, inclusive ele, que visivelmente fica mais relaxado. Ninguém diria que ele está participando de um esquema para possibilitar o contra-ataque, basicamente arriscando duas províncias para salvar minha vida e a de Shimin.

— E o que você acha dos *pilotos* do Pássaro Carmim? — O apresentador finalmente larga a bomba.

Gao Qiu deve ter pagado para que fizesse essa pergunta. A plateia faz um "ooooohh" de expectativa.

— Acho que o que mais importa é se eles têm o poder de vencer os hunduns — responde Yizhi depois de um momento de reflexão fingida. Olha direto para a câmera. — E eles têm. Se estão dispostos a arriscar a vida pela humanidade, não me importa quem são, o que são ou o que fizeram no passado. Vou lhes dar meu *qi* de novo com prazer, sempre que precisarem.

Enquanto a plateia irrompe em aplausos, imagino uma muralha invisível de dinheiro e poder lentamente se levantando contra qualquer pessoa que esteja tentando matar a mim e Shimin.

— Já foi o suficiente? — pergunto a Gao Qiu em uma mensagem de voz, por meio de meu novo relógio.

Segundos depois, sua resposta chega com um *bip*. Quando clico para ouvi-la, sua gargalhada estridente explode nos alto-falantes.

— *Nem de longe, piloto Wu!*

Argh. Isso não é nada bom. Essas fotos provocantes podem ter causado furor, mas coisas assim só surtem efeito uma vez. Sairemos das manchetes se não fizermos algo mais chamativo. Maior.

Pense, ordeno a mim mesma, agarrando a toalha de mesa. O que poderia chamar muito, muito mais atenção do que isso no menor tempo possível?

Uma lembrança vívida me atinge em cheio.

Uma lembrança de mim, Irmã Mais Velha e todas as meninas da aldeia assistindo a uma Coroação de Par na maior tela que já nos emprestaram. Era a coroação de Dugu Qieluo e Yang Jian, sete anos atrás, quando ela tinha treze e ele, catorze anos. O fato de que foram o primeiro Príncipe e a primeira Princesa de Ferro a estrearem como Par — Yang Jian *nunca* teve concubinas — tornou tudo ainda mais especial. Todo mundo ficou obcecado por semanas a fio antes da cerimônia, especulando como seria a coroa e a armadura do Tigre Branco, e como ficariam deslumbrantes no traje de coroação de Qieluo.

Quando a transmissão finalmente começou, todas nós engolimos em seco enquanto ela subia no palco com longas faixas de seda macia e translúcida perfeitamente integradas à armadura branca flexível. Os cristais praticamente gotejavam de sua malha de corpo inteiro feita com fios de prata.

Mas o que o meu eu de onze anos mais lembrava era a satisfação pura e sombria nos olhos de Qieluo enquanto Yang Jian colocava o diadema de aparência suave e perolada em sua cabeça. Em vez de ter apenas orelhas estilizadas de tigre, conforme o esperado, sua coroa também trazia, na parte inferior, uma fileira de dentes afiados. Os longos caninos desciam até quase suas têmporas.

— Ei, Shimin. — Volto a atenção para ele. — O que você acha de superarmos a Coroação de Par de Dugu Qieluo e Yang Jian?

CAPÍTULO TRINTA E DOIS

APESAR DE TODO O ESFORÇO QUE FIZERAM

Depois de receber uma resposta entusiasmada de Gao Qiu para a ideia da Coroação de Par, ligo para Sima Yi para conversar sobre a necessidade de convencer o Comando Central a permitir que isso aconteça, argumentando que seria contraditório continuar nos privando das honras enquanto afirmam que todos devem confiar em nós para arriscar um contra-ataque. Sima Yi promete dar seu melhor para providenciar tudo.

Aliviada pela sensação de que tudo está finalmente se afastando de um destino fatal, espero no quarto de Yizhi até que ele volte.

Zumbidos de motores, clamor humano e ar fumacento sobem pela montanha e entram pela sacada vindos do vale cosmopolita que é Chang'an. Lanternas pálidas com molduras de madeira escura pendem acima de uma cama absurdamente grande. O quarto de Yizhi é maior do que a suíte inteira em que ficávamos na Muralha. Eu explorei o lugar pela primeira vez enquanto estava caindo de bêbada por causa dos brindes de Gao Qiu, na noite de ontem. Há um quarto anexo inteiro só para trajes de seda nos quais eu não conseguia parar de esfregar meu rosto afogueado. Uma geladeira repleta de cremes para a pele dos quais fiquei zombando por pelo menos dez minutos. E um banheiro reluzente que me deixou estupefata por causa da banheira esculpida em cristal e água quente a qualquer hora. Outro cômodo dispõe de prateleiras de vidro com fileiras de miniaturas de crisálidas sobre as quais Yizhi nunca me contara com receio de me ofender, admitiu, envergonhado.

Ele deveria ter ficado tranquilo quanto a isso. Não tenho nada contra as crisálidas em si. Não é que eu não *queira* que os humanos aniquilem os hunduns e arranquem o mal pela raiz. O que detesto é o sistema de pilotos que insiste que garotas são um sacrifício inevitável durante o processo.

Meu olhar curioso se detém em uma pintura que se estende por toda a parede atrás da cama, retratando crisálidas e hunduns se digladiando. Nas nuvens, deuses com trajes semelhantes a névoa colorida empunham alaúdes *guqin*.

É uma cena que só poderia ser fruto da fantasia. Na verdade, ninguém sabe qual é a aparência dos deuses e ninguém nunca recebeu uma ajuda concreta deles em batalha. Sabemos que estão lá em cima; Irmã Mais Velha e eu costumávamos procurar pelo pontinho brilhante da Corte Celestial quando ela orbitava no céu a cada poucos meses. E todos nós ouvimos algumas de suas lendas: Nüwa, a deusa cobra, moldando os primeiros humanos a partir do barro; Chiyou, o deus da guerra, comandando fantasmas e demônios em batalha; Zhurong, o deus do fogo, lutando contra Gonggong, o deus da água, e muitas outras. Mas, se forem verdadeiras, as histórias trazem a eterna questão: por que os deuses não usam seus poderes incríveis para nos ajudar contra os hunduns? Não importa quão sinceras sejam nossas preces, os deuses são indiferentes e parecem não dar muita bola para nós. Só o que fazem é deixar cair diagramas enigmáticos sobre tecnologia e conhecimento para os eruditos desvendarem, uma vez que tenhamos oferecido sacrifícios o suficiente — em geral, metal primordial. É muito estranho e irônico que só metal primordial de cascas de hunduns possa ser usado para construções robustas. Sempre que tentamos confeccionar qualquer coisa a partir dos grânulos virgens do solo, deteriora em poucos dias. Só serve para ser queimado para abastecer trens e naves flutuantes. E, a julgar pela demanda sem fim dos deuses por cascas de hunduns, nem mesmo eles conseguem imitar a maneira como essas criaturas estabilizam os grânulos ao se replicarem. É engraçado que este nem sequer seja o mundo dos hunduns, mas sejam eles a conseguir usar esse recurso tão bem.

Ninguém sabe para que os deuses estão usando tanto metal primordial, mas temos juízo o bastante para não fazer perguntas. Só continuamos arrastando cascas de hunduns para os locais de oferenda designados, um pouco distantes da Grande Muralha, junto com toras de madeira, terra, sementes, vários animais e garotas. Garotas abandonadas e acorrentadas das quais nunca mais se tem notícia, um destino mais bizarro do que se tornar piloto-concubina, já que os deuses nunca aparecem quando podem ser vistos, ou quando há um mísero drone com câmera que seja na área.

Gao Qiu estava certo sobre uma coisa: o mundo inteiro precisa de garotas. Talvez sejamos subvalorizadas justamente porque somos tão valiosas. O mundo tem medo demais de não ser capaz de nos acessar e controlar, e por isso ignora nosso verdadeiro valor.

Ouço a porta dos aposentos de Yizhi ser destrancada.

Olho para trás. Yizhi caminha no quarto iluminado pelo luar, com os olhos brilhando ao me ver.

Com uma expectativa crescente, me aproximo na cadeira de rodas. Quando fiquei com ele na noite passada, trocamos beijos de novo, a primeira vez desde que decidi melhorar minha parceria com Shimin. Mas Yizhi insistiu que eu estava bêbada demais para qualquer coisa além de beijos.

Bem, hoje não estou bêbada.

Quando a distância entre nós diminui, puxo-o para um beijo suave. Sua boca se move naturalmente contra a minha, uma familiaridade reconfortante a esta altura.

— Sabe, tive um sonho assim uma vez — diz ele contra meus lábios, com os dedos roçando meu pescoço.

— Um sonho? — Inspiro seu cheiro, limpo e cálido como algo que cresce em uma planície ensolarada.

— Bem, está mais para uma fantasia recorrente. — Ele deixa escapar uma risadinha, depois enrola uma mecha de meu cabelo em seu dedo, com um olhar brando, pensativo. — Eu gostaria de voltar para casa e encontrar você todas as noites e acordar ao seu lado todas as manhãs. Mas não aqui. Em um lugar mais tranquilo, uma cabana nas montanhas selvagens. Sem ninguém para nos incomodar.

A imagem é tão dolorosamente maravilhosa que a ternura dentro de mim me leva às alturas. Então se fragmenta, me mergulhando na frieza da realidade.

— Sempre haveria pessoas nos caçando. — Eu me afasto, com o cabelo se desenrolando de seus dedos. Minha voz estremece, quase falha. — Não podemos simplesmente fugir. Seu pai...

— Eu sei — interrompe Yizhi delicadamente. — Por isso que é só uma fantasia.

O calor entre nós desaparece, resfriado por uma nova tensão. A culpa me atinge como geada, mas não temos tempo para fantasias. Sobretudo para fantasias de *simplicidade*.

Simplicidade é algo que não cabe mais em nossa vida.

— Yizhi, você sabe que não posso prometer nada — digo em um tom baixo, mas firme. — Shimin e eu somos parceiros de crisálida. Não sei o que teremos que fazer para pilotar bem juntos, e não posso me poupar quando há tanto em jogo. Então, seja honesto: você se sente mal ao nos ver juntos?

Um lampejo de emoções conflitantes perpassa o rosto de Yizhi, mas se pacifica de imediato. Com um suspiro suave, ele se senta nos lençóis de seda da cama imensa.

— Instintivamente, sim. Eu gostaria de ser ele. Gostaria de ser seu parceiro de crisálida. Gostaria de ser forte o suficiente para proteger você.

Meu estômago se revira.

— Então acho melhor nós não...

— *Mas aí* lembro que não tem um motivo real para eu ter ciúmes. — O olhar de Yizhi se ilumina de novo, límpido como a verdade. As luzes distantes de Chang'an reluzem em seus olhos. — De onde vem o ciúme, se não de uma insegurança de que vou perder você por causa dele? Mas, independentemente de quantas pessoas acreditem nisso, não é assim que funciona. Você não é um objeto para ser guardado ou roubado, e o amor não é um recurso escasso pelo qual temos que lutar. O amor pode ser *infinito*, desde que nosso coração consiga se abrir. Quer dizer, quando a gente pensa a respeito, o principal combustível do amor é a compatibilidade. O fato de duas pessoas fazerem uma à outra felizes estando juntas. Então, não faria sentido eu me ressentir por causa de Shimin. Por mais compatível que vocês sejam entre si, não tem nada a ver com sua compatibilidade comigo.

Reflito sobre as palavras.

— É só... compatibilidade?

— Pelo menos é nisso que acredito. O amor verdadeiro vem da sinergia e da confiança, não apenas da química. — Ele engole em seco, o pomo de adão se movimentando sob o luar que paira a nosso redor. — Por ter sido criado aqui, vi muitas pessoas tentando desesperadamente controlar as outras para continuarem próximas. Nunca vi força ou autoridade nesses atos. Só uma insegurança triste, muito triste.

— É — sussurro, pensando nos gritos abafados de meu pai ressoando pelas paredes ao acusar minha mãe de olhar demais para o Velho Wang, nosso vizinho. Brinco com as camadas de golas do traje de Yizhi, revelando uma frestinha de suas tatuagens. — Mas não é essa minha preocupação em relação a você. Sei que nunca vai agir assim. Só não quero correr o risco de magoá-lo.

— Não, não se preocupe. Não considero meus instintos racionais, então não quero ser definido por eles. — Ele encosta a testa na minha e acaricia meu rosto com o polegar. — Zetian, cada vez que você escolhe olhar para mim, tenho certeza de que há espaço para mim em seu coração.

Meus olhos se abrem, a visão se borrando devido às lágrimas. Abro a boca, admirada.

Há, com certeza. Sempre haverá um lugar para ele. E o motivo é esse. Esse.

Meu quinto filho não é do tipo que se apaixona. As palavras de Gao Qiu se infiltram em meus pensamentos, mas me livro delas como se fossem poeira. Yizhi me conheceu quando eu era uma garota impotente da fronteira. Que intenção secreta ele pode ter carregado por tanto tempo?

Nunca tive vergonha de amá-lo, mesmo quando minha família teria me afogado por isso, e não é agora que vou começar.

Não acendemos a luz.

Yizhi não é tão forte quanto Shimin para me carregar sem esforço, mas tudo bem. Ele me ajuda a subir na cama, gentil como sempre. Até mesmo a dor de costelas fraturadas é tolerável quando suas mãos estão em meu corpo arrebentado, me mantendo inteira. Eu o beijo como se o ar que circulou por seus pulmões fosse o único seguro de ser respirado. Uma onda automática de vozes perturbadoras e aterrorizantes brotam em minha mente, gritando insultos — *vadia, puta, traidora* —, mas acabam derretendo no calor que cresce dentro de mim.

Estou me elevando muito acima dessa besteira coletiva. Tantas tentativas de me impedir de existir confortavelmente em minha própria pele, mas aqui estou, fazendo o que quero com um rapaz que ninguém me designou. E isso não está me maculando. Não vai me arruinar. Não é obsceno, imundo nem vergonhoso.

Vergonha. Essa era a arma favorita deles. Uma arma para me corroer por dentro até que eu acreditasse que só podia aceitar o destino que jogassem a meus pés amarrados.

Não funcionou.

Apesar de todo o esforço que fizeram, sei que mereço ser feliz.

Vou usar tudo o que usaram para me amarrar contra eles. Minha aparência é uma ilusão para chamar sua atenção. Minha decadência é uma isca para provocar sua ira. Minha parceria perfeita é uma mentira para mantê-los obcecados.

A própria força do julgamento deles e de seu ódio vai me tornar incontrolável.

CAPÍTULO TRINTA E TRÊS

INEXPLICÁVEL

Há um frio metálico no ar. Um gosto de ferrugem em minha língua.

Uma luz suja. Cantos sombreados. Uma cadeira de aço pesada. Tiras de couro que imobilizam meus braços. A carne e o sangue de uma luta malsucedida sob minhas unhas.

— A situação realmente não precisava ter chegado a este ponto. — Uma figura se assoma em minha direção, segurando uma garrafa de bebida. *An Lushan.* — Mas se você vai ser um pé no saco tão grande, é melhor beber um pouco para se acalmar.

Soldados abrem minha boca à força e a mantêm aberta com placas de metal afiadas como lâminas, como cunhas entre meus dentes. Sangue corre sob minha língua. Um tubo de borracha desce empurrado por minha garganta. Até o fundo. Eu me engasgo, grito, tento mordê-lo e cuspi-lo, mas não sai do lugar. Só surgem mais jorros de sangue.

An Lushan segura minha guia com força, mantendo-a esticada. Sua mão pavorosa se inclina, derramando o conteúdo da garrafa em um funil. *Glup glup*, sem parar. Um calor escaldante me percorre. Não consigo nem sequer implorar para que pare. Eu me renderia com toda a felicidade. Gostaria que ele me desse o golpe de misericórdia.

Faria qualquer coisa para acabar logo com isso. Mas só queima, e queima, e queima, e...

~~~

Estremeço e grito enquanto tento me distanciar do sonho. Imagens, sons e odores demoram para voltar ao normal.

Os lençóis banhados pelo luar. O calor de Yizhi a minha volta. As luzes da cidade muito longe, além da sacada. Nada de An Lushan, nem de cadeira de aço. Apalpo a garganta, movo a mandíbula, olho para as mãos e engulo enormes golfadas de ar.

— O que houve? — murmura Yizhi, com cara de sono, erguendo-se sobre o cotovelo.

— Só um... — Minha língua é um pergaminho seco. Um horror gélido corre em minhas veias, que pareciam queimar com a bebida um instante atrás.

Só um pesadelo?

Ou...

Afasto as cobertas de seda e me movo até a cadeira de rodas, retraindo o corpo por causa da dor do ferimento, mas agitada demais para desacelerar. Yizhi me segue e me ajuda, fazendo mais perguntas, mas não tenho como lhe dar as respostas antes de eu mesma conhecê-las.

Um trajeto curto pelo corredor me leva ao quarto de Shimin. Tento girar a maçaneta dourada. Está trancada.

Bato na porta até que luzes se acendem na fresta abaixo e passos arrastados se aproximam.

Clic.

Luzes cor de âmbar me atingem, incomodando meus olhos. Shimin aparece, com os olhos turvos e o cabelo curto bagunçado para todos os lados.

A pergunta que preciso fazer pulula em minha garganta, mas empaca. Não consigo pôr para fora. Não consigo pronunciá-la.

— O que está acontecendo? — Shimin se esforça para manter os olhos abertos.

— Eu tive... tive um pesadelo — conto, esperando que ele apenas revire os olhos e feche a porta em minha cara. — Eu estava presa numa cadeira de aço. Abriram minha boca à força com lâminas e enfiaram um tubo de borracha na minha garganta. An Lushan derramou...

Um pânico descontrolado surge nos olhos de Shimin.

— *Pare.*

Meu corpo congela.

— Foi ele quem *viciou* você — concluo, horrorizada.

A meu lado, os dedos de Yizhi voam para tapar sua boca.

Algum tipo de barreira se rompe em minha mente. Memórias fantasmas transbordam e a inundam. A quantidade de vezes que Shimin passou por *isso* até que o arruinassem de verdade. O modo como manipularam sua vontade, com que o obrigaram a agarrar as garrafas por si próprio. O borrão quente e agonizante de dias e noites passados no chão frio da cela de uma prisão.

Uma sensação acre pulsa em meu rosto, quente demais e fria demais ao mesmo tempo.

O olhar de Shimin me atravessa, como se sua mente estivesse em outro lugar. Então ele recua e começa a fechar a porta.

Eu a seguro com ambas as mãos.

— *Por que não nos contou?* — grito.

— Que diferença faz? — replica ele com um vigor surpreendente, semioculto pela porta.

— Toda! Significa que você lutou muito mais contra o Exército do que jamais lhe dei crédito!

Mais imagens lampejam em minha cabeça, imagens para as quais não dei a mínima anteriormente. A navalha feita com páginas de livros. O caco afiado dos óculos dele.

— Crédito — repete ele, com uma risada frágil. — Seu crédito não vai trazer nenhuma delas de volta.

Nenhuma *delas*. As garotas.

Meu estômago revira, e quase desabo.

— Me desculpe. — Soluços embargam minha voz. — Me desculpe. Todas as vezes em que briguei com você...

Seu punho se tensiona no batente da porta.

— Tudo bem. É... tanto faz. — Ele tenta fechar a porta outra vez.

— Espere... — Eu a bloqueio com mais força.

— O que mais você quer? Eu disse que está tudo bem. Esqueça!

— Shimin... — sussurra Yizhi.

A resistência diminui. A porta se abre mais, revelando Shimin por completo.

É impressionante que a fala suave de Yizhi consiga fazer o que toda a minha força não é capaz.

Eles olham um para o outro. Yizhi toca o cotovelo de Shimin. Ele se retrai levemente, mas permite o contato.

— Shimin, por favor, lembre-se de que você protegeu muitas vidas durante as batalhas. — A luz do quarto cintila em flocos dourados nos olhos de Yizhi. — Não apenas aquelas atrás da Grande Muralha, mas outras crisálidas também.

Você abateu manadas inteiras com um só golpe. Isso não é insignificante.

Shimin olha para o chão, com os ombros se curvando, quase cedendo.

— Pode contar com a gente — continua Yizhi. — Acreditamos em você. Podemos libertar Zhou e salvar muitas outras vidas. Juntos.

Hesitante, Shimin ergue a cabeça.

Então sua atenção oscila de mim para Yizhi, aguçada.

Eu me dou conta de que, em algum momento, agarrei a outra mão de Yizhi. E me torno extremamente ciente da impressão de que estamos passando — da *realidade* que estamos passando. Ele e eu, chegando juntos no meio da noite.

— É. Eu sei. — A expressão de Shimin se torna fria e pétrea. — Vocês não precisam dar esse show de piedade por mim. Vão embora... e sejam felizes!

Ele bate a porta em nossa cara.

CAPÍTULO TRINTA E QUATRO

UMA LISTA CRESCENTE DE INIMIGOS

Quando Shimin pousa a mão encouraçada no bico do Pássaro Carmim, *qi* vermelho flui como ondas. A seu comando mental, o bico se escancara. Ele entra e se segura no topo, como Pangu, o gigante da mitologia, separando céu e terra.

Desde que descobri a verdade, não sei como falar com ele, mas preciso me esforçar para poder me sair bem nestas sessões de fotos a seu lado. Exatamente como ele deve ter precisado se esforçar para habitar as camadas turvas de verdade e mentira para as quais o arrastei. Eu, só mais uma na longa fila de pessoas que o usaram como um instrumento.

Não sei como consertar as coisas. Não sei como voltar atrás. Minhas desculpas seriam inúteis, já que fiz o que fiz, disse o que disse, e estamos *tão* envolvidos nisso tudo.

Fora algumas nuvens esparsas sobre as planícies hunduns à frente, o céu está azul e claro o suficiente para circundar minha visão com uma aura dourada e suave. Nosso fotógrafo está fazendo as fotos com uma câmera de drone, que zumbe. Seguindo as instruções que ele nos passa pelo fone, bato as asas para girar no ar e me sentar na ponta do bico do Pássaro. Nem mesmo os melhores remédios de Huaxia conseguiram curar meu ferimento por completo, mas me movimentar não é tão doloroso quando estou usando a armadura.

Para se casarem, as pessoas da cidade alugam roupas bonitas e tiram um monte de fotos para confeccionar um álbum comemorativo. Coroações de Par são basicamente casamentos de pilotos, então foi a desculpa perfeita para nos manter nas manchetes. Passamos boa parte das duas últimas semanas em sessões de fotos.

Sima Yi nos manteve atualizados sobre os quatro ataques hunduns desde que chegamos a Chang'an — uma frequência exaustiva para um período tão curto, com o tempo ensolarado os concentrando à noite. Os hunduns nunca atacam quando os drones patrulheiros podem avistá-los desde muito longe, então nenhum ataque deve acontecer enquanto fazemos algumas fotos com o Pássaro, que com certeza serão um sucesso. De todo jeito, precisamos buscar nossa armadura para a Coroação de Par. Para evitar roubos, os pilotos geralmente deixam a armadura fundida aos assentos do cockpit, de forma que só eles possam removê-las.

— *Ei, levante um dos joelhos e o abrace, piloto Wu!* — ordena uma voz no fone.

Resistindo ao ímpeto de revirar os olhos, obedeço. O drone com câmera zumbe a nossa frente contra as planícies cinzentas. O fotógrafo me pede mais alguns ajustes de postura enquanto Shimin continua com sua pose, erguendo uma das mãos. É sempre mais fácil para ele: é só escolher o que o faz parecer mais dominante. E eu? É uma luta sem fim para os fotógrafos atingir o equilíbrio entre me fazer parecer agressiva e subserviente.

Geralmente, mulheres famosas não têm permissão para se apresentarem de forma tão descarada. Na mídia, elas são as mulheres dos sonhos, luminosas e sorridentes, esposas amorosas ou mães cuidadosas de protagonistas homens. Estão lá para ser a recompensa por eles derrotarem um vilão, para confortá-los quando estão perdidos ou para motivá-los, ao serem mortas. Se há uma mulher agressiva, ela precisa estar entre os antagonistas. Não fazem nem mesmo o papel de antagonista principal, mas da fonte de apoio e conforto do vilão, a bajuladora de sua inteligência malévola que está sempre disposta a morrer por sua causa. Acho que é esse o conceito que estão tentando passar com Shimin e comigo, mas não funciona muito bem. Tenho meu próprio legado, separado do dele. É igualmente difícil desviar o olhar de mim. Isso mexe com o instinto dos fotógrafos, que continuam tentando me adequar a poses menores e expressões faciais mais mansas só para depois se lembrarem de que precisam se ater ao nosso estilo provocativo. Demoram uma eternidade para decidir o que fazer comigo. Principalmente agora que Gao Qiu não está mais fiscalizando as sessões.

Ele anda ocupado "conversando" com os estrategistas da fronteira Sui-Tang, incluindo An Lushan. Mas mesmo que An Lushan não ceda à pressão, tomei uma decisão: vou matá-lo pelo que fez com Shimin. Ele ascendeu vertiginosamente ao topo de minha crescente lista de inimigos.

É o mínimo que posso fazer.

※

Quando terminamos a sessão de fotos e embarcamos na nave flutuante, Qieluo, Xiuying e seus parceiros estão aguardando na plataforma da Muralha. Como estão todos fora de serviço, recarregando o *qi* depois das últimas batalhas, Gao Qiu pediu que comparecessem a minha Coroação de Par, em dois dias. Ele é tão avarento que fez com que viajassem com a gente e nossa equipe de produção para economizar.

Os quatro ficam paralisados quando nos aproximamos. Apenas Xiuying me lança um sorriso, que vacila enquanto seus olhos vagueiam para Shimin. Ela volta a se encolher, deixando escapar um pequeno arquejo de surpresa.

É bizarro. Uma piloto categoria Princesa demonstrando medo. Seu parceiro, Zhu Yuanzhang, um ex-monge guerreiro corpulento e de cabeça raspada, ergue um braço para protegê-la. O casco de uma tartaruga em miniatura pende das coroas negras e espessas sobre a testa de ambos.

Deslizo em direção a eles em minha cadeira de rodas, com a intenção de dizer algo agradável para tornar as coisas menos estranhas, mas uma olhada rápida para Qieluo e a lembrança de sua figura me surrando contra a parede do banheiro suscita uma nova onda de raiva dentro de mim. Sem querer, a sensação aciona minha armadura, meu sentido vital...

E me leva a perceber algo estranho.

— Hum... — Examino todos eles, então gesticulo entre Xiuying e Qieluo. — Por que a pressão vital de vocês parece mais forte do que a de seus parceiros?

Ninguém parece surpreso.

— Ah, a pressão vital de mulheres pode ser sentida mais intensamente. — Xiuying dá de ombros, então ri. — Da mesma forma que nós temos uma tolerância maior à dor. Em praticamente todos os Pares Equilibrados, a garota parece mais forte quando analisada só pelo sentido vital.

— É mesmo? — Minha expressão relaxa. — Isso é sério?

— É. Você e... — Ela lança um olhar para Shimin, com os olhos subitamente escurecendo com o *qi* do tipo Água. Então suas pestanas tremem, uma cor surge em suas bochechas e ela volta o foco para mim. — Você também é assim!

— O seu valor real é *mesmo* mais baixo do que o dele, certo? Olho para Zhu Yuangzhang, que encara Shimin com um ar contrariado e os braços cruzados sobre o peitoral amplo. Shimin fica um pouco taciturno, mas não desvia o olhar.

— É — diz Xiuying. — O meu é cinco mil e cem, e o dele é cinco mil e oitocentos. Mas é só a base estável dele. O valor pode subir muito mais durante uma batalha.

Certo. Isso explica tudo. O Exército nunca deixaria Xiuying lutar com o parceiro se a pressão vital dela pudesse ultrapassar a dele.

— Tudo bem, chega de conversa mole. — Qieluo ergue a mão para que eu me cale. Um raio de sol ofuscante reflete em sua coroa de tigre, cheia de presas. — Deixe-me esclarecer uma coisa: só estou participando desta viagem porque nunca perco uma oportunidade de visitar Chang'an. Não tem nada a ver com você ou sua parceria arrepiante com literalmente um assassino. — Ela gesticula em direção a Shimin. — Foi isso mesmo que você ouviu.

Os olhos de Shimin se semicerram ainda mais. Ele responde algo que não consigo entender.

Mas Qieluo fica surpresa. Vomita palavras totalmente incompreensíveis também, de forma rude e gutural.

Ah... Estão falando a língua materna. Ambos são do povo xianbei.

Zhu Yuanzhang de repente empurra Xiuying para trás.

— Chega! — grita ele. — Não vou embarcar em uma nave com dois *bárbaros*!

Fico boquiaberta e Shimin e Qieluo, chocados.

Então o parceiro dela, Yang Jian, precisa segurá-la enquanto ela xinga Zhu Yuanzhang, que simplesmente sai, enfurecido, com o casaco branco de piloto revoando às suas costas.

— Lamento. Por favor, desculpe. — Xiuying agita as mãos, parecendo dividida entre ficar e explicar ou ir atrás dele. — Ele perdeu a família em um ataque rongdi.

Acho graça. Por mais que o conflito han-rongdi na província Ming seja acalorado — tanto que os templos treinam os monges em artes marciais mais do que em meditação —, esta situação é ridícula.

— Mas, em Ming, esses rongdi teriam sido do povo menggu, não? Estes dois aqui são xianbei! — falo.

Xiuying esboça um sorriso que sugere que a distinção não interessa a seu parceiro. Pede desculpas, então corre atrás de Zhu Yuanzhang, gritando seu nome. A inveja me corrói ao ver quão rápido ela consegue se locomover com seus pés não amarrados.

Resmungando, Qieluo se livra da mão de Yang Jian, depois ajusta seu uniforme de piloto. Shimin olha para Zhu Yuanzhang, parecendo ainda mais perdido do que o normal.

Inesperadamente, Qieluo dá um tapinha no ombro de Shimin.

— Anime-se, *Khan* — diz baixinho, com um tom mais suave e controlado do que antes.

O rosto de Shimin se ilumina com surpresa.

Antes que ele consiga responder, ela toma o braço de Yang Jian e vai desfilando até a nave.

— *Khan*? — Olho confusa para Shimin.

Ele solta uma pequena bufada:

— Significa *rei*.

Solto os braços da cadeira de rodas. Não tinha me dado conta de que estava apertando tão forte.

Bem. Não sei se o que acabou de acontecer significa que Qieluo vai ser menos hostil com a gente, mas esta viagem vai ser estranha de qualquer jeito. Antes de chegarmos a Chang'an, precisamos fazer um desvio. Hoje, temos outra sessão de fotos marcada para o momento que a linda luz cor de sangue que acompanha o pôr do sol aparece.

Uma sessão de fotos nos terraços de arroz de minha aldeia.

CAPÍTULO TRINTA E CINCO

UMA PARTE ESPECIAL DO INFERNO

Se a minha família tentou me contatar durante os meses que se passaram desde que parti, o Exército não me avisou. Provavelmente para me punir, pensando que eu ansiava por isso.

Na verdade, fiz um ótimo trabalho jogando a existência deles para o fundo da mente. A única notícia que recebi foi de Yizhi, que contou que lhes dissera a verdade sobre nós — que nos conhecemos na floresta, que nunca fizemos nada indevido — e se ofereceu para pagar um curso de conserto de aparelhos eletrônicos para meu irmão na cidade mais próxima, sob a condição de que nunca mais falassem sobre nossa relação, nem mesmo comigo. Sou grata por suas providências. Embora muitas perguntas ardam nos olhos de meus familiares assim que descemos pela escada de corda da nave, pelo menos esse tópico é estritamente proibido.

O que não impede que o reencontro seja um desastre total.

Enquanto a equipe de produção vai à caça de um bom lugar nos arrozais para a sessão de fotos e os outros pilotos são cercados por meus vizinhos chocados, minha família me puxa para o quarto de meus avós.

A primeira coisa que meu pai faz é despejar em mim, aos gritos, as provações que viveram no último mês: um tormento absoluto infligido pelos aldeões por causa de meu "assassinato" de Yang Guang. Todo mundo esteve comentando, tanto pelas suas costas quanto explicitamente. Andaram colocando lixo na frente de nossa casa e pichando "homicida" nas paredes. Meu pai exige saber quanto dinheiro estou ganhando com toda a atenção da mídia e por que não mandei mensagens nem fiz uma única tentativa de tirá-los desta aldeia miserável.

Quando balbucio que meu dinheiro está sendo investido no contra-ataque para a retomada de Zhou, ele praticamente explode de ira.

— Nós a trouxemos ao mundo e a criamos, a vestimos e alimentamos, e é assim que você retribui? — As paredes encardidas estremecem ao som de sua voz. — Está se recusando a resgatar sua própria família de uma parte especial do inferno em que *você* nos jogou? Acho que você sempre foi uma fedelha ingrata, não é mesmo? Aposto que iria adorar se apodrecêssemos aqui neste pardieiro da fronteira! Se fôssemos os primeiros a ser esmagados quando os hunduns romperem a Muralha!

Tremores tomam conta de mim. Sei o que vai acontecer, o que *sempre aconteceu* se não trato de despejar as mentiras que ele quer ouvir.

Mas por que eu deveria mentir? Ele não está errado.

— *Sim, e daí?* — falo, de supetão, libertando meu braço.

O rosto do meu pai adquire um tom vermelho vívido, mas ele para de repente quando meu *qi* começa a fluir por meus meridianos, branco-prateado através de minha armadura, frio em meus olhos e pele. O restante da família recua, de olhos arregalados diante da luz que estou gerando.

— Parem de fingir que qualquer um de vocês me tratou como algo além de uma ferramenta! — prossigo. — Não tiveram problema algum em me vender como concubina para Yang Guang, que *realmente assassinou a Irmã Mais Velha, aliás*. Eu estive em um elo mental com ele e confirmei tudo! Nada disso teria acontecido se vocês tivessem cuidado de nós, então lidem com as consequências!

Minha mãe cobre a boca com a mão. Sacode com soluços reprimidos, temerosa de fazer muito barulho até chorando. Seus olhos se umedecem sob raios de sol empoeirados que se infiltram pela janela, onde Yizhi estava há um mês, quando o deixei, quando deixei minha família.

A visão corta meu coração, mas não tenho mais nada a dizer.

Dou a volta com a cadeira de rodas e saio num rompante.

⚜

Vou para o pátio, batendo as asas da armadura, e paro junto ao chiqueiro. Nosso porco grunhe, rolando na sujeira. Tomara que o cheiro impeça que venham me perturbar até que a equipe esteja pronta para fotografar.

Mas não demora até que o ruído de passos surja atrás de mim.

A princípio parecem os passos de um homem, o que me deixa alarmada, mas, para minha surpresa, é Xiuying. Olho para mais além. Zhu Yangzhang, que realmente preferiu viajar na nave que transportava os equipamentos em vez de voar com Qieluo e Shimin, não está com ela.

— Oi. — Ela se curva para mim, com os olhos doces. — Vim usar a latrina, e sua mãe pediu que eu lhe entregasse isto.

Ela estende uma boneca. Uma boneca usada para abençoar os bebês, o tipo de coisa que as mães da nossa parte das montanhas fazem para as filhas antes de enviá-las para se casarem. É confeccionada com o cobertor de bebê da filha e preenchida com a terra do pátio de sua família de solteira. Um amuleto para a maternidade.

Xiuying coloca a boneca em minhas mãos.

— Ela disse que não sabe exatamente como é a cerimônia de casamento de um piloto, mas espera que em breve você tenha seus próprios filhos.

Fico boquiaberta ao ver o tecido desbotado, em matelassê, que me esquentava quando bebê, ao ver o sorriso canhestro costurado à mão com lã.

É muito, muito errado. Ter um filho é a última coisa que quero. Minha mãe não entende isso. Não *me* entende.

No entanto, sinto uma pressão quente atrás dos olhos. Minha visão oscila e se borra. Agarro a boneca, segurando furiosamente as lágrimas para que não escorram e deixem rastros em minha maquiagem para todos verem.

Dou um suspiro, fingindo casualidade.

— Por que ela deu para você em vez de dar para mim?

— Acho que ela tem um pouco de medo de você.

Minha respiração falha, como se meu peito estivesse pressionado entre dois pesos enormes.

Mordendo o lábio, Xiuying olha para o chão e depois em meus olhos.

— Olhe, entreouvi o que aconteceu e, se fosse você, levaria sua família para Chang'an.

— Por quê? — replico, embora minha voz falhe. — Eles não merecem.

— Mas é verdade que devem estar sofrendo. Independentemente de como os outros aldeões os devem estar tratando por sua causa, será que alguém realmente merece viver na fronteira? — Xiuying gesticula ao redor. — De onde você acha que vem a miséria da sua família, Zetian? Não acha que eles se tornariam pessoas diferentes se você conseguisse tirá-los daqui e proporcionasse o alimento e a segurança que lhes faltaram durante toda a vida?

— Satisfazê-los só pioraria as coisas. — Aperto a boneca. Seu sorriso bordado se infla. — *Sempre* piorou as coisas. Minha mãe e minha avó passaram a vida satisfazendo meu pai e meu avô, e eles não mudaram absolutamente nada. *Não se pode fazer uma pessoa amar ou respeitar você dando a ela o que deseja.*

— Mas isso não funcionou porque elas nunca resolveram o problema principal. É como diz o ditado: "Montanhas estéreis e águas vis deixam as pessoas imundas".

— Isso não é desculpa! Há várias famílias aqui que não estão sempre magoando e ferindo uns aos outros!

— Mas esta é a única família de verdade que *você* vai ter. — Um brilho enevoado surge nos olhos de Xiuying. — Você realmente quer desistir deles sem aproveitar uma oportunidade tão única de ajudá-los a mudar?

Balançando a cabeça, apoio o rosto na ponta dos dedos, com cuidado para não borrar a maquiagem. Que constrangedor, deixar uma piloto como Xiuying ouvir uma discussão com minha família. Amaldiçoo mentalmente Gao Qiu por ser tão mão de vaca a ponto de fazê-los aproveitar esta viagem em vez de mandá-los em suas próprias naves. Acho que o medo de levar golpes de *qi* é a única coisa que impede meu pai de ter um ataque nervoso e tornar tudo ainda pior. Graças aos céus estou usando armadura...

Um calafrio me percorre. Minha atenção se volta para a casa de repente.

Que desgraça meu pai vai aprontar quando partirmos?

— Minha mãe e minha avó.... — deixo escapar, colocando a cadeira de rodas em movimento. — Elas definitivamente precisam vir com a gente. Caso contrário meu pai vai descontar a frustração nelas assim que partirmos.

Xiuying dá a volta comigo, com o coque balançando acima da coroa de piloto.

— Você acha mesmo que elas vão querer partir sem os maridos?

Faço uma pausa, imaginando como seria a conversa.
Não posso simplesmente ir embora.
Este é o meu lar. Minha família.
Ele é meu marido.

Aperto a boneca em meu colo. Isto aqui é tudo que elas conhecem. Casar-se com o marido escolhido para elas, obedecer-lhe, parir e criar os filhos dele. Uma vida inteira levando golpes em sua noção de individualidade até que só conseguissem ter alguma forma quando colocadas ao lado de um homem. Não seriam capazes de se distanciar sem desmoronar.

Não conseguirei dissuadi-las. Sei disso porque Yizhi nunca conseguiu *me* convencer a partir.

Nunca acreditei que fosse possível. Não conseguia imaginar qualquer vida senão a que tinha, isso era fisicamente impraticável. Em um nível visceral, muito arraigado, eu tinha medo de que a mudança tornasse tudo pior, me lançasse em uma parte do inferno ainda mais profunda. Simplesmente não havia evidências sólidas o suficiente que me fizessem sentir segura para abandonar tudo.

Recusei Yizhi por medo, e ele nunca me chamou de fraca por isso.

Xiuying se agacha em frente à cadeira de rodas, sussurrando:
— É verdade que existem pessoas que não podem ser redimidas, cujos corações são esculpidos por algo diferente do co-

ração do restante de nós, mas a maioria é do jeito que é por motivos além do nosso controle. Até mesmo quem passou a vida ferindo outras pessoas, ou quem *matou*.

Uma dor aguda lanceia meu coração. Desvio o olhar da casa, tentando banir de meus pensamentos as imagens dos suplícios de Shimin.

Xiuying continua me fitando com um olhar penetrante.

— Algumas pessoas aprenderam a lição mentirosa de que causar dor aos outros alivia sua própria dor. Mas talvez não lhes tenha sido ensinado nada além disso. Talvez possam mudar, se tiverem a oportunidade. Um pouco de compaixão faz milagres.

— É. Talvez. — Observo nosso porco vadear pela pocilga. Deve pensar que o mundo é só esterco fedorento, já que nunca saiu do chiqueiro.

— Me desculpe, estou me intrometendo novamente, não estou? — Xiuying se levanta, coçando a testa.

— Não, não, tudo bem. — Abano a mão, sorrindo.

— Ah, que bom. — Ela ri, mas seus olhos continuam brilhantes e sinceros. — Eu só não queria ver uma família ser despedaçada quando existe uma chance de redenção. Família é algo pelo qual vale a pena lutar.

— Tomara. — Com o dedo, traço o sorriso torto de minha boneca.

Desisti de minha família mentalmente quando decidi matar Yang Guang, mas agora é diferente. Não teria que me esforçar muito para convencer Gao Qiu a deixá-los ficar em sua propriedade por um tempo. Há espaço de sobra, e ele adoraria que eu lhe devesse mais um favor.

Se eu deixasse minha família sem nada agora, estaria condenando minha mãe e minha avó por puro capricho.

Talvez eu não seja má a ponto de fazer isso. Talvez não saiba tudo que acho que sei.

Todo mundo vive em um mundo diferente. Então, boa parte do tempo, as pessoas vivem tomando decisões que não querem tomar. É preciso mais do que um "Saia daí" ou um "Pare de beber".

Julguei Shimin de forma tão errada. Talvez minha família também me surpreenda quando não estiverem mais tendo uma vida tão difícil.

A Irmã Mais Velha morreu por esta família. Não ia querer que eu desistisse deles.

⁂

— Você é patética, sabia? — resmunga Qieluo mais tarde naquela noite, nos corredores sombrios da propriedade de Gao, depois de aterrissarmos em Chang'an.

— Oi?

Paro a cadeira de rodas em um halo suave de luz das lanternas. Meu cabelo, ainda úmido de um tratamento intenso que as serviçais fizeram para limpar toda a maquiagem, está secando sobre uma toalha enrolada em meu pescoço.

Ela se recosta na parede pintada com nuvens estilizadas e dragões.

— Sem querer, ouvi o jeito como sua família fala com você. E como você se acovardou.

Ah, não, *ela* também não.

— Hum... — A palavra se arrasta de minha boca, incapaz de se juntar a qualquer outra.

Ela cruza os braços. A luz das lanternas ilumina metade de seu rosto, deixando a outra metade mergulhada em sombras.

— Nunca se deve perdoar tão fácil.

Deixo escapar uma risada seca.

— Ah, é? Se é verdade, por que não estamos nos digladiando agora?

— Entre nós, não se trata de perdão. — Os olhos profundos de Qieluo disparam até os meus. — Estamos nos tolerando por conveniência. Não tente me apunhalar quando eu não estiver olhando e não vou fazer você pagar por tentar derrubar minha torre de vigia. Entendeu?

Eu me sinto instintivamente ultrajada por sua arrogância, mas então farejo um resquício de medo no ar aclimatado. Ela percebeu que o que fez comigo no banheiro vale um contragolpe de vingança. Deveria estar furiosa com o incidente da torre de vigia, e no entanto não fez nada contra mim.

Pressentiu que não pode mais me provocar.

— Está bem. — Eu a encaro. — De acordo.

Ela revira os olhos antes de continuar.

— Mas sua família queria algo de você sem ter feito nada para merecê-lo. E você deu.

As palavras atingem um ponto fraco, mas mantenho o tom casual.

— Tanto faz. Só precisei mandar uma mensagem para Gao Qiu. Literalmente, só precisei apertar algumas teclas.

— É assim que pegam você. Rotulando você de vilã egoísta se não fizer *uma coisinha*, *só uma coisinha* para eles. Bobagem. Escute aqui: só porque você pode fazer algo por alguém não significa que tenha a obrigação de fazê-lo, sobretudo se eles não forem ficar nem minimamente gratos pelo favor.

— Por que será que estou com a impressão de que você está se projetando na minha vida?

— Porque estou. Dã.

Bem, pelo menos ela é honesta.

— Digamos apenas que tenho inúmeros familiares que de repente começaram a ser simpáticos comigo depois que fiquei rica e famosa — continua. — Admito, foi bom receber chuvas de elogios em todas as reuniões de família, ofuscar todos os meus irmãos e primos. Quando alguns tios e tias não conseguiam pagar o aluguel, ou quando estavam sendo acossados por credores, ou quando "só" precisavam de alguns milhares de yuans para colocar o filho em uma escola melhor, bem, era normal cuidar da família. Então eu cuidava. Mas, quando vi, estava sustentando no mínimo quatro famílias que não queriam trabalhar, três garotos que tiravam notas terríveis em escolas caras para as quais não davam a mínima e cinco pessoas viciadas em jogos de azar. Estes eram os piores. Sempre juravam que os credores iriam *literalmente cortar seus dedos* daquela vez e que nunca mais fariam aquilo de novo. E então, o que faziam? Jogavam. De novo.

— Ah. Nossa.

— É. Levei um ano e meio para me dar conta de que a maioria das pessoas tem que resolver os próprios problemas sozinhas. — Qieluo inclina a cabeça e a encosta na parede. — E adivinhe o que fizeram quando parei de ajudá-los? Me xingaram de tudo que você possa imaginar. Espalharam todos os tipos de boatos sobre mim. Pelo menos, muitas das pessoas que eu mais tinha ajudado acabaram me respeitando. Então não me importo mais com quantos dedos meus tios perderam. Não deviam ter continuado enfiando as mãos embaixo do cutelo.

Respiro fundo, então solto o ar pelo nariz.

— Mas meu caso não é esse. É diferente.

— Óbvio. Sempre é.

— Sério! Eu...

— Sabe, há um tipo de predador que se disfarça de presa. É o mais perigoso para pessoas como nós.

Faço uma pausa. Juro que minha toalha fica fria em meu pescoço.

— Pessoas como nós?

— Pessoas que se recusam a ceder, sem se importarem com quantos golpes duros e xingamentos recebem, mas que desmoronam assim que alguém os toca com gentileza ou usam um tom de voz mais suave.

Meu espírito estremece, como se alguém tivesse arrancado minhas roupas no meio do corredor.

— Você deveria ter ouvido o próprio conselho. — Seu olhar me perfura. — Nunca ceda. Ninguém nunca ganhou respeito por ceder aos outros. A única coisa que você fez foi passar a mensagem de que não há consequências para quem a trata como lixo.

Minhas mãos se fecham e se abrem sobre os braços da cadeira de rodas.

— E por que você se importa com isso?

— Os canalhas prepotentes deste mundo estão onde estão por causa de mulheres que perdoam fácil demais. E a coisa que eu mais quero na vida é limpar o mundo de canalhas prepotentes. Depois dos hunduns, claro.

— Bem, livrar minha família de canalhas é exatamente o que estou tentando fazer. Só que a metade mais inocente dela precisa de um bom empurrão para se libertar.

— Se você diz. Mas lembre-se: um dia, isso tudo vai se voltar contra você.

Outra réplica chega a minha garganta, mas Qieluo se afasta antes que eu consiga pronunciá-la.

CAPÍTULO TRINTA E SEIS

A COROA

No dia de minha Coroação de Par, acordo antes do nascer do sol, desvencilhando-me do calor de Yizhi.

É estranho saber que estou prestes a ser unida para sempre a alguém que não é ele. Mesmo depois de voltarmos para a Grande Muralha, não tenho planos para terminar nosso relacionamento, mas mesmo assim beijo-o com uma urgência desesperada, correndo as mãos por toda a pele tatuada a que me acostumei.

Chego aos vestiários atrasada.

Minha mãe veio. Como eu esperava, Gao Qiu ficou satisfeito em trazer minha família. Um pouco satisfeito demais para o meu gosto, mas a quem mais eu poderia recorrer?

Depois que a equipe de produção me ajuda a tomar banho, minha mãe insiste em me sentar diante de uma janela aberta e realizar um ritual pré-nupcial de pentear os cabelos, pois ainda acha que se trata de um casamento. Não consigo evitar um sorriso enquanto ela conta alegremente sobre as maravilhosas coisas da cidade que experimentou em apenas dois dias.

Porém, mais do que tudo, está extasiada com meu "casamento". Não a vejo tão feliz desde... sempre. Não sei se é mais triste ou mais angustiante o fato de que ela tenha sido destruída pelo casamento e mesmo assim esteja felicíssima em ver o mesmo martelo se aproximando de mim.

Enquanto minha mãe penteia meu cabelo com um pente de sândalo — uma bênção para uma vida e um casamento longos —, as palavras divergentes de Xiuying e Qieluo se chocam em minha mente. Mas, quando penso nelas como pessoas, tudo fica óbvio: não quero ser amarga e ressentida como Qieluo. Quero ser, pelo menos, meio feliz, como Xiuying.

E quero que minha mãe e minha avó sejam também.

O que as impede é a crença de que uma mulher não possa viver uma vida plena de sentido sem construir uma família. Vou mostrar a elas; vou provar que isso não é verdade. Podemos viver para muito mais. Podemos viver pela justiça. Pela mudança. Pela vingança. Pelo poder.

―⁂―

A Coroação de Par acontece na sala de banquete do hotel mais luxuoso de Chang'an: o Lótus Dourado. Como não poderia deixar de ser, Gao Qiu é o proprietário.

Ele contorna a ambiguidade moral de realizar uma cerimônia tão luxuosa para dois assassinos ao fazer parecer um evento de arrecadação de fundos para o Exército. Assentos foram leiloados em nome do esforço de guerra. O próprio estrategista-chefe Zhuge Liang partiu da Grande Muralha para oficiar o evento. Convenci o Comando Central a conceder a Shimin o título de Rei dos Pilotos que lhe foi negado ao longo dos dois últimos anos. É a desculpa perfeita para finalmente colocar uma coroa em sua cabeça. Ele precisa abrir mão do prêmio em dinheiro que normalmente vai para a família do vencedor, mas, de qualquer jeito, vai ganhar muito mais dinheiro para Gao Qiu com as transmissões ao vivo da cerimônia.

Durante o discurso de abertura do estrategista-chefe Zhuge sobre o poder e o potencial de Shimin e meu, Shimin permanece de pé atrás de uma segunda cortina no palco, pronto para ser revelado primeiro. Yizhi, Sima Yi e eu aguardamos nos cantos escuros. Meu visual de coroação é tão elaborado que mal consigo me sentar segurando o manto pesado que estou usando para esconder tudo até o momento da revelação. Yizhi carrega a coroa sobre uma almofada com bordados dourados; um pedaço de seda vermelha a cobre. E Sima Yi... Bem, Sima Yi simplesmente queria estar presente para a coroação.

Quando a cortina se abre e luzes em tons de mel recaem sobre Shimin, um clamor irrompe dentre os mais ricos de Huaxia. Vestido em trajes caros sob medida, eles se levantam em torno das oitenta e oito mesas espalhadas pela sala de banquete de mármore reluzente. Toalhas de mesa vermelhas e leques de papel adornam todos os pratos, parecendo uma carnificina outonal de folhas mortas. É uma recepção visivelmente mais calorosa do que a que recebemos quando chegamos em Chang'an. Podemos ainda ser controversos, mas agora somos celebridades. Estas pessoas não se importam com Yang Guang ou com a família assassinada de Shimin; se importam em poder contar vantagem para sempre sobre terem conseguido um lugar para este evento.

Quanto aos espectadores em casa... bem, mesmo se estiverem assistindo para nos odiar ainda mais, estão aumentando nossos lucros.

Os aplausos abafam o tilintar da armadura de Shimin enquanto ele marcha em direção ao estrategista-chefe Zhuge. Uma faixa de gaze vermelha salpicada com pó dourado cinge seu pescoço para esconder a coleira do Exército, cuja guia pende entre suas asas. Mais duas faixas caem das plumas de metal que formam suas brafoneiras, roçando o chão lustrado.

— Li Shimin — diz o estrategista-chefe Zhuge. — Por suas inigualáveis contribuições ao esforço de guerra, o Exército de Libertação Humana o reconhecerá como Rei dos Pilotos dos anos 219 e 220 da Huaxia unificada!

Yizhi e eu trocamos um sorriso rápido. Ele caminha para a área iluminada com a almofada de algodão, provocando outra onda de assobios e aplausos. Enquanto atravessa o palco, afasta a seda vermelha que a cobre, revelando a coroa. Um murmúrio baixo percorre a plateia. Estão decepcionados. Duas semanas de expectativa para uma coroa padrão de anel duplo com algumas penas na frente?

Dou um sorrisinho.

Não perdem por esperar.

Shimin faz uma expressão ofendida e ergue um dedo protegido pela armadura. Yizhi se atrapalha e para.

Olhando para baixo, com um desgosto teatral, Shimin toca a coroa com o dedo. Fecha os olhos pintados com kajal. *Qi* vermelho sobe da parte da armadura espinhal até a coroa.

As penas se movem, vivas.

O metal primordial da armadura de Shimin corre para a coroa na forma de novas penas, cobrindo-a com o movimento de uma correia transportadora. Asas se agitam e se projetam, como as de um pássaro para secar a água absorvida em um aguaceiro. Os convivas do banquete dão gritinhos de surpresa, satisfeitos.

As quatro asas batem, maiores e mais amplas, nas laterais da coroa, gigantescas e épicas de uma forma que apenas um piloto categoria Rei daria conta. Os anéis duplos se metamorfoseiam em uma estampa de chamas ondeantes e repleta de torções. Pontas carmim despontam no topo, entre as asas.

A plateia está absorvida pelo espetáculo. Boquiaberta. Na mesa de pilotos famosos, um Yang Jian já intoxicado estala os dedos no ar enquanto grita um "É isso aííí!". Na cadeira ao lado, Qieluo o encara, mas não o repreende.

O estrategista-chefe Zhuge segura a coroa, os dedos fazendo força sob o peso. Metal primordial é mais pesado do que chumbo se você não está conectado a ele.

— Bem-vindo ao Hall da Fama, meu Rei. — Ele sorri enquanto coloca a coroa sobre a cabeça de Shimin, que precisa se abaixar bastante para isso.

Quando se endireita de novo e abre os olhos, Shimin se ilumina não apenas com *qi* do tipo Fogo, mas também com seu *qi* do tipo Terra secundário. Uma trilha de meridianos, como passagens de lava e ouro, estampa seu rosto e pescoço. Suas íris brilham com ambas as cores, com um anel de amarelo brilhante em volta de um anel de vermelho feroz. Rajadas radiantes de *qi* se agitam em sua armadura e coroa, fazendo-as parecer em chamas.

Ele finalmente parece completo. Um verdadeiro piloto.

Ouço uma fungada a meu lado.

Fico atônita.

— Estrategista Sima, você está... chorando?

Para minha surpresa, ele não nega.

— Ainda lembro quando o tiramos do campo de prisioneiros. Ele levou seis dias para pronunciar uma única palavra. —

Sima Yi limpa os olhos com o nó dos dedos, depois me dá um tapinha no ombro. — Enfim, pode ir.

Soltando um fraco gemido, me levanto da cadeira com sua ajuda. Embora eu não esteja totalmente recuperada, a armadura me dá forças para ficar de pé. Com cuidado, caminho no palco ocultada por mais uma vastidão de cortinas. Meus batimentos se aceleram quando chego ao centro, por trás da silhueta do estrategista-chefe Zhuge. Ele fala sobre como Pares Equilibrados podem ajudar um ao outro a crescer, plantando a primeira semente de um arco de redenção para mim e Shimin.

Não há nada que abale mais a alma das pessoas do que uma história de redenção genuinamente boa, disse-nos Gao Qiu alguns dias atrás. *Depois que voltarem vitoriosos, de preferência com um ato de autossacrifício em uma batalha emocionante, nem mesmo seus piores detratores saberão se têm moral para continuar odiando vocês. A ambiguidade de suas personalidades vai alimentar debates por anos a fio.*

O sangue latejante em minhas orelhas quase me faz perder a deixa.

— E, agora, a garota que fez o impossível: Wu Zetian!

As cortinas deslizam, abrindo-se. Luzes golpeiam meus olhos. No último segundo, decido fechar totalmente as pálpebras. Só depois de um tempo de aplausos as abro, lenta e hesitantemente.

Yizhi e o estrategista-chefe Zhuge recuam para os bastidores. Vou até o lado de Shimin sem olhar para ele, com o manto pesado se arrastando no palco. Os convivas do banquete se inclinam para a frente em seus lugares, estreitando os olhos, como se estivessem tentando enxergar com raios X o que estou usando por baixo.

Alimento a expectativa, examinando-os com um olhar frio. Então desafivelo o manto e o jogo para trás com um movimento brusco de asas.

A plateia explode, deliciada. Yang Jian esquece que está segurando um cálice e derrama metade da bebida em Qieluo, enquanto agita os braços.

Gosto bem mais dele do que de seu primo distante que matei.

Para ser sincera, meu visual de coroação não é tão complexo, mas é *grandioso*. Seda vermelha, diáfana, ondeia sob as caudas de fênix das saias da armadura, que são volumosas e grandes. Vou precisar espremer tudo isso em um segundo para Shimin alcançar o topo de minha cabeça. Uma tempestade de penas douradas espirala da gaze dourada próxima à barra. Rubis em fios dourados gotejam sobre o restante da armadura. Faixas salpicadas de dourado iguais às de Shimin pendem de minhas brafoneiras.

Quando me viro para encará-lo, tento não desequilibrar sob o peso do penteado elaborado, que só foi possível porque incrementaram meu cabelo com vários apliques. Pauzinhos dourados adornados de joias se projetam para todos os lados como raios de sol. O penteado mal deixa espaço em minha cabeça para a coroa.

— Wu Zetian — diz Shimin, e o som de sua voz reverbera pelo salão de banquetes com o auxílio de um microfone escondido. Quase consigo sentir a plateia segurando o fôlego, pois é a primeira vez que ouvem sua voz grave e estrondosa. — Que nosso coração bata em sincronia e que nossa crisálida subjugue os hunduns.

Com cuidado, ele ergue o anel superior de sua coroa acima da cabeça. Duas das quatro asas vêm junto. Quase perco a compostura ao encontrar seu olhar de mágoa. Deve ser o único piloto a coroar um Par que não lhe pertence.

Só que, de novo, não *pertenço* a ninguém, nem nunca pertencerei.

Olho para além dele, para Yizhi, que está nas sombras das coxias, sorrindo e fazendo um sinal de incentivo com o polegar.

Soltando um pequeno suspiro, abaixo a cabeça.

Há apenas um leve tremor na voz de Shimin enquanto ele continua a falar.

— Sob o testemunho do Céu, da Terra e de nossos ancestrais, eu a declaro meu Par Verdadeiro.

Ele coloca a coroa magnífica sobre minha cabeça. No mesmo instante, faço uma linha de metal primordial subir deslizando por minhas costas para se conectar a ela. Seu peso opressor desaparece de imediato, tornando-se parte de mim.

Meus lábios pintados de vermelho se contraem. Emoções se digladiam dentro de mim quando penso nas meninas por toda Huaxia que devem estar maravilhadas assistindo a essas cenas, aprendendo todas as lições erradas, as aspirações erradas, os sonhos errados. Este é o preço que estamos pagando para sobreviver: permitir que este sistema terrível nos use como iscas.

Minha redenção de verdade só poderá advir de uma reformulação do sistema de pilotagem antes que essas meninas tenham idade suficiente para se alistar. Ainda não sei como, mas com certeza terei poder de barganha depois de voltar, gloriosa, do contra-ataque.

Ergo a cabeça com a mesma chama dramática de *qi* acendendo minhas íris, meridianos e armadura, assim como aconteceu com Shimin momentos antes. Primeiro, brilham em um branco do tipo Metal, então o vermelho do tipo Fogo se junta, com um pequeno atraso. Quando comecei a treinar para me tornar uma piloto, meu *qi* secundário oscilava entre Água e Fogo.

Sima Yi disse que era bastante estranho, porque as pessoas normalmente pendem para um lado ou para o outro, mas desde então me ensinou a favorecer o Fogo em detrimento da Água, pois é o melhor elemento para derrotar o imperador do tipo Metal que está governando Zhou.

De mãos dadas, Shimin e eu batemos as asas e nos elevamos do palco. As lufadas de vento fazem tudo a nossa volta se mexer. Mais uma vez, a plateia explode em gritos e aplausos. Suas cadeiras arranham o solo em uníssono, ecoando pelo salão, enquanto eles se levantam.

Sincronizados, nos viramos para o público, o Rei e a Rainha dos pilotos olhando de cima para os fracotes que dependem de nossa força. Nos tempos antes da morte de Qin Zheng, se jogariam e encostariam a testa no chão em uma reverência. Agora, somos apenas um entretenimento passageiro. Sustentamos os personagens para atrair seu interesse, sem parecermos muito mais do que entediado, ele, e presunçosa, eu.

Até que minha atenção é capturada por uma mesa em específico nos fundos.

Como bestas assustadoras invadindo uma pocilga dourada, alguns estrategistas da fronteira Sui-Tang estão aqui. An Lushan está entre eles, aplaudindo, contrariado.

Aperto com mais força a mão de Shimin. Preciso de todo o meu autocontrole para manter o personagem. Meu corpo vibra com a urgência de voar até lá e enfiar um grampo pontudo de cabelo na jugular de An Lushan.

Mas uma onda de admiração surge sob o vermelho ofuscante em minha mente. Gao Qiu conseguiu. Não apenas pacificou nosso inimigo mais perigoso, como o transformou em um dos *convidados da festa*.

Dou uma olhada de canto de olho para a mesa de Gao Qiu. Ele devolve o olhar e sorri de imediato, como se estivesse aguardando este exato momento.

Ódio ferve junto com minha admiração, mas engulo ambos. Não é hora de me concentrar nele. Preciso focar no contra-ataque que está começando a se concretizar. Ou estarei condenando duas províncias inteiras.

CAPÍTULO TRINTA E SETE

INFINITO

O banquete termina tarde da noite. Depois de os convidados partirem em suas luxuosas carruagens elétricas, totalmente bêbados, Shimin e eu somos escoltados até uma das suítes na cobertura do hotel.

Ele me deixa tomar banho primeiro para me livrar das camadas de maquiagem e do penteado que deixou meu pescoço dolorido. Quando saio do banheiro, ele passa voando por mim em meio ao vapor, então fecha a porta de novo.

Sua intenção deve ser que eu pegue no sono antes dele para que possamos ignorar a questão de consumar nossa parceria.

Em vez disso, me deixo cair em uma cadeira elaborada de madeira sob as lanternas vermelhas da sala e espero. Sinto uma montanha-russa de emoções dentro de mim. Essa tensão entre nós já dura tempo demais. Hoje, está na hora de eu resolvê-la.

Quando sai do banheiro, com o robe vermelho solto sobre o corpo, ele volta a colocar os óculos depois de um dia inteiro sofrendo com lentes de contato.

Recua ao me ver.

— Não consegui chegar ao quarto — falo, tão tranquila quanto possível, embora não consiga evitar que minhas orelhas fiquem quentes, sobretudo à visão da pele de seu peito. — Pode me levar, por favor?

— Ah. Ok. — Ele prende melhor o robe antes de se aproximar.

Se a intenção de Shimin é deixar as coisas menos íntimas, não adianta. O calor de nosso corpo atravessa a camada fina de seda que nos cobre, úmida pelo vapor, praticamente pele contra pele. Sinto todas as curvas e todos os contornos de seus músculos enquanto se tensionam para me carregar. A sensação me atordoa, desnorteando meu fluxo sanguíneo.

Até Shimin aparecer, nunca havia percebido o quão hipnotizante esse tipo de masculinidade pode ser. Uma força estável e controlada, usada para proteger e defender, não para aterrorizar e subjugar. Em seus braços, me sinto segura para ser vulnerável. Não preciso me forçar a ser a Viúva de Ferro fria, cautelosa e solitária o tempo todo.

Colo a orelha ao seu peito. Seu coração está batendo rápido.

Tão rápido quanto o meu.

Ótimo.

Quando empurro a porta, uma fragrância exala do quarto. Uma luz vermelha suave atravessa uma treliça de madeira fixa no teto. Em uma penteadeira de mogno, duas velas marrons tremeluzem em candelabros de bronze, fazendo a atmosfera do quarto pulsar como uma câmara cardíaca. Até mesmo nossa pele parece tingida por um vermelho vibrante. Observo minha mão na luz, transfixada.

A cama é do mesmo estilo rebuscado que a do loft de Yang Guang. Está protegida por uma moldura alta, esculpida, com uma abertura redonda, por onde a luz entra.

Shimin me abaixa até os lençóis de seda. Cruzar a moldura da cama é como cruzar um limiar para um novo mundo. Um mundo mais denso, mais compacto, onde todas as sensações são mais aguçadas e profundas. Por um segundo, ele paira acima de mim, com os ângulos do rosto esculpidos por uma luz vermelha, sombras aveludadas e o arco bruxuleante de uma vela. O espaço entre nós parece fadado a desaparecer.

Mas não é o que acontece.

A atmosfera do seu calor me abandona, afugentada por uma lufada fria de ar. Ele se volta para a porta.

Agarro a ponta de seu robe.

— Aonde você vai? — pergunto.

— Vou dormir no sofá — diz ele, sem me encarar. — Não tem problema.

— Não quero que você durma lá.

Devagar, ele se vira, com surpresa brilhando nos olhos. Exatamente como aconteceu depois de nossa primeira batalha, quando descobriu que eu havia sobrevivido.

— A cama é grande o suficiente para nós dois — continuo, deixando as palavras transbordarem, no caso de ele estar decidido a bancar o desentendido.

Solto o robe. Meu corpo está quase insuportavelmente tenso, a ponto de estourar ou se quebrar.

A surpresa cautelosa de Shimin desvanece, e sua expressão se torna sombria.

— Você não precisa mais atuar, sabe.

— Não estou atuando. — Franzo o cenho, sentindo a garganta seca e o coração acelerado. — Juro.

Suas sobrancelhas se arqueiam.

— Então o que está fazendo?

Solto uma risada.

— Seduzindo você, acho.

Uma pontada de surpresa atravessa seu rosto.

Sustento seu olhar, relaxando os dedos quando percebo que estão tensionados, para garantir a ele que estou falando sério, que estou segura de minha decisão.

Ele demora um pouco para encontrar as palavras. Acaba repetindo o que disse antes, mas em um tom diferente. Mais torturado.

— O que está *fazendo*? — Ele balança a cabeça. — Você tem Yizhi.

As palavras causam uma pontada em meu coração, mas mantenho a postura.

— Tenho. Isso o incomoda?

— Não, ele é perfeito para você. — Toda a severidade desaparece dos olhos de Shimin. — Ele é gentil, corajoso, confiável, ele... — Shimin faz uma cara confusa. — A pele dele é tão suave. Parece porcelana.

Congelo. Às vezes me pergunto se, assim como Yizhi, a atração de Shimin não se limita apenas a mulheres.

Mas não sei se Shimin se sentiria confortável em expressá-la. Em minha aldeia, ele ficaria marcado como um alvo de fofocas ferinas, com certeza. Algumas semanas atrás, quando Yizhi e eu estávamos conversando sobre o assunto, na cama, ele disse que as pessoas da cidade não ligam tanto para isso, mas ele é rico e mora na capital. É muito mais fácil do que para a maioria das pessoas.

Seja como for, é algo para Shimin e Yizhi descobrirem. Isto aqui é entre *mim* e Shimin.

Ele recua, vacilante.

— Você deveria escolher o Yizhi.

Eu me inclino para a frente com um grunhido, cravando as unhas na borda da cama.

— Escolher? Por que tenho que *escolher* só um de vocês?

— Você... não pode... traí-lo.

— Trair é enganar. Ele e eu conversamos sobre a questão. Ele é seguro o suficiente para saber que não se trata de uma competição. Que qualquer sentimento que eu tenha por você não anula os sentimentos que tenho por ele. Ele não se incomoda nem um pouco com o fato de a gente ficar junto.

— Ele está falando da boca para fora.

— Não está. Ele me disse que o amor pode ser infinito, desde que seu coração consiga se abrir. E meu coração está aberto para você, Shimin.

Seu rosto fica lívido. Ele me encara.

Não sei o que significa.

Uma vergonha repentina me domina, e abaixo a cabeça. Talvez não devesse ter cruzado esse limite.

— Se for muito estranho, tudo bem — falo. — Nós podemos continuar...

Shimin se aproxima outra vez, e então levanto a cabeça.

Nossos olhos se encontram. Os dele, vulneráveis; os meus, ternos. O oposto do que deveria acontecer. Mesmo reclinado à frente, sua sombra me eclipsa. Ele parece perceber e se ajoelha para que fiquemos frente a frente.

— É isso mesmo que você quer? — sussurra ele em um tom rouco. — Se Sima Yi, ou seja lá quem for, convenceu você, então não. Você não me deve nada. E, principalmente, você não precisa ter... pena de mim. — Ele desvia o olhar do meu, virando a cabeça na mesma direção.

Seguro seu rosto para fazê-lo olhar para mim.

— Não tenho pena de você, seu idiota — falo, com uma risadinha. — Eu gosto de você. — Deslizo as mãos até suas clavículas, sentindo seu batimento acelerado nas palmas. — Embora o mundo inteiro repita inúmeras vezes que você é perverso, gosto de quem você se tornou. Pode ser que haja algumas partes inegavelmente monstruosas aí dentro, mas tudo bem. Eu também tenho. Não importa o que digam, tenho orgulho em chamar você de meu copiloto, Demônio de Ferro.

Sua expressão suaviza. Um brilho infantil transborda em seus olhos. Nunca o vi parecer tão jovem. Nossa respiração cálida se acelera, espiralando. Sua boca se move, como se estivesse tentando articular uma resposta.

Mas ele apenas ergue meu queixo e me beija.

Sua gentileza é instigante. Um rapaz como ele precisa se esforçar para ser gentil, e, no entanto, é como Shimin sempre age perto de mim.

Nossa boca se move uma de encontro à outra com murmúrios suaves e lentos. Quando ficamos sem fôlego, ele se senta sobre os calcanhares, ergue minha mão e beija os nós de meus dedos. O gesto desfaz qualquer resquício de resistência que ainda pudesse existir dentro de mim.

— E eu tenho orgulho de ser o *seu* parceiro, Viúva de Ferro. — Ele ergue o olhar para mim, através das lentes, com uma faísca de *qi* vermelho chiando de sua braçadeira espinhal até os olhos. Demoníaco e doce ao mesmo tempo.

— Sabe, esse não é um título muito auspicioso — falo, embora não consiga evitar um sorrisinho.

— Madame Encantadora, então. — Ele corre o polegar sobre meus dedos. — *Mei-Niang*.

— Tudo bem. Gosto de apelidos irônicos.

Engancho um dedo no colarinho de seu robe e o puxo para mais um beijo. Mais agressivo desta vez. Mais urgente.

A atmosfera do quarto muda. Ele deixa que eu o guie para cima da cama e, depois, para cima de mim. Seus joelhos se acomodam em ambos os lados de meu corpo, fazendo o colchão pressionar meus quadris. Ele é o único com quem consigo me sentir tão confortável ao ser imobilizada por alguém tão forte e imponente. Sua boca se abaixa para encontrar a minha. Minha mente transborda sob as sensações de sua pele sólida, seu peso esmagador, seu calor intoxicante.

Procuro a faixa de seu robe.

Sua mão voa até meu pulso, mas então relaxa o aperto.

— O que foi? — sussurro contra seus lábios.

Por que será que os rapazes sempre têm medo de me mostrar o peito?

— Tenho muitas cicatrizes — murmura ele com um tom mais rouco, deixando-me tonta, fazendo-me contorcer.

— Não vou me assustar — falo, numa só lufada de ar.

Ele deixa a mão cair, mas não volta a me beijar. Hesita, com o peito arfando lenta e profundamente.

Puxo a faixa e solto o robe.

Sempre que abro a última camada de roupa de Yizhi, sou tomada por uma satisfação calma como a luz do luar.

A pele de Shimin me faz sentir tudo, menos calma.

Fico boquiaberta ao observar os músculos e as cicatrizes em seu torso. Queria ter sua força, queria *ser* Shimin, e mesmo assim odeio que ele tenha tido que passar por tanta coisa. É como se eu pudesse ler sua história com os dedos, as coisas que ele superou e venceu.

Não consigo evitar uma comparação. A dor estéril das tatuagens de Yizhi contra a agonia crua das cicatrizes de Shimin, nascidas de diferentes formas de dor.

Há um motivo para Shimin ter sido o piloto mais poderoso de Huaxia durante dois anos. E não tem nada a ver com a facilidade com que consegue me carregar sem derramar uma gota de suor.

Ele é a pessoa mais forte que consigo imaginar por ter escolhido acordar todos os dias e encarar a própria vida.

Apesar dos horrores sem fim pelos quais ambos passamos, sou realmente grata por termos sobrevivido para nos conhecermos.

CAPÍTULO TRINTA E OITO

NÃO A ESQUEÇA

Quando a garota me dá um beijo na testa, no bunker apertado que chamamos de lar, uma corrente fria de pavor e pânico corta a quentura que eu deveria sentir, pois sei que isto não vai ter um final feliz.

— *Vá embora! Vá embora! Vá embora! Vá embora...*

Ela pega minha mão e pressiona os lábios contra os nós de meus dedos. É como se seu gesto fizesse meu coração se livrar de uma camada de pó. Mas as palavras reconfortantes que fluem de sua boca são abafadas pelos gritos crescentes em minha mente.

— *Corra! Corra! Corra!*

Quero acabar com isso imediatamente, mas não tenho forças para evitar ser engolfada pela maré de cenas.

É como observar um coelho cair na toca de um lobo. Só que ela não é nenhum coelho. Apesar de seu tamanho minúsculo e de seu rosto doce, sua pressão vital é uma besta com vida própria. Juntas, ativamos uma das maiores cascas de hundun que já foram salvas. Adquiriu a forma de *zhuque*, um pássaro da categoria

Príncipe. Nosso coração estava batendo em sincronia quando aconteceu.

Dizem que ela é meu Par Verdadeiro.

— ... *mentirasmentirasmentirasmentirasmentiras...*

O estrategista Sima nos treina. Tentamos dançar no gelo. Ela me ensina a dançar enquanto luto. *Bagua Zhang*, a arte marcial dos círculos, do vento e da evasão. Nossos passos deixam espirais e trilhas de pegadas na neve. Nosso tempo juntos passa em movimentos circulares, sem nenhum de nós saber quão rapidamente está transcorrendo.

— ... *não vá até o...*

Achamos que estamos prontos para a batalha. Acho que posso fazer qualquer coisa, desde que ela esteja a meu lado.

— ... *não vá...*

Mas os hunduns atacam novamente, atacam com vigor. A batalha exige mais e mais de nós. É só o que consigo pensar. Só por isso uso minhas garras.

Não percebo quando consumo a mente dela.

— ... *não...*

— ... *vá...*

Sinto todas as nuances de suas últimas emoções como uma corda de seda escapando de minha mão, com a ponta cada vez mais próxima do fim, mas não consigo segurá-la. Ela está morrendo de medo. De mim. Arrepende-se de tudo que a trouxe até aqui. Só o que quer é se afastar de mim para sempre.

E consegue.

༺༻

Acordo encharcada de lágrimas, soluçando. Shimin já está me abraçando, acariciando minhas costas, com cuidado para não tocar meu ferimento. Ainda é noite. Um pouco do fulgor da cidade brilha através da janela de madeira telada, iluminando as pontas de seu cabelo aparado com rosa e azul neon.

— Odeio isso! — grito na escuridão, agarrando a cabeça. — Tire essas imagens da minha mente!

— Me desculpe — diz ele. — Foi uma das minhas memórias?

Caio num torpor.

É Shimin quem deveria estar sendo reconfortado. A lembrança era *dele*. Não se trata de um pesadelo grotesco ou de algo que se possa afugentar com um grito, mas algo que ele viveu.

— Sabe, todas as noites eu sonho que estou caminhando sobre punhais — murmura ele, suave. — Parece um pesadelo, mas acho que é a sua vida, né?

Parece que é, mas não faz com que eu me sinta nem um pouco melhor.

— Sonhei com *ela* — sussurro.

As palavras o atingem como um tiro. Suas mãos se deixam cair de minhas costas e fazem um pequeno baque no colchão.

— Wende? — pergunta ele, com a voz quase sumindo.

Assinto, sorrindo.

Ele solta um longo suspiro. Seus olhos se fecham com força.

Acaricio sua mão, aquecendo-a. É áspera em alguns pontos, mas surpreendentemente macia em outros. A mão de um artista coberta de cicatrizes e calos.

— Foi a coisa mais horrível que já senti. Sinto muito.

— Sinto muito que tenha passado por isso. Eu não desejaria isso para... Não, é mentira. — Ele aperta minha mão. — Eu desejo isso para muitas pessoas.

Sem saber mais o que dizer, puxo-o para perto e deito a cabeça em seu ombro, ao lado do cheiro forte de aço de sua coleira. Ele me envolve, acariciando meu cabelo.

Há uma diferença fundamental entre o tipo de dor que suporto e o tipo de dor que *ele* suporta. A minha se deve apenas ao fato de ter nascido mulher. Tenho certeza disso, sei que é ridículo e posso odiar e me rebelar o quanto quiser.

Mas, no caso de Shimin, é complicado. Ele está envolto em remorso, em *culpa*. Um emaranhado de escolhas impossíveis que o colocou numa situação ainda pior. Mesmo quando ele fez o que acreditava ser certo, o universo só o puniu por seus atos.

— Não entendo o carma. — Ele estremece. — Wende era gentil, inocente e acreditava em coisas melhores. Mas fui eu que sobrevivi. E vivi por tanto tempo, embora soubesse que acabaria matando uma garota a cada vez que entrasse numa batalha.

Ergo a cabeça e seguro seu rosto, acariciando com o polegar a tatuagem de prisioneiro em sua bochecha.

— Você não fez nada. Estava lutando por Huaxia. E querer viver não é errado, sob nenhuma circunstância. Me desculpe se eu algum dia... dei a entender qualquer coisa diferente disso. Eu não valorizava minha própria vida na época.

Desde o dia em que nasci, o mundo me disse que devo aceitar o que me for designado por homens dignos. E talvez, apesar de minha rebeldia incessante, eu tenha aceitado. Eles me disseram para escolher entre sua doutrina ou morrer, e eu escolhi. Escolhi a morte. Mas foi o fato de me render que me tornou destemida.

Minúsculos pontos de luzes da cidade tremeluzem nos olhos de Shimin.

— Tudo bem. É uma questão complicada para mim.

Cerro os dentes. O que Yizhi diria? Dou meu melhor para me conectar a ele.

— Você precisa lembrar que pilotos são ferramentas. Armas. Nenhum de nós tem poder de ação real. Quem controla tudo por trás das cortinas são os estrategistas e oficiais do alto escalão do Exército. E foram eles que decidiram continuar enviando garotas para você. Qualquer escolha que lhe ofereceram não passava de uma ilusão com a intenção de fazer você suportar o peso da culpa, para que eles não tivessem que se dar ao trabalho. — Minha voz adquire um tom de raiva mais intenso. — Não os deixe se safarem. Seria o mesmo que aceitar as coisas como elas são, e não devemos fazer isso.

Ele levanta os olhos, mas continua parecendo perdido.

— O que devemos fazer, então?

Minha ficha cai: esta é nossa última noite no território de Gao Qiu. Amanhã de manhã, uma nave flutuante vai nos levar de volta à Grande Muralha. Se quiser dizer qualquer coisa contra o Exército, preciso dizer agora. Seria muito mais perigoso quando eu estivesse de volta a seus domínios.

— Se o contra-ataque for bem-sucedido, teremos muita influência no Exército — sussurro, agarrando as mãos de Shimin. — Poderíamos fazer pressão em prol de algumas mudanças no sistema de pilotos. Neste momento, garotas só são colocadas com pilotos homens que tenham pressões vitais mais altas, mesmo quando os valores delas são aptos para controlar crisálidas. Não parece ser a melhor forma de fazer as coisas.

— Não estou dizendo que seja, mas as mulheres são naturalmente mais fracas de espírito do que os homens — diz Shimin, de maneira suave e triste. — Como justificaríamos uma reavaliação?

Aperto os lábios.

— Será que essa informação é verdadeira, ou as coisas só *parecem* ser assim? Deve haver alguma garota com uma pressão vital mais alta do que a minha nesta cidade, agora mesmo. Mas a família dela nunca vai deixar que ela faça o teste, porque sabem...

Minhas palavras, junto com todo o meu fluxo de pensamentos, se perdem enquanto duas peças do quebra-cabeça se encaixam. Eu me ajoelho na cama, encarando Shimin.

— Espere um minuto — falo. — Mulheres costumam ter a pressão vital mais baixa, mas que pode ser sentida de forma mais intensa?

— Acho que sim? — Ele franze o cenho.

— Por quê? Como? O que faz com que a pressão vital de uma garota seja, em essência, diferente da de um garoto? — Em um lampejo, lembro-me da cena da borboleta que Yizhi e eu vimos na última vez que estivemos na floresta, aquela com as asas yin e yang. A prova casual de que o sexo masculino e o sexo feminino não são categorias concretas, inquebráveis. — Alguma coisa... Tem *alguma coisa* errada nisso tudo! — Corro os dedos pelo cabelo. — Wende, por exemplo. Ela deveria ser igual a você. Por que morreu?

A postura de Shimin se retrai.

— Eu gostaria muito de saber. Acredite.

Eu me sinto terrível por mencioná-la de novo, mas minha mente está girando depressa em direção a algo que vai virar o jogo, algo com uma força destruidora de mundos, e por isso só o que consigo fazer é seguir em frente, pressionando.

— Você acha que o sistema de pilotos sabota as mulheres de propósito, de algum jeito *técnico*? Além de nos colocar com rapazes mais fortes?

Os olhos de Shimin se arregalam devagar, aterrorizados.

— Por... Por que sabotariam as crisálidas? Isso diminuiria o número de Pares Equilibrados. Eles *precisam* disso. O poder de um Par Equilibrado equivale a pelo menos cinco pares não equilibrados.

— Mas, seja sincero, isso surpreenderia você?

A boca de Shimin vacila várias vezes antes de responder:

— Não.

Agarro os lençóis de seda vermelha.

— Então precisamos investigar se é isso possível. Se é verdade.

— Como? Se o sistema for mesmo assim, deve ser extremamente confidencial. Nunca teríamos acesso a provas.

Meus pensamentos continuam agitados. Meus olhos dardejam de um lado para o outro.

— Os estrategistas da hierarquia mais alta... Eles devem saber, certo?

— Nunca admitiriam para nós.

— A menos que os forcemos. — Sinto uma descarga de adrenalina ser bombeada em meu sangue, mais rápido, mais quente, com mais força. — Na noite da véspera do contra-ataque, seremos invencíveis. Seremos capazes de fazer qualquer coisa, e eles não vão poder nos punir, mesmo se descobrirem. — Engulo em seco. — *Qualquer coisa.*

Mantenho meu tom de voz o mais baixo possível, mas ainda assim é como se tivesse disparado uma arma de fogo no silêncio escuro.

— O que você quer dizer? — As sobrancelhas de Shimin se retesam.

— Sabe como o carma funciona de verdade, Shimin? — rosno. — Não é algo que cai do céu nem que atraímos por meio de preces. Ele precisa ser entregue em mãos. Um certo estrategista sênior nos fez sofrer muito. Então o que estou propondo é que o façamos sofrer também. A ponto de ele nos contar a verdade só para tentar nos convencer a parar.

CAPÍTULO TRINTA E NOVE

AQUELE TIPO DE CARA, AQUELE TIPO DE GAROTA

Logo depois de voltarmos à Grande Muralha, o contra-ataque é anunciado, causando uma comoção considerável pelas províncias Sui e Tang. Nem todas as reações são positivas. Para abafar as últimas dúvidas, iniciamos uma última batalha defensiva para provar que podemos pôr o Pássaro Carmim em funcionamento em uma forma estável.

Com Yizhi no cockpit com a gente, preso a um assento extra, a batalha é tão tranquila que, quando termina, fico aturdida e incrédula ao olhar para o campo repleto de cascas de hunduns. As últimas vitórias foram conquistadas com tanto esforço que parece irreal que uma tenha vindo tão fácil.

Mas veio, e depois os hunduns pararam de atacar.

A trégua é suspeita. Os estrategistas teorizam que os hunduns se deram conta de que um confronto total é inevitável e que agora estão aguardando para ter uma vantagem maior no próprio território.

A fronteira Sui-Tang toma emprestadas todas as crisálidas que as outras províncias oferecem. O tempo de recarga que elas precisam após viajar pelos rios e pelas montanhas de Huaxia nos dá mais duas semanas antes do contra-ataque.

Shimin me contou mais sobre o *Bagua Zhang*, a arte marcial que Wende lhe ensinou. É um estilo muito bonito, mas não é tão nobre: você está sempre girando atrás dos inimigos, atingindo seus pontos fracos e levando-os a fazer movimentos que cedem o controle sobre a luta. Trata-se do estilo daqueles que não conseguem vencer só com a força bruta.

E é o que aplicamos no plano para pegar An Lushan. Estamos aparentemente obedecendo a ordens e fazendo todos os exercícios de treinamento que os estrategistas exigem. Mas, nas sombras, nos movemos como cobras, nos retorcendo e serpenteando em volta de nossa presa e de seus hábitos.

Então, na noite anterior à do contra-ataque, enquanto a maioria dos soldados está distraída pelos pilotos bêbados que festejam no topo da Grande Muralha, nós atacamos.

Com um golpe de *qi*, Shimin atinge um balde de lata de água fervente e o derrama sobre An Lushan.

O oficial acorda num pulo, gritando de forma excruciante. Segura com força as correntes e os cintos que o prendem a uma mesa de inclinação — do tipo em que fui testada para me tornar concubina de Yang Guang. Parece comicamente pequena sob sua forma massiva. A água escaldante pinga de suas sobrancelhas e nariz proeminentes, cobre sua barba e encharca seus trajes de estrategista. Ele estava nu quando Shimin arrastou seu corpo inconsciente da cama, mas demoramos um pouco para vesti-lo, prender seu cabelo em um coque e colocar seu chapéu quadrado.

É muito importante que ele possa ser reconhecido de imediato.

Shimin deixa cair o balde fumegante. Com vários clangores ressonantes, o objeto ricocheteia na plataforma de metal em que estamos. Ficamos em silêncio, permitindo que An Lushan absorva a situação sozinho: a sala de testes gélida e enferrujada em que acordou; as amarras das quais não tem nenhuma chance de escapar.

A câmera entre nós, encarando-o com um olho vermelho.

— *O que é isso?!* — berra ele, com a respiração e as roupas molhadas enchendo de vapor o ar gélido.

Correntes tilintam enquanto ele se contorce um pouco mais, mas só provocam mais gritos. Cada movimento cria novas bolhas em sua pele.

Sou atravessada por uma onda instintiva de horror, que me coage a dar um fim ao sofrimento de um ser humano como eu. Então sinto a presença de Shimin a meu lado, lembro como ele sofria, com uma focinheira no rosto e as veias cheias de álcool, e me torno fria e severa como as chapas de metal da sala.

An Lushan não nos tratou como humanos, então por que deveríamos tratar *a ele* como um?

Foi fácil derrubá-lo com pílulas fortes de dormir uma vez que prestamos atenção a sua rotina. Todos os dias, ele recebe bolinhos recém-cozidos no vapor enviados do refeitório do campo de treinamento. Horas atrás, Yizhi deu um encontrão no rapaz da entrega a ponto de derrubar a panela de vapor de suas mãos. Desculpou-se profusamente enquanto se oferecia para comprar outro lote, depois derramou as pílulas dissolvidas sobre os novos bolinhos antes de entregá-los.

— Temos algumas perguntas — sussurro, acariciando uma toalha sobre meu colo como se fosse um gato, sentada na cadeira de rodas. — Especificamente sobre o sistema de pilotos. Diga-nos: como ele é programado para prejudicar as mulheres?

— Vocês dois estão loucos? — O rosto de An Lushan fica vermelho.

— Bem, você que nos deixou assim. — Um sorrisinho se abre em meu rosto. — Então, desembuche. E rápido. Ou vai ser muito, muito pior.

— Me soltem! Agora!

— Shimin — sussurro, abrindo a toalha de uma só vez.

Ele pega uma garrafa de bebida de uma caixa de ferramentas que Yizhi colocou atrás da mesa de inclinação.

Os olhos de An Lushan se arregalam.

Se está achando que planejamos seguir seu exemplo de alimentação à força, está errado.

Somos mais criativos que isso.

Shimin move a mesa de inclinação de forma que a cabeça de An Lushan se aproxime do chão. Pressiono a toalha sobre seu rosto contorcido.

Pensei que Shimin ficaria mais feliz ao se vingar, mas quando tira a tampa da garrafa e se agacha, sua expressão é assustadoramente vazia. Ele a vira de boca para baixo. A bebida escorre num *glup-glup-glup* ritmado sobre o nariz e a boca asfixiados de An Lushan.

Um guincho molhado, animalesco, gorgoleja contra a toalha. O cheiro forte de álcool domina o recinto. Shimin pressiona a garrafa com mais força. Um traço sutil de esforço perpassa seu rosto.

Remove a toalha. Shimin coloca a mesa de inclinação em pé de novo. An Lushan uiva ainda mais e de um jeito mais agudo enquanto o álcool escorre por seu corpo coberto de queimaduras. Sua dor parece eletrizar a atmosfera.

É uma pena que nem Shimin nem eu tenhamos uma alta aptidão pelo *qi* do tipo Madeira. *Qi* do tipo Madeira sendo conduzido a partir de metal primordial do tipo Metal é um espetáculo à parte. Se tivessem nos autorizado a fazer um traje de armadura para Yizhi, ele poderia disparar raios verdes, uma vez que seu *qi* secundário é do tipo Madeira, conforme indicaram os testes. Seria um ótimo acréscimo ao mix de horrores.

— *Desembuche*. — Levo a cadeira de rodas para fora do alcance da câmera. — Sabemos que o sistema sabota as mulheres. Conte os detalhes. E nem pense em mentir. Sima Yi está passando pela mesma coisa enquanto falamos. Se suas respostas forem diferentes, nós vamos *saber*.

Na verdade, Sima Yi está roncando em segurança na própria cama, mas a mentira é verossímil.

— Mulheres... Mulheres são pilotos mais fracas por natureza! — sibila An Lushan. — É simples assim!

— Não acredito. Shimin, vamos continuar.

Girar a mesa. Derramar a bebida. Gritos e asfixia gorgolejantes.

— Como o sistema de pilotos sabota as mulheres? — pergunto, extremamente calma.

An Lushan prageja, com raiva, começando a engrolar. O efeito do álcool tem ação mais rápida quando entra direto pelas narinas. O que estava nos planos.

— Sabe, tínhamos certeza de que você não cederia fácil. — Inclino a cabeça. — Mas devia pensar numa coisa: vale a pena guardar os segredos do Exército e perder sua linhagem familiar?

Ele fica imóvel na mesa de inclinação.

— O quê?

Shimin me entrega um tablet tirado da caixa de ferramentas. Ergo-o, mostrando a imagem de um garoto amarrado a uma cadeira em um quarto escuro de concreto. Um menino da idade e da compleição do filho de An Lushan.

Na verdade, é uma imagem manipulada pelos contatos da empresa de Yizhi, mas ele não precisa saber. Não faço nenhuma tentativa de blefe verbal. An Lushan que se enrede em seus próprios pensamentos desesperados.

Ele balança a cabeça com uma força selvagem.

— Isso não é... Não pode ser... Vocês *não*...

— Você tem cinco minutos para dizer a verdade. — É só o que digo. Abro um timer no tablet e o exibo em meu colo.

— Ele é só uma criança! — Sua voz rouca se estilhaça. — Uma criança!

— Como o sistema de pilotos sabota as mulheres? — repito. Sem justificativas. Sem dar espaço para negociação.

— Por favor... — Ele chora *de verdade*.

Faço um sinal para Shimin. Ele gira a mesa de inclinação outra vez.

— O assento yin! — grita An Lushan.

Shimin fica imóvel, com a mão em um dos cantos da mesa de inclinação.

— O que disse? — Eu me inclino.

An Lushan respira em lufadas curtas, fechando os olhos com força.

— O assento yin tem uma entrada menos ativa, mais passiva.

Todos os músculos em mim se retesam, tremendo. A resignação em sua voz é inconfundível.

Finalmente, a verdade.

— O que significa "entrada ativa" e "entrada passiva"? — Com mãos suadas, agarro os braços da cadeira de rodas. — Explique.

— A entrada ativa acontece através da pressão vital e dos sinais neurais da espinha. — Ele mantém os olhos fechados. — Entrada passiva é só o fluxo de qi.

Sinto pontadas frias percorrerem meu rosto. É a mesma diferença entre mim e Shimin comandando a crisálida e Yizhi apenas o abastecendo com qi.

Um barulho de vidro se quebrando sobre metal me assusta. Shimin deixou cair uma garrafa de bebida.

— Você está dizendo... — Ele respira profundamente. — Que a pressão vital de uma mulher, na verdade, é *diminuída* em uma crisálida?

Ah. Ele está pensando em Wende. Wende, que deveria ter sido seu Par, mas que sucumbiu à sua pressão vital. E não porque fosse mais fraca, mas sim porque o sistema de fato não permitia que pilotasse usando todo o seu potencial.

— As mulheres fornecem mais qi — explica An Lushan, como se o fato fosse nos acalmar. Como se não significasse que o rapaz é literalmente posicionado para usar a garota como uma bateria.

Shimin se afasta, furioso, os passos pesados ecoando como tiros de arma de fogo. Apoia-se na parede revestida de aço ao fundo da plataforma. Seus punhos se abrem e se fecham sobre o metal reluzente.

Meu corpo inteiro pulsa enquanto ligo os pontos e deparo com as mesmas verdades que devem estar esmagando Shimin: os Pares Equilibrados não são *equilibrados* de verdade. A garota precisaria vencer essa diminuição proposital de força para verdadeiramente se equiparar ao garoto.

A garota precisaria ser mais forte.

O que explica por quê, nos Pares Equilibrados, a piloto sempre parece ter uma pressão vital mais alta do que a do parceiro. É porque de fato temos. Precisamos ter.

Será que Pares Verdadeiros, como Shimin e Wende, teriam funcionado se as entradas fossem iguais?

Não sabemos de nada graças ao desequilíbrio proposital.

— Contei a verdade — diz An Lushan, engasgado com a dor. — Agora deixem meu filho...

— Por quê?! — grito, e minha voz ressoa nas paredes da câmara. — Por que o Exército faria isso? Por que não equalizar tudo? Não conseguiriam formar muito mais pares?

— Pressões vitais... são muito imprevisíveis. Este é... o único jeito. De saber quem vai voltar.

— Os *homens* — falo, sentindo minha língua e meus lábios dormentes. — Para se certificarem de que os *homens* voltem.

— Os pilotos não podem ficar ansiosos... Se ficarem com medo das parceiras... em todas as batalhas.

— *Vocês acham que as mulheres não têm medo?*

— Mulheres... sabem se sacrificar.

Fico desnorteada. Quero me juntar a Shimin na parede. Quero esmagar a cabeça contra ela até que meu crânio se parta em sangue e miolos.

— Soltem meu filho. — An Lushan ousa continuar implorando.

— Você me enoja. — Minhas palavras saem como farpas, junto com um soluço. — Vocês *todos* me enojam.

— Não desconte... no meu filho. — O horror alveja seus traços. — As garotas sabiam. Sabiam que tinham mais probabilidade de morrer. Elas escolheram!

— Não! — grito. — As *famílias* escolheram por elas! E elas não se rebelaram porque acreditavam na minúscula chance fantasiosa de que poderiam acabar em um Par Equilibrado!

— Isso não tem nada a ver com o meu filho! — Ele se agita contra as amarras. — Deixem-no ir!

Balanço a cabeça sem parar.

— Seu filho vive em um mundo que desperdiça o potencial de metade da população. E faz isso enquanto hunduns estão aguardando do lado de fora da Grande Muralha, esperando para nos aniquilar. Estamos caminhando para nossa própria destruição, e você acha que isso não tem nada a ver com ele?

— Deixem-no ir! Vocês prometeram!

— Não prometemos nada.

A voz de Shimin ecoa pela câmara como algo tangível, tão alta que me faz dar um pulo na cadeira de rodas. Ele se vira, com os meridianos de *qi* se iluminando à máxima intensidade com um vermelho intercalado a um dourado.

Estou chocada. Deixo escapar uma risada límpida como gelo. É, vamos causar tanta dor quanto possível a An Lushan.

— É isso aí. — Fito seus olhos e disparo uma mentira como se fosse um punhal. — Nosso pessoal o matou duas horas atrás.

An Lushan se transforma. Num segundo, um homem que sofre, torturado. No outro, um animal ferido e acuado que me amaldiçoa com todos os nomes que podem ser vomitados para degradar uma mulher.

Shimin volta, furioso, e gira a mesa de inclinação com um movimento violento. As maldições de An Lushan estancam.

— Não fale assim com a minha parceira. — Shimin o encara de cima.

— Vocês não vão se safar! — ruge An Lushan, de cabeça para baixo. — Vão encontrar provas! *Vocês vão pagar*!

Shimin ri, um som profundo e fantasmagórico que me causa uma pontada de preocupação. Ele agarra a coleira de aço pesado que o Exército o obrigou a usar em torno do pescoço por dois anos. Uma brilho vermelho-vivo flui sob sua mão, e o calor provoca ondulações, distorcendo o metal.

Ele arranca a coleira e a arremessa no chão com a força de um trovão.

Calafrios percorrem minha pele enquanto o impacto reverbera pela sala. Faz tanto tempo desde que senti qualquer tipo de medo ao seu lado que esqueci como Shimin pode ser aterrorizante. Algo despertou dentro dele. Algo que não é necessariamente bom.

O que eu fiz? Meus pensamentos se embaralham. *O que foi que eu desencadeei?*

Mas caio em mim de imediato, porque não fui eu que fiz mal a ele. E sim todas as outras pessoas.

Aquele tipo de cara, era como o chamavam.

Aquele tipo de garota, era como me chamavam.

Bem. Aqui estamos. Correspondendo às expectativas.

— Aconteça o que acontecer com a gente, você não vai ficar sabendo. — Shimin pega outra garrafa de bebida. Fala como se estivesse finalmente encarnando o Demônio de Ferro que nunca gostou de ser. Agacha-se na frente de An Lushan, agitando o objeto, que reflete o brilho de seus meridianos, cujo fulgor diminuiu um pouco, adquirindo um tom vermelho opaco. — Vou afogá-lo com isto aqui. E vou aproveitar cada segundo.

— É uma pena. — Eu me junto ao lamento fingido, erguendo a toalha encharcada. — O estrategista sênior An desapareceu hoje à noite. Ah, que coisa. Não temos tempo para vasculhar todos os cantos da Muralha à sua procura. O contra-ataque pode prosseguir sem ele. De qualquer jeito, o estrategista-chefe Zhuge está comandando a batalha. E ele é bem mais simpático.

An Lushan parece confuso por um momento, então explode em risos histéricos.

— Acham que a condição de heróis vai proteger vocês? Boa sorte! Assim que vencerem estarão livres para serem trucidados!

— Ah, não. — Levo a mão ao peito. — Temos planos muito mais ambiciosos para esse momento. E sua confissão vai tornar tudo possível.

— Vocês não vão mudar nada. — Um olhar selvagem toma a expressão de An Lushan. — Mulheres de verdade conhecem seu lugar. Não vai fazer diferença saberem a verdade!

— Sabe o que eu acho? — falo. — Acho que toda essa ideia de as mulheres serem dóceis e obedientes é só uma esperança de vocês. Senão, por que se esforçariam tanto para mentir? Para aleijar nossos corpos? Para nos coagir com lições morais falsas que vocês alegam ser sagradas? Homens inseguros como você têm *medo*. Podem nos forçar a cooperar, mas, lá no fundo, sabem que não podem nos forçar a amá-los e respeitá-los de verdade. E sem amor e respeito, sempre vai existir uma semente de ódio e de resistência. Crescendo. Supurando. Espreitando. — Cravo as unhas no crânio de An Lushan, que está de cabeça para baixo, como raízes abrindo caminho em meio ao asfalto. — Antes que você morra, deixe-me afirmar uma coisa: garotas como eu estão por toda parte, mal suportando a fachada de serem esposas, filhas e concubinas. E acho que não vão ficar muito felizes com as mentiras do Exército.

An Lushan abre a boca para retrucar, mas o silencio com a toalha, da mesma forma como ele se esforçou tanto para silenciar *a mim*. Shimin dá início a um dilúvio sem fim de bebida, antes usada para controlar sua mente.

As últimas palavras de An Lushan são afogadas em uma desgraça molhada e sufocante.

◈

Quando retornamos à suíte, Yizhi corre até a porta com um avental sujo de farinha e um par de protetores de manga estampados com flores que normalmente são usados por cozinheiras.

— E aí, se divertiram na festa? — pergunta ele, com o olhar intenso em desacordo com o tom falso de adulação. — Venham me ajudar com o jantar! Estava começando a fritar uns bolinhos.

Yizhi usou todos os aparelhos antivigilância que conseguiu para evitar que nossa suíte fosse escutada, mas ainda assim não queremos correr riscos. Shimin e eu enrolamos as asas das armaduras à nossa volta para entrar na cozinha com ele. A cadeira de rodas mal cabe no espaço. Yizhi liga o exaustor e derrama um lago de óleo em uma wok gigante. Ao lado, os balcões estão cobertos de assadeiras de alumínio cheias de pãezinhos caseiros. Uma panela de barro contendo os remédios à base de ervas de Shimin ferve no fogão, servindo não apenas para disfarçar nossas vozes, como também nossa imagem — o vapor embaça as janelas com nuvens oscilantes e efêmeras, bloqueando a visão de qualquer drone patrulheiro em potencial.

Se fosse qualquer outra ocasião, eu estaria rindo. Vantagens de se recusar a seguir as regras: você não precisa escolher entre o garoto que torturaria um homem até a morte ao seu lado e o garoto que a receberia em casa com quitutes logo depois.

Mas a câmera repousa em meu colo como uma bomba. Não consigo reunir forças nem para começar a explicar o que descobrimos.

Depois que Yizhi coloca o primeiro pãozinho no óleo, enchendo o ar vaporoso com estalos e chiados explosivos, ergo a câmera.

— Veja por você mesmo — falo, entredentes. — Assista.

Franzindo o cenho, Yizhi pega a câmera e se inclina sobre o balcão. Shimin segura um par de *kuàizi* e assume a fritura, revirando os pãezinhos no óleo. Um cheiro celestial enche a cozinha, fazendo minha boca salivar apesar da tensão dentro de mim.

Além das janelas embaçadas, as canções de guerra embriagadas dos pilotos em festa chegam abafadas pelo vidro. Um brilho sorridente perpassa a expressão de Yizhi enquanto ele repete a gravação, segurando a câmera tão próximo ao ouvido que está assistindo a tudo com um olho só. Pela primeira vez em muito tempo, um pensamento me ocorre. Ele está vendo o pior de mim e de Shimin. Pessoas normais ficariam horrorizadas que tenhamos tido a coragem de fazer isso a outro humano e depois sair sem arrependimentos.

Quando os gritos de An Lushan irrompem dos alto-falantes, o olhar de Yizhi permanece neutro. Ele nem sequer pisca. É só no momento em que as confissões explodem que seus traços delicados se torcem, em choque.

Ele nos olha, boquiaberto, como se estivesse questionando se manipulamos a gravação de alguma forma. Devolvo um olhar pétreo, um "Lamento. O mundo é exatamente assim" silencioso.

Para falar a verdade, depois do choque inicial, a informação faz todo o sentido. Estou furiosa comigo mesma por não ter me dado conta antes.

As mulheres são naturalmente mais fracas de espírito do que os homens.

Como passei tanto tempo sem fazer esta pergunta crucial: *Espere, como assim?*. Quantos aspectos do sistema de pilotos — e do mundo em geral — são baseados em fatos estéreis, e quantos são apenas ilusões? Ilusões que são reforçadas geração após geração, porque as pessoas não questionam as barreiras convenientes que as limitam e as regras arbitrárias pelas quais vivem.

Quando o vídeo termina, um ruído agudo me assusta. Shimin se levanta em meio à fumaça pálida da wok que estala e crepita, com os olhos fechados, pressionando o punho protegido pela armadura à boca. Na outra mão, os *kuàizi* estão quebrados. Seu corpo inteiro está tenso pelo esforço de não tremer, como se tivesse voltado ao processo de desintoxicação.

— Shimin... — sussurra Yizhi, aproximando-se.

— Me desculpem, eu... — Shimin fica imóvel. Seus olhos se arregalam, com as íris adquirindo um brilho escarlate. — Não, não sinto muito! — Ele se vira de repente. Os pedaços dos *kuàizi* caem no chão engordurado. Lágrimas escorrem de seus olhos vermelhos e demoníacos, percorrendo seu rosto. — Nada disso é minha culpa!

— Não é mesmo — diz Yizhi com um tom e um olhar sombrios.

Shimin deixa escapar uma risada seca, balançando a cabeça.

Ele espalma a mão na janela. O vidro racha com o impacto. O brilho de seus olhos reflete pontos vermelhos difusos.

— Todo esse tempo... todas aquelas garotas...

Deslizo a cadeira para mais perto e seguro sua outra mão.

— Já disse. Você estava sendo usado.

Yizhi deixa a câmera sobre o balcão e remove os protetores de mangas. Com as bainhas limpas de seu traje de estudante de estratégia, ele limpa as lágrimas de Shimin.

— E, lembre-se: mesmo quando as circunstâncias eram totalmente erradas, as batalhas tiveram um sentido.

Shimin desvia o olhar de mim para Yizhi, com os olhos voltando à cor natural.

Mas um brilho vermelho diferente aparece na janela.

Fico tensa, pensando ser um drone, mas então Yizhi limpa o vidro embaçado com a mão...

É uma lanterna de preces de papel voando pelas planícies hunduns como uma estrela cadente, tremeluzente, disparando em direção às verdadeiras cintilações que preenchem o céu noturno. Algumas outras se seguem, mas a visão é rapidamente borrada pelo vapor e pela fumaça a nosso redor. Nós três nos entreolhamos, e em uma concordância silenciosa e unânime abrimos a janela.

O cheiro poeirento das planícies entra trazido por um vento vibrante, misturando-se ao cheiro de queimado da wok. Pego um par de *kuàizi* e pesco os pãezinhos carbonizados. A última coisa de que precisamos é que os alarmes de incêndio soem.

Um arquejo vindo de Yizhi me faz virar a cabeça. Uma linha formada por mais lanternas se move, espelhando a Grande Muralha e compondo um luminoso dragão laranja contra o cosmo reluzente.

— *Viva a vingança!* — Os pilotos em festa gritam desde o trecho da Muralha que fica atrás da torre de vigia.

— *Viva a liberdade!*

— *Viva a humanidade!*

— Vocês, pilotos... — diz Yizhi sem tirar os olhos das lanternas, com parte do cabelo voando no ar da noite. — Vocês fazem uma coisa importante.

— Mas podemos fazer *melhor* — falo.

— É — concorda Shimin. Não está observando as lanternas, e sim olhando para Yizhi. — Podemos mesmo.

Seu polegar percorre a mandíbula graciosa de Yizhi, limpando um resto de farinha.

Os olhos de Yizhi se arregalam.

— Me desculpe... — A mão de Shimin se afasta rapidamente.

Por alguns segundos, Yizhi parece ficar sem palavras, mas então sua expressão suaviza.

— Você não fez nada de errado, bonitão.

Ele dá uma piscadinha.

Preciso me segurar para não rir da cara de Shimin.

— De verdade — repete Yizhi, mais sério. Mais sôfrego.

A ponta de seus dedos roça a pele recém-exposta do pescoço de Shimin, sarapintada de vergões vermelhos e cicatrizes de arranhões da coleira arrancada.

Shimin inspira pelos lábios trêmulos. Yizhi os encara por um momento longo e lânguido, e depois fita os olhos de Shimin. O vapor e o ar noturno se colocam entre eles, correntes de calor e frio se misturando. As lanternas distantes flutuam entre suas cabeças, formando uma ponte radiante. Meu rosto fica quente, e sinto meu coração acelerado.

Isto está mesmo acontecendo?

Está *finalmente* acontecendo?

O olhar de Shimin pousa sobre as feições de Yizhi, mas desvia para mim com uma pontada de culpa.

Reviro os olhos, faço um triângulo com os dedos e assinto.

Ele solta uma risadinha.

Yizhi também.

— Há pouquíssimos sentimentos bons no mundo, então por que nos privarmos? — diz ele quase sussurrando, mas seu olhar se crava em Shimin com uma intensidade diferente.

Shimin engole em seco.

— A última coisa de que eu precisava era mais uma razão para o mundo me odiar. Se bem que agora...

— Agora? — A voz de Yizhi soa tão etérea quanto o vapor que os cerca.

— Agora eu entendo... — Shimin segura o queixo de Yizhi. — É tudo uma grande merda.

Ele fecha a janela com o outro braço, então se inclina e toma os lábios de Yizhi nos seus.

Meu coração dá um salto, apertando em meu peito. Mas estou em paz. Em vez de algum tipo de traição, parece mais uma concretização. Meu rapaz assassino e meu rapaz dócil. A linha final do triângulo em que estivemos dançando, tornando-nos mais fortes do que nunca.

Não é nada convencional, trata-se de mais uma regra implícita que estamos quebrando, mas quer saber? Funciona para a gente. E acho que estamos fartos de permitir que este mundo nos diga o que é adequado e o que não é.

Quando param de se beijar, Yizhi e Shimin me puxam ao mesmo tempo para perto. Juntos, se voltam para mim. Meus batimentos disparam ainda mais rápido, pulsando em minha garganta.

— Bem, agora que resolvemos as coisas... — Minha risada se transforma num suspiro, e meu olhar se torna severo. — Vamos mudar o mundo.

Ainda precisamos fazer uma coisa: editar o vídeo para que só restem as confissões.

Não estávamos blefando ao afirmarmos para An Lushan que tínhamos um plano mais ambicioso. Assim que retomarmos a província de Zhou, no exato momento da vitória, quando todas as câmeras de drones estiverem focadas em nós, vou sair do cockpit, erguer um tablet e veicular a verdade para toda Huaxia.

PARTE IV

O CAMINHO DO DRAGÃO

"Há uma divindade na montanha, com seis pernas e quatro asas, sem qualquer traço discernível em meio ao caos hundun. Ainda assim, sabe cantar e dançar. É, na verdade, o Imperador Rio."

Clássico das montanhas e dos mares (山海经)

CAPÍTULO QUARENTA

ESCÓRIA DO UNIVERSO

Todas as trezentas e vinte e nove crisálidas ativas que se juntaram na fronteira Sui-Tang partem para o ataque enquanto as estrelas ainda cintilam no céu. Avançamos em uma linha espaçada pelas planícies hundun, fazendo a terra estremecer e levantando nuvens cinza de poeira.

Conforme o previsto, fizeram um escândalo por causa do desaparecimento de An Lushan, mas não tiveram como atrasar o contra-ataque. A luz do sol é importante demais. Teríamos uma enorme desvantagem visual se a batalha se arrastasse até depois do pôr do sol.

Escondemos o corpo de An Lushan no banheiro de um bunker qualquer. Se o encontrarem, duvido que ficaremos sabendo. Não comprometeriam o moral anunciando algo desse tipo.

Shimin e eu avançamos velozes na Forma Original do Pássaro Carmim, com as garras esmagando o chão, abrindo rachaduras aqui e ali. O vento açoita nossas asas e cauda de penas longas. O Tigre Branco e a Tartaruga Negra nos acompanham, um de cada lado, ainda ao alcance da visão, embora estejamos bastante à frente. A formação se alongou sobre as planícies o máximo possível, impossibilitando que hunduns se infiltrassem entre nós.

Inúmeros caminhões blindados avançam a uma distância segura, como besouros minúsculos, chocando-se contra as nuvens de poeira que levantamos. Estão levando transmissores de ondas de rádio que aumentam o perímetro de alcance dos drones patrulheiros e dos alto-falantes das crisálidas. Sempre que atingem um novo limite, uma fileira deles fica para trás.

Se destruirmos a linha mais próxima, o Exército não vai mais ter acesso às nossas ações e não vai mais conseguir dar ordens aos demais pilotos. É assim que planejamos sobreviver depois de veicular a confissão de An Lushan.

Eu nem deveria mais chamá-los de "Exército". Os estrategistas são apenas um bando de manipuladores senis que nunca arriscaram a vida no campo de batalha, e os soldados só lidam com as pessoas normais de Huaxia, não com o terror dos hunduns. O Exército de verdade está *com a gente*. A reação de Shimin diante da verdade me dá esperança de que outros pilotos homens possam sentir a mesma revolta. Não é possível que todos eles sejam monstros desalmados que não se importam em sentir a morte de uma concubina após a outra. Se formos convincentes o bastante, esta legião implacável de máquinas de guerra gigantes e mutantes poderia obedecer a *nós*, e não a *eles*.

Então a única escolha dos estrategistas e dos Sábios será se submeter.

Eu me pego devaneando sobre fantasias estranhas dos Sábios implorando de joelhos e pilotos-concubinas comemorando na Grande Muralha.

Foco, repreendo a mim mesma.

Não estamos mais no território dos humanos. A qualquer momento, uma manada de hunduns pode surgir no horizonte para nos atacar. Se, de alguma forma, conseguissem romper a fileira de crisálidas, seria um desastre, já que a fronteira Sui-Tang está praticamente indefesa. Esse é outro motivo por que não podemos divulgar a verdade antes de destruir o ninho hundun, por mais que eu queira gritá-la para o mundo segundo após segundo. O caos que se instauraria bagunçaria demais a batalha. Precisamos vencer os hunduns de qualquer jeito para garantir nossa sobrevivência coletiva.

Manter nossos sentidos vitais ativos o tempo todo ocasionaria um gasto enorme de qi, então somos forçados a confiar nos estrategistas e nos drones patrulheiros para nos alertar sobre qualquer atividade inimiga. A província de Zhou é tão plana que parece que estamos passando por uma longa falha do universo. Perfeito para agricultura e pecuária; terrível para a defesa contra um ataque hundun. Foi por isso que eles destruíram tudo rapidamente quando irromperam, mais de duzentos anos atrás, e provavelmente o motivo por que escolheram as Montanhas Kunlun para abrigar seu ninho de replicação. Embora seja do outro lado da província, a cadeia de montanhas mal pode ser vista no horizonte, como uma fileira de dentes tortos. Não existem mais bastiões naturais no interior.

Primeiro, fico exasperada ao perceber como, em dois séculos, os hunduns conseguiram drenar o lugar. Terras que agora são desertos estéreis teriam sido cobertas por quadrados verdejantes de lavouras e aglomerados de aldeias — inclusive a minha própria, meu verdadeiro lar, o local onde meus ancestrais trabalharam arduamente, laboraram, riram e cantaram geração após geração.

Mas então, depois de uns trinta minutos, uma floresta exuberante se estende a distância, parecendo não ter fim.

Mantendo contato com a gente por intermédio dos alto-falantes, Sima Yi explica que esse é o aspecto do campo além da zona de batalhas. Os hunduns têm liberdade para se movimentar, então nunca exaurem nenhuma área de *qi*, e a vegetação consegue de fato crescer.

Ora essa. Por muito tempo, imaginei que toda a província fosse uma terra arrasada.

Pelo menos as árvores não são uma questão para nós. A Forma Original do Pássaro Carmim tem cinquenta metros de altura, quase quatro vezes maior do que a altura da maioria delas. Porém, a sensação de haver algo errado soa um alarme dentro de mim enquanto caules e copas de duzentos anos de idade estalam, chiam e colapsam sob nossas garras. É uma cacofonia perturbadora de morte e destruição. Os barulhos ecoam pela floresta à medida que outras crisálidas avançam. Pássaros se assustam constantemente e alçam voo, sombras contra a luz do nascer do sol cada vez mais claro, como uma camada tremeluzente sendo ejetada mais e mais para o oeste.

Quem sabe que criaturas não estão conseguindo sair a tempo do nosso caminho?

O aspecto limpo e imperturbado da floresta é desconcertante, uma vez que hunduns de todos os tamanhos supostamente a percorrem há dois séculos. A resposta mais provável para como conseguiram atravessá-la sem aniquilar tudo é um padrão de clareiras circulares entre as árvores. São grandes o suficiente para abrigar a perna de um hundun categoria Nobre. Mas os círculos são tão bem delineados que a única explicação é que eles pisam meticulosamente nos mesmos pontos durante a travessia.

A ideia é, ao mesmo tempo, absurda e desanimadora. Como é possível que tratem este mundo melhor do que nós?

De repente, me vejo procurando evidências de que meus ancestrais viveram aqui. O sol, erguendo-se de forma estável atrás de nós e reduzindo a sombra do Pássaro sobre a floresta, às vezes faz reluzir algo que poderia ser metal ou concreto. Com certeza, as cidades e os pequenos centros urbanos eram menores, mas ver tão poucos resquícios...

Um temor me domina. Nós nos esforçamos tanto para viver a vida, e, no entanto, todos os traços de sua essência e de seu significado podem ser apagados de uma hora para outra. Facilmente.

Por horas, nenhum hundun aparece, embora costumem abater os drones patrulheiros em menos de vinte minutos nas planícies. Não é um bom sinal. Significa que se retiraram coletivamente para as Montanhas Kunlun e que estão prontos para o ataque. Os hunduns sempre aparentaram ser bestas mecânicas sem consciência, então há algo muito estranho na ideia de eles pensarem, tomarem decisões calculadas. Seria *de fato* melhor nos enfrentarem o mais próximo da montanha possível, depois que a jornada tiver exaurido boa parte do nosso *qi*.

Há um vulcão no coração do ninho hundun, o Monte Zhurong, que funciona como um portal que leva direto ao *qi* hiperconcentrado do próprio planeta. Pode ser que consigamos recarregar lá, mas também é onde estão todas as larvas de hunduns replicantes. Farão de tudo para evitar que cheguemos até o local.

Quando o terreno começa a inclinar, finalmente se aproximando das montanhas, os novos dados de inteligência dos drones patrulheiros me deixam nervosa. Está ficando cada vez mais enevoado. No fim das contas, não teremos muita vantagem de visibilidade.

As Montanhas Kunlun são um campo de batalha ruim por si só. Muitas têm o formato de pilares de pedra cinzelados que se erguem em direção ao cosmo, como arranha-céus esculpidos pela natureza. Grandes árvores se derramam sobre seus cumes irregulares e enchem os vários cânions entre elas. Os hunduns vão ter muitas possibilidades de esconderijo, enquanto nosso Exército será forçado a se dividir como riachos para combatê-los.

Assim que os primeiros cânions surgem à vista, delineados por picos íngremes que se elevam como paredes, uma coluna de fumaça negra surge de uma das possíveis clareiras dos hunduns ao final da floresta.

— *Céus, aquilo é obra humana?* — pergunta Yizhi através de um microfone conectado aos alto-falantes do cockpit, que instalou para "se comunicar melhor" com a gente, mas que na verdade tem o objetivo de deixar a divulgação sobre An Lushan audível para os drones com câmeras quando chegar a hora. Também instalamos uma grade aberta no cockpit, para melhorar a ventilação e para Yizhi conseguir ter a visão de alguma coisa que não apenas meu corpo inconsciente ou o de Shimin.

Shimin e eu ficamos alertas, provocando uma pequena hesitação nos passos do Pássaro. Ao longe, o Tigre Branco e a Tartaruga Negra também diminuem o ritmo, mas estamos mais próximos da fumaça do que eles. Corremos ainda mais entre as árvores, derrubando troncos como se fossem canudinhos enquanto damos um zoom para tentar detectar a origem da fumaça.

Uma *pessoa* vestida com peles trota sobre um cavalo na clareira, segurando as rédeas com uma mão enquanto acena freneticamente com a outra. O sinal de fumaça vem de algo atrás do cavalo.

Meu grito de surpresa escapa em voz alta pelo bico do Pássaro. Um nômade. Um nômade de verdade.

É óbvio que sei que sempre haverá povos nômades perseverando nas planícies, mas esta é a primeira evidência sólida de vida além da Grande Muralha que vejo com meus próprios olhos. Sua coragem me abala. O que o faz ousar perambular tão próximo a um ninho hundun?

— O-oi? — cumprimenta Shimin pelo Pássaro enquanto diminuímos a velocidade antes de chegar à clareira, lançando uma sombra sobre ela. Apesar de sua ascendência, Shimin soa tão atônito quanto eu.

O nômade grita algo que não consigo entender, tão desesperado que seu rosto fica vermelho. Puxa um rolo de pergaminho surrado de dentro das peles. Solta as rédeas para abri-lo, revelando uma linha de escrita graúda.

Estremeço ao me dar conta de que consigo ler. É escrita han, o que significa que ele provavelmente não é rongdi, mas um descendente do *meu* povo, um dos que não fugiram quando Zhou caiu.

No rolo está escrito: *Vocês podem curar o imperador?*

— *Bem* — interrompe Sima Yi antes que façamos qualquer pergunta. — *A verdade é que algumas crisálidas já cruzaram com essas pessoas. Não conseguimos entender o seu dialeto, mas parecem estar se referindo ao imperador-geral Qin Zheng.*

Agora consigo ler os lábios do nômade. *Huang di*, repete ele. Imperador.

— Então ele está realmente aqui? Congelado e esperando uma cura para a varíola das flores? — pergunto.

— *Precisaremos verificar isso depois da batalha. Mas, por falar em varíola das flores, fechem o respiradouro e não se aproximem demais! Ele pode estar carregando uma cepa latente contra a qual nossas vacinas não são eficazes. Riquinho, se você vir alguma bolha em qualquer um de vocês, injete os antivirais imediatamente!*

— *Entendido!* — concorda Yizhi.

— *Além disso... merda, merda! Vão! Tenho quase certeza de que acabamos de ver sinais de hunduns!*

Direcionamos a visão do Pássaro para cima, diminuindo o zoom. O som de árvores derrubadas se amplifica à medida que outras crisálidas aceleram, avançando entre o labirinto de cânions e picos altos em alta velocidade.

Por mais que eu queira poder ficar para esclarecer as coisas com o nômade, Sima Yi está certo. Isto precisa esperar até que liquidemos nosso inimigo. Não podemos ficar zanzando pelas montanhas com hunduns por perto.

— Desculpe! — digo para o nômade antes de colocar o Pássaro em movimento de novo, fazendo o chão tremer e assustando seu cavalo, que quase o derruba no chão.

O nômade junta as rédeas e continua gritando, mas não é possível ouvi-lo sob a sinfonia dos movimentos das crisálidas.

O esquadrão de assalto dianteiro, com as crisálidas mais fortes do Exército, se reúne. Vão nos ajudar a abater o imperador hundun, enquanto as outras dão apoio periférico em um semicírculo com fileiras cada vez mais próximas, impedindo que hunduns menores nos importunem muito.

Avançamos mais rápido em direção aos cânions, o Tigre Branco e a Tartaruga Negra nos seguem com estrondos. É um pouco enervante ter que confiar em Qieluo e Zhu Yuanzhang, mas seja lá qual forem as queixas que tenham contra mim e Shimin — e um contra o outro —, confio que as deixarão de lado pelo bem da humanidade.

O vão entre os dois primeiros picos mais altos mal acomoda as asas do Pássaro, e os seguintes variam muito em largura. A maioria dos picos tem mais do dobro da nossa altura — o que é chocante, depois de termos visto tudo de cima por tanto tempo. As elevações fatiam nossa visão do Exército à medida que nos movimentamos. Temos apenas vislumbres da maioria das outras crisálidas entre as pedras.

A ansiedade cresce dentro de mim. Nunca me senti pequena e vulnerável dentro de uma crisálida, e de certa forma é pior do que sentir isso enquanto humana. Cedo à tentação de atiçar o sentido vital e varrer a área eu mesma.

O que foi uma péssima ideia.

Uma pressão vital enorme se abate sobre mim como uma torrente de água gelada, afogando todo o resto. Minha visão se turva e apaga. O Pássaro cambaleia. Shimin precisa apoiar uma das asas contra um pilar para evitar que nos desequilibremos.

— *Mei-Niang?* — Ele me estabiliza no reino yin-yang.

Engasgo, agarrando sua forma espiritual, sem fôlego.

— Vocês estão bem?

A Tartaruga Negra sobe atrás de nós, tão graciosa quanto mercúrio, soando com a voz de Xiuying. Embora seja da categoria Príncipe, o topo de sua casca reluzente mal chega à metade de nossa altura. As crisálidas do tipo Água são as menores. Xiuying é predominantemente do tipo Água, então os olhos da Tartaruga não se acendem de forma visível quando ela fala, apenas disparam uma espécie de aura escura sobre todo *qi* conduzido, graças à natureza líquida dos tipos Água.

— Estamos. É só que... — digo através do Pássaro, com uma risada entrecortada e atônita. — Definitivamente tem um hundun categoria Imperador aqui.

— *Ei!* — repreende Sima Yi. — *Parem de desperdiçar* qi.

Mantenho meu sentido vital desativado enquanto voltamos a correr. A calma nevoenta no ar agora aparenta ser só uma grande ilusão.

Quando finalmente enxergamos os hunduns, um aglomerado escuro entre as árvores próximas aos picos mais altos, percebemos que há algo errado. A manada está completamente imóvel. Esperando.

Hunduns nunca ficam parados. Deveriam estar enxameando em nossa direção como insetos.

É estranho, mas, ao instar de Sima Yi, agitamos as asas do Pássaro e caminhamos na direção deles.

A manada foge rápido, se protegendo sob as árvores.

Agora estamos realmente surtados. Todo o esquadrão de assalto hesita em avançar.

Há uma longa pausa até que o estrategista-chefe Zhuge fale nos nossos quatro alto-falantes. Sua voz grave enche todo o cockpit, criando um eco estranho pelo cânion. Ele nos garante que os estrategistas entendem que este é um comportamento hundun anormal, mas a manada deve estar apenas tentando nos atrair para que usemos golpes de *qi* e fiquemos ainda mais exauridos. Desde que não caiamos na armadilha, vamos ficar bem.

Ainda não chegamos ao ponto de seguir a manada, mas não temos nenhuma outra escolha sensata. Estão indo em direção ao vulcão.

A névoa fica mais espessa à medida que os perseguimos. Os intervalos estreitos entre os picos altos fazem com que precisemos frequentemente inclinar o corpo colossal do Pássaro ou dobrar suas asas. Só nos aproximamos dos hunduns quando as montanhas se tornam algo mais próximo de encostas do que de picos elevados. A temperatura cai de primaveril para invernal enquanto a elevação aumenta. As camadas ásperas de árvores ficam polvilhadas de geada. Com a névoa densa, o mundo é engolido em tanta brancura que, quando Sima Yi grita para pararmos, dizendo que o hundun categoria Imperador está *bem ali*, demoro um segundo para enxergá-lo.

Eu o confundi com uma montanha.

Um calafrio me percorre. Agarro o braço de Shimin no reino yin-yang. É difícil aceitar que algo tão grande possa ser um ser vivo. Não consigo imaginar deparar com ele na minha forma humana.

Com um rangido baixo e estridente, ele se aproxima. Agora consigo ver as seis pernas inacreditavelmente longas nas laterais, dobradas e finas como as de uma aranha — finas da maneira que só os hunduns do tipo Metal conseguem ter. Ele precisa caminhar nas laterais das montanhas para caber no vale. Toda a energia de seu corpo enorme impele uma maré de névoa gelada em nossa direção. Os outros hunduns correm para baixo de sua barriga, como crianças se escondendo atrás da mãe. Um lago negro congelado brilha mais além, no vale nevoento.

Os olhos do Tigre Branco cintilam, verdes, quando Qieluo fala:

— Vamos lá…!

De repente, sentimos uma pressão na névoa ao redor.

Algo comprime as asas do Pássaro contra o corpo. Entramos em pânico e golpeamos, mas a pressão se recusa a amainar e tombamos na encosta de uma montanha com um estrondo colossal, precipitando uma avalanche de geada.

Gritos irrompem ao redor. Está acontecendo com os outros também. Enquanto estrategistas bradam perguntas pelos alto-falantes, olho em volta, frenética, tentando entender a situação.

Há um resíduo branco sobre todas as crisálidas. É como se a névoa estivesse se condensando em veios...

Não. Ah, não. Não é a neblina. É *metal primordial*.

Olho, boquiaberta, para o Imperador. Ele teceu seu metal primordial, seu próprio corpo, de modo tão elaborado que os fios formam teias. Devem ter sido espalhadas pelo vale bem antes da nossa chegada, disfarçadas pela neblina e pela geada. Não importa o quanto lutemos, as teias simplesmente aderem a nossos movimentos como brumas, impossíveis de serem afastadas.

Os estrategistas chegam à mesma conclusão e ordenam que nos acalmemos, mas suas vozes instáveis deixam nítido que não tinham ideia de que um hundun fosse capaz de algo assim.

O Imperador recua sobre as pernas de aranha. As teias se recolhem e nos arrastam. Os fios afundam no metal primordial do Pássaro, provocando meu primeiríssimo discernimento de dor de crisálida. É diferente da dor humana, menos uma resposta física e mais o trauma mental de estar sendo danificado.

Uma onda esmagadora de emoção me atravessa. Pesar, tristeza, raiva. Mas o sentimento é tão abrupto e distinto que me dou conta de que não pode ser natural. Sima Yi me alertou que emoções hunduns podem vazar até os pilotos por meio de alguns tipos de contato. Deve ser isso.

No momento em que rezo aos deuses para nunca mais experimentar essa sensação novamente, uma canção terrível transpassa meus pensamentos.

— *Humanos... escória do universo...* — Uma voz rascante entoa a melodia dissonante, como um prego riscando o interior do meu crânio. — *Vão embora! Deixem-nos em paz!*

Um silêncio atordoado toma conta do vale.

Então um novo coro de gritos o preenche, com *qi* brilhante transbordando da boca de todas as crisálidas enredadas. Inclusive a minha. O medo me esmaga de forma tão intensa que não consigo superá-lo, não consigo raciocinar para tentar achar uma saída. Não tenho ideia do que seja a voz. É diferente de tudo que já ouvi.

Os estrategistas não conseguem ouvi-la. Não fazem ideia do que está nos levando a gritar.

O mundo parece prestes a acabar quando um rugido estrondoso ribomba pelo vale, se juntando aos gritos. O Tigre Branco se ergue contra a teia que o prende, com luzes verdes e pretas se projetando a partir de sua superfície lisa. Adquire a Forma Heroica enquanto arranca do próprio peito o punhal que é sua marca registrada, depois agita a arma contra a teia.

Saio do transe. Por que estou agindo como se fosse indefesa? Abater o Imperador é o motivo de estarmos aqui. *Fogo derrete Metal.*

Ao meu chamado, Yizhi, Shimin e eu acionamos nossos *qi*. Uma tensão transformadora começa a crescer no Pássaro, que explode na Forma Heroica. No reino yin-yang, Shimin e eu nos desfazemos em borboletas. Nossa mente volteia e espirala até se unir.

Nós nos erguemos, com as garras se estendendo em pernas e os braços se metamorfoseando a partir das asas, e todo o nosso corpo adquire a forma humanoide de um guerreiro armado usando uma máscara de pássaro. Nossas partes se alongam até atingirmos a altura do Imperador. A teia à nossa volta se estica, mas perceptivelmente força o Imperador a produzir mais fios, como um casulo de seda.

Mais crisálidas se acalmam e seguem nosso exemplo. Luzes brilham pelo vale, igual a uma constelação espalhada. O Imperador logo diminui de tamanho. Continua recuando.

— *Deixem-nos em paz!* — A voz grunhe de novo. — *Vão embora! Vão embora! Vão embora!*

Ficamos atônitos. É o *hundun categoria Imperador* que está falando?

Quase somos dominados pelo pânico outra vez, mas não podemos nos dar ao luxo de pensar em nada, exceto vencer. Aos gritos, agarramos a teia à nossa volta e aquecemos as mãos com *qi*. Os fios se partem e desaparecem.

Não importa quanto controle o Imperador tenha sobre seu metal primordial, ainda assim é tudo parte de seu corpo. Ainda deve sentir dor, a cada fio.

Metamorfoseamos um longo arco a partir da couraça peitoral e o carregamos com *qi* para que a teia não o envolva. Nossos *qi* combinados brilham com tanta intensidade, em um tom rosa sarapintado de dourado, que ofusca nossa visão. Miramos.

— *Morram!* — A voz guincha novamente.

O Imperador pula e aterrissa com um impacto sísmico que reverbera por todo o vale. A geada cai das árvores, precipitando outra nuvem de cristais de gelo. Cambaleamos.

O lago negro atrás do Imperador se move. Parece, de início, um truque ocasionado por nossa visão perturbada, mas então as águas, aparentemente congeladas, inundam o vale, circundando o Imperador, circundando *a gente*. Uma frieza de rachar aço a acompanha.

Atrás de nós, a água começa a se erguer. Cada vez mais alta, negro-nanquim e brilhante, arredondando-se, quase como um...

— *Ah, merda!* — grita Sima Yi nos alto-falantes. — *Ali tem mais um hundun! Outro categoria Imperador!*

Nossa mente estremece, quase se dissociando. Como é possível? É óbvio que hunduns do tipo Água podem mudar um pouco de forma, mas não deveriam ser capazes de chegar a *este* extremo.

De alguma forma, as habilidades dos hunduns categoria Imperador se desenvolveram a um nível além de nossa compreensão. E tem mais: Fogo é mais fraco que Água.

— *Matem o de Metal!* — continua gritando Sima Yi. — *Agora, agora, agora!*

Nosso primeiro instinto é correr.

Com um baque sonoro de nossas asas ecoando pelo vale, explodimos no ar. Fios de teia nos cortam, cegando-nos de dor. Frenéticos, direcionamos *qi* por todo o nosso corpo. A neblina se desfaz. A teia se expande para longe do calor, mas continua flutuando, pronta para nos prender assim que pararmos de irradiar. É como pôr fogo em nós mesmos para permanecermos aquecidos. Não vai durar muito.

Tudo o que queremos fazer, realizar, *mudar* passa por nossa mente. Como foi que as coisas deram errado tão rápido? Esta era para ser a parte fácil!

— *Pássaro Carmim, aonde está indo?* — grita o estrategista-chefe Zhuge, rouco. — *Faça algo! Por favor!*

— Precisamos recarregar!

Procuramos o vulcão, que deveria estar próximo, mas não o vemos, mesmo após uma segunda olhada.

Nossos companheiros se juntam ao redor do Imperador do tipo Água, que ainda está se liquefazendo, e o atacam, desesperados, golpeando e apunhalando, mesmo presos nas teias do Imperador do tipo Metal.

Se nos afastarmos para recarregar, vamos colocar todos em risco. Sobretudo as pilotos-concubinas, que estão suportando o fardo do *qi* de forma desproporcional — uma vez que as crisálidas começaram a luta com níveis incomumente baixos de *qi*, devido à jornada para atravessar Zhou.

Uma compreensão perpassa nossa mente. O inimigo mais horrível deveria ter sido sempre, *sempre* estes invasores alienígenas que roubaram nosso mundo. Não nossos iguais, humanos. Nada importa se todo mundo morrer.

Não temos tempo de nos organizar e arriscar um golpe a distância, então caímos como um meteoro.

Aterrissamos sobre o Imperador do tipo Metal, que é pego desprevenido e colapsa sobre o próprio ventre, estremecendo o vale mais uma vez.

— Digam aos outros para nos levar ao vulcão! — gritamos para os estrategistas, então apertamos o ponto exato em que sentimos o âmago do Imperador.

Derramamos nosso *qi*, que é repelido como água caindo sobre uma colher, impulsionando o Pássaro Carmim para cima, mas agitamos furiosamente as asas e mantemos o ritmo do fluxo.

— *Morram! Morram! Morram!* — grita a voz em nossa cabeça.

O que parecem mil espadas nos atravessa, forjadas a partir do corpo do Imperador. Mas estávamos preparados. Não se envolve um hundun do tipo Metal em uma batalha corpo a corpo sem esperar por algo do tipo.

Projetamos o *qi* a partir de todas as superfícies, como uma estrela que morre. Nosso metal primordial derrete de dentro para fora, todas as partículas escorregadias e maleáveis devido ao *qi*, mantendo a coesão mesmo quando a superfície está sendo perfurada. Um grito de guerra brame de nossa garganta. Geada e neblina evaporam ao redor, revelando o cemitério de árvores esmagadas, que explodem em chamas sob nosso calor extremo.

Fechamos o cockpit, tornando-o um âmago hermético de ferro para proteger nossos corpos humanos.

O Imperador se contorce sob o ataque. Suas pernas pressionam as encostas das montanhas, fazendo-nos escorregar...

Uma forma negra surge no canto de nossa visão.

Entramos em pânico, temendo que seja o Imperador do tipo Água, mas é a Tartaruga Negra em sua Forma Heroica, um guerreiro musculoso com um elmo preto lustroso e uma armadura semelhante a músculos. Escudos de casco de tartaruga protegem seus antebraços, com anéis amarelos do tipo Terra. Ela vagueia pelas encostas em chamas, então, com os braços enormes e volumosos, abraça duas das pernas de aranha do Imperador do tipo Metal e as imobiliza.

Com essa ajuda, nos esforçamos para atingir o limite que vai automaticamente nos desconectar se gastarmos *qi* demais. Incineramos o mecanismo e continuamos.

Viva a vingança.
Viva a liberdade.
Viva a humanidade.

O âmago do Imperador explode. Faíscas brancas se espalham com a força de uma nevasca, nos arremessando para trás. Voltamos para a Forma Original enquanto caímos.

A Tartaruga nos segura. Aferramo-nos à nossa conexão. Precisamos nos certificar de que nos levem até o vulcão.

Abrimos o bico, mas um frio inclemente nos inunda. O metal primordial da Tartaruga nos envolve como lama.

— Ei... — tentamos dizer.

Mas não conseguimos finalizar a frase.

A Tartaruga nos cobre e, com um puxão violento, simplesmente arranca uma de nossas asas.

CAPÍTULO QUARENTA E UM

PELO QUE ELE VIVE

Nossa mente se dissocia, e voltamos para o reino yin-yang. Gritamos, cambaleando, e agarramos os ombros.

Todos os meus instintos urgem que eu me desconecte, que me liberte da dor excruciante, mas não posso. Condenaria a nós dois. Chocada e cheia de fúria, ainda consigo sentir o aperto escorregadio da Tartaruga Negra, tateando em busca da cabeça do Pássaro.

Se pararmos de lutar, ela vai esmagar o cockpit com um só golpe.

Balançamos o pescoço longo do Pássaro, agitamos a asa remanescente e projetamos as garras, qualquer coisa que afaste a Tartaruga. Mas ela resiste, derramando um frio arrepiante sobre nós, o que deixa nosso fluxo de *qi* já exaurido mais lento ainda, enfraquecendo o metal primordial do Pássaro. As crisálidas do tipo Fogo são as mais quebradiças. Cada movimento que fazemos arranha e range perigosamente, como metal enferrujado prestes a se desfazer.

— Xiuying, detenha ele! — Tento implorar. Isso deve ser coisa de Zhu Yuanzhang. Mas a agonia é tão intensa que engolfou minha mente em fagulhas ofuscantes. Não faço a menor ideia de como pronunciar um único som.

— Ei!

O Tigre Branco ruge na visão fraca que tenho através do Pássaro. Com o punhal-machado, investe contra nós no vale abrasador. Ondas de calor e fumaça distorcem sua Forma Heroica branca e vítrea.

Grito de alívio, tentando alcançá-lo...

Uma gavinha do Imperador do tipo Água se gruda em volta das pernas do Tigre, que tropeça e colapsa, provocando uma onda de choque através das chamas da floresta. Puxam-no de volta para o caos da batalha, enquanto suas mãos em garra arrastam árvores dizimadas.

Minha esperança vira poeira.

Há muita, muita coisa acontecendo.

Ninguém vai conseguir nos salvar a tempo.

Shimin, encolhido e agachado comigo no reino yin-yang, me aperta em seus braços.

— *Mei-Niang* — diz em meu ouvido, com a voz trêmula. — Pegue Yizhi.

— *O quê?*

Ele assume o controle total do Pássaro.

Meus sentidos se estilhaçam em dez mil pedaços, girando. Espirais coloridas. Sons de lamentos. Uivos de vento.

Meus próprios braços agitados são a primeira coisa que vejo com foco novamente. Braços humanos.

Fui ejetada do cockpit.

CAPÍTULO QUARENTA E DOIS

UMA ÚNICA ASA E UM ÚNICO OLHO

Um grito deformado e um farfalhar de roupas laceram o labirinto atônito que é minha mente. Yizhi despenca próximo a mim no ar, um borrão pálido.

Meu próprio grito evolui para um uivo intenso. Bato minhas asas contra o puxão de ar e gravidade em túnel, virando-me para Yizhi, com a mão estendida contra o vento. Meus dedos roçam suas mangas ondeantes, então agarram seu cotovelo. Puxo-o. Nossos corpos colidem. Caímos em direção à fumaça e ao fogo lá embaixo. O ar abandona por completo meus pulmões enquanto giramos e giramos. Agito as asas, incansável, tentando controlar a queda.

Finalmente, aos trancos e barrancos, perdemos velocidade. Oriento o voo para cima, sustentada pela batida das asas. O mar de fogo, rugindo abaixo como uma fornalha, me deixa encharcada de suor e enche o vale de fumaça, fazendo meus olhos arderem e sufocando meus pulmões. Yizhi tosse violentamente em meus braços. Seguro-o com mais força enquanto agito as asas para escapar da fumaça.

Onde está Shimin? Ele deve ter se ejetado também, certo? *Tem que ter se ejetado.*

Por que ficaria para trás?

Procuro por ele, mas a mudança de perspectiva é tão extrema que mal consigo abrir os olhos. As árvores em chamas, que antes não passavam de palha, agora se sacodem, muito mais altas do que eu. Um fogo indômito chia e uiva por trás delas, com o amarelo chamejante e o laranja tremeluzente projetando sombras e as transformando em silhuetas monstruosas que se assomam para me condenar por seu flagelo. A temperatura ondula ao redor em correntes visíveis, algumas lufadas quentes a ponto de chamuscar e outras, gelidamente frias.

Tudo graças à Tartaruga Negra.

Quando levanto a cabeça e dou uma primeira olhada para ela, o medo me paralisa. Em sua Forma Heroica, a Tartaruga se move como uma montanha viva, tapando metade do céu. Raios de sol a iluminam por trás, se espalhando em seu contorno. O Pássaro se choca contra seu braço colossal.

Mas o que me faz tremer são seus olhos — um brilha amarelo com o *qi* do tipo Terra de Zhu Yuanzhang, e o outro está preto com o *qi* do tipo Água de Xiuying.

Ela está totalmente consciente e no controle do que estão fazendo.

Esqueço como mover as asas da armadura. Yizhi e eu somos arremessados pelo vento e caímos. Um novo terror rasga nossas gargantas.

O passo em falso acaba salvando nossa vida quando o braço livre da Tartaruga vem se agitando e só não acerta o golpe por um fio de cabelo. Um frio torrencial nos joga em direção à encosta da montanha, agitando a fumaça que sobe por ela.

Mal voltei a me equilibrar e preciso fugir de uma tempestade de fogo.

Mas talvez tivesse sido melhor nos queimar. Tanto a fumaça quanto as lágrimas fazem meus olhos arderem. O mundo não faz sentido — por que Xiuying também está tentando nos matar? O que foi que fiz para ela?

Movimentando as asas, me distancio da Tartaruga com toda a força e urgência, mas meu *qi* está tão exaurido que até mesmo meu coração bate devagar.

Outro golpe se segue. Sinto o ar se agitar antes do impacto. Bato as asas da armadura com tanta força que pontos escuros turvam minha visão e sangue escorre do meu nariz, mas não adianta. Não vamos conseguir escapar. Somos *pequenos demais*, essa é a verdade. Ela vai nos esmagar na encosta da montanha...

Um longo grunhido ressoa pelo vale. Rangendo igual a uma máquina enferrujada, o Pássaro Carmim bate a única asa que lhe sobrou e crava as garras na Tartaruga, retalhando-a e arrastando-a. Um dos olhos do Pássaro brilha novamente com um vermelho intenso.

Olhando para trás, meu queixo cai. Shimin ainda está lá.

Está pilotando o Pássaro *sozinho*.

Não é possível. Não é possível pilotar uma crisálida sozinho! Até mesmo um traje completo de armadura vital é considerado demais para uma única mente!

Yizhi engasga ao olhar para o relógio de pulso.

O perfil de Shimin surge, o rosto sério, em uma foto três por quatro acompanhada por dados estatísticos vitais medidos por seu próprio relógio. Os dígitos vermelhos e piscantes de seus batimentos cardíacos assaltam minha visão confusa.

380.

Um terror nauseante toma conta de mim.

— Precisamos ajudá-lo! — grita Yizhi.

Como? *Como?*

É demais. Demais para um coração, demais para uma pessoa aguentar.

Shimin vai morrer. Ele vai morrer, e eu vou ficar destruída para sempre e...

Não! Não, não, não, não, não!

Começo a carregar um golpe de *qi* na palma da mão, mas é tão patético que nem sequer tenho coragem de lançá-lo.

Então cerro os dentes e queimo o *qi*, arremessando-o em direção ao vale. Lágrimas inúteis voam de meus olhos à medida que os arranhões e as batidas metálicas do Pássaro e da Tartaruga ecoam atrás de nós. Meu peito se contorce, quase explodindo, quando imagino o que seria preciso para continuar pilotando uma crisálida no estado de Shimin. O que ele está usando de combustível? Seu *qi* primordial? Não pode ser recarregado, uma vez que acaba. E ele já está com apenas metade, já que um de seus rins foi extraído.

O horror toma conta de mim, como se eu estivesse olhando para baixo, da beirada de um penhasco.

Aguente firme, suplico para todas as forças do destino.

Conseguimos sobreviver até a batalha principal. O fogo selvagem se espalhou, junto com uma manada de hunduns categoria Nobre. Para onde quer que eu olhe, formas colossais se chocam, estremecendo o ar fumacento. Yizhi e eu somos apenas uma mancha minúscula zumbindo no pandemônio envolto em chamas.

Localizo o Tigre Branco, que está usando o punhal-machado para golpear a gavinha negra do tipo Água enrolada em suas pernas.

— Socorro! — Dou uma estocada e bato com a mão várias vezes em sua cabeça. Yizhi se agarra com mais força aos meus ombros. — Ajude-nos! *Por favor!*

O Tigre gira em seu próprio eixo. Eu me viro, para que possa me ver. Ele olha de mim para o Pássaro, que se digladia com a Tartaruga ao longe.

— O quê... como você...? — diz, com uma mistura das vozes de Qieluo e Yang Jian, um olho verde, e o outro, negro.

— Shimin está pilotando sozinho! — explico, soluçando.

— *O quê?* Isso não é poss...

— Eu sei que não é possível! Mas está acontecendo, e vocês precisam ajudá-lo!

— A gente... Tudo bem, suba!

Um buraco grosseiro se abre abaixo de mim e Yizhi. Cambaleamos para dentro.

No momento em que atingimos alguma solidez, alças de metal primordial despontam sob nossas mãos. Nós nos seguramos nelas. Meus olhos levam vários segundos para se ajustar à meia-luz.

Os corpos de Qieluo e Yang Jian estão em seus assentos de pilotos, com os rostos e as armaduras acesas com seus respectivos *qi* do tipo Madeira e do tipo Água. Em vez de colocar as mãos sobre as dela nos descansos de braço, Yang Jian a está envolvendo com os braços, e Qieluo está segurando as mãos do parceiro no seu peito. É uma cena terna, um contraste gritante com o quão ferozmente estão gritando pela boca do Tigre, exigindo respostas dos estrategistas.

— *Tigre Branco, por favor, foque na batalha* — diz o estrategista-chefe Zhuge, surpreendentemente calmo se comparado ao seu estado minutos atrás, aos gritos.

— Está de brincadeira? Quer que ignoremos o fato de a Tartaruga Negra estar *assassinando o Pássaro Carmim?*

— *Concentre-se na batalha!* — corta Sima Yi. — *O resto não é problema seu agora!*

Fico lívida.

Não vou desistir de vocês!, disse Sima Yi uma vez.

Até que cheguem ao fim de sua vida útil, esqueceu de especificar.

Os estrategistas nunca tiveram a intenção de permitir que saíssemos vivos de Zhou.

— Que se dane! — O grito do Tigre Branco ecoa no cockpit.

Sentimos um solavanco. Yizhi e eu precisamos nos segurar firme nas alças feitas para nós.

O Tigre chama os outros para cobri-lo. Então parte em uma corrida desenfreada. Em um estado de suspensão, checo o relógio de Yizhi.

E vejo o exato momento em que acontece. A queda nos batimentos cardíacos de Shimin.

372.

268.

Dou um grito, mas não consigo impedir aquilo.

92.

43.

0.

CAPÍTULO QUARENTA E TRÊS

ZERO

0.

O dígito me encara, frio e impiedoso.

0.

0.

0.

Mais gritos soam no cockpit estrondeante, mas não consigo processar o que dizem. Não consigo compreender.

Yizhi também fita o dígito, imóvel.

O chão estremece com a força de algo massivo colapsando à frente. Caio em mim.

— Tigre Branco, abra uma grade para nós! — grito com uma voz falha, arranhando as paredes do cockpit. Talvez o som altíssimo fosse outra crisálida, talvez fosse um hundun, talvez minhas orelhas tenham ouvido errado. Porque não pode ser...

Alguns talhos se abrem diante de mim como marcas de garras. Colunas estreitas de fumaça surgem entre eles. Tusso com as partículas.

Então o ar para, imóvel como a morte, em meus pulmões.

O Pássaro cai, desprovido de luz, levantando uma nuvem de poeira e fumaça. A Tartaruga sobe nele, agarrando seu pescoço com uma das mãos.

Com a outra, golpeia com força a cabeça do Pássaro. O metal primordial congelado se estilhaça como vidro vermelho sob seus golpes.

O Tigre cambaleia e para, soltando um grito estrangulado.

— *Tigre Branco, não faz mais sentido!* — A voz do estrategista-chefe Zhuge viaja pelo vazio estático da minha mente. — *Concentre-se na batalha!*

Não faz mais sentido. Suas palavras ecoam. *Não faz mais sentido. Não faz mais sentido. Não faz mais sentido.*

Na primeira aula que Sima Yi me deu, ele disse que os humanos são os seres mais densos em *qi* do planeta. É por isso que conseguimos pilotar crisálidas apesar de termos uma fração muito pequena de seu tamanho.

Finalmente entendo o que ele queria dizer. Meu corpo humano não é grande o suficiente para conter toda a onda de emoções que me inunda. Como eu poderia sentir tanta raiva se não sou capaz de rasgar o céu e a terra? Agarro os vãos pelos quais estou olhando, tremendo incontrolavelmente. Uma luz branca fraca surge em minha armadura, mas não consigo nem sequer talhar o metal primordial.

Por que você simplesmente não deixa que o matem? Minhas próprias palavras se deslocam no tempo para me derrubar e me esfolar viva. *Que motivos ainda tem que valessem a vida delas?*

Um som baixíssimo escapa da minha garganta, suave e baixo demais em comparação à tempestade que espirala dentro de mim. Meu peito se encova e meus ombros se curvam, como se eu tivesse passado fome por semanas, meses, anos. Uma dor oscilante e fragmentada irradia sob minha caixa torácica, intensificando-se a qualquer tentativa que faço de inspirar um pouco de ar. Não consigo respirar. Não consigo parar de tremer. Lufadas quentes e frias alternam dentro de mim como o ar confuso do lado de fora, desordenado e discrepante. A bile sobe para minha garganta, amargando minha língua.

Por que eu disse aquelas coisas?

Por que não o ejetei primeiro?

— Zetian... — sussurra Yizhi, muito, muito longe, mas tocando meu braço. Seu rosto está pálido como a morte. Seu lábio inferior treme sem parar.

— É minha culpa. — Meus dedos trêmulos descem pelo meu rosto. — Eu o fiz se sentir culpado e...

Não.

Shimin não ia querer que eu me sentisse assim.

Essa é a única coisa que ele nunca, nunca mesmo, ia querer que eu pensasse.

O Tigre volta a atacar na batalha principal. Suas investidas frustradas volteiam em minha cabeça com alguns segundos de atraso, já uma memória distante.

Meus pensamentos se aceleram, rodopiando. Por um momento, considero seriamente a possibilidade de arrancar Qieluo do assento e exaurir Yang Jian em um ataque de fúria. Mas o Tigre Branco não é poderoso o suficiente para vencer o Imperador do tipo Água nem a Tartaruga Negra. Nenhuma outra crisálida do Exército é. Não há saída...

Uma possibilidade me atinge como um choque elétrico e leva minha mão direto ao bolso do traje de condução, abaixo das saias longas da minha armadura. Vasculho, atrás do kit de emergência de remédios para varíola das flores que o Exército nos fez levar.

Fico em silêncio porque não quero que os estrategistas antecipem o próximo movimento, mas os olhos atordoados de Yizhi me seguem e se arregalam quando ele finalmente entende.

Curar o imperador.

Se a lenda é verdadeira, se Qin Zheng realmente congelou a si mesmo com a força do *qi* do tipo Água, então, esteja onde estiver, o Dragão Amarelo o acompanha.

Aquela crisálida, sim, seria poderosa o suficiente.

CAPÍTULO QUARENTA E QUATRO

O MAUSOLÉU DO IMPERADOR

Usando o pouco de *qi* do Tigre Branco que respingou na minha armadura, voo abaixo do inferno impiedoso, sozinha. Eu me forço a vencer a tristeza corrosiva e abrasadora que ameaça me dominar. No momento em que eu desacelerar ou hesitar, a dor vai me alcançar e me despedaçar.

Não é difícil encontrar outro nômade. Estão esperando por isso há dois séculos — é óbvio que fariam de tudo para chamar nossa atenção. Assim que atinjo altitude suficiente para olhar além dos picos altos, enxergo seus sinais de fumaça.

Não faz diferença qual deles abordar, uma vez que todos têm uma mensagem unânime sobre Qin Zheng para nos passar. Vou até o mais próximo e, agitando as asas, mergulho na clareira de hundun em que ele... *ela* está. Um estupor corta o vazio branco da minha mente quando vejo uma idosa montada em um garanhão robusto, com o cabelo prateado preso em uma trança às suas costas e o olhar desprovido de suavidade e submissão.

Ofegante, mostro-lhe a seringa e a ampola do kit antiviral. Ela quase pula do cavalo com um grito de absoluta euforia.

Não conseguimos entender a língua uma da outra, mas minha urgência deve estar nítida em meu tom de voz. Ela gesticula para que eu a siga, então cavalga floresta adentro. Por sorte, em uma escala humana, as árvores são espaçadas o bastante para acomodar hunduns comuns e definitivamente para que eu consiga voar entre elas.

Depois de uma viagem curta, deparamos com um alçapão escondido sob folhas e lama, que ela trata de abrir. O buraco leva a um labirinto escuro de túneis subterrâneos. Não são largos o suficiente para que eu consiga bater as asas, então monto no cavalo com ela, dando o meu melhor para me soerguer com as asas de forma que o peso da armadura não o esmague. Após acender uma tocha sibilante e tremeluzente, a mulher cavalga através dos túneis. A cada minuto, ou quase isso, ela coloca a mão em concha junto à boca e emite um sinal com um grito.

As chamas cintilantes de outras tochas e o galope de outros cascos avançam nas sombras. Outros nômades se juntam a nós, falando de forma entusiasmada em seu dialeto que não consigo compreender. A luz do fogo dança nos olhos arregalados de cada um deles.

À medida que os túneis descem, a temperatura fica cada vez mais fria. Eu me seguro à cintura firme da mulher nômade, pressionando suas peles em busca de calor. É atordoante pensar que ela e minha avó descendem do mesmo povo, que crenças e culturas possam ser tão drasticamente diferentes umas das outras. Mais uma vez, me questiono se quem nasce em Huaxia tem mesmo tanta sorte quanto todos alegam. Se tivesse nascido em meio a este povo deixado para trás em Zhou, eu poderia ter sido criada por esta mulher incrível e indômita. Que pessoa eu me tornaria?

Quando finalmente paramos em uma câmara cavernosa, faz tanto frio que minha língua talvez se rache ao meio caso eu abre a boca.

Fileira após fileira de estatuetas de barro imponentes nos encaram. Parecem os guardiões presentes no mausoléu de alguém rico e poderoso, só que estes são de tamanho real. Nem mesmo os sábios ganham estátuas de tamanho real. As feições de barro são estranhamente realistas. Peles e tecidos poeirentos cobrem seus corpos.

Estou tentando imaginar como foram feitas quando um bruxulear fraco atrás delas capta minha atenção.

A parede do fundo é dourada.

Será que isto é... parte do Dragão Amarelo?

Meus dentes batem, e eu hiperventilo quando a situação se torna cada vez mais real, um pouco mais *possível*. O restante do Dragão está enterrado abaixo de nossos pés? Imagino-o encolhido, bem no fundo, pronto para se erguer a qualquer momento.

Por favor. Que seja verdade.

Os nômades desmontam. Passam pelas fileiras de estátuas com uma postura respeitosa, costas curvadas e cabeças baixas, meio desordenados. Apesar da surpresa mesclada de terror que pesa sob minhas pernas, me obrigo a seguir o exemplo.

Quando nos aproximamos da parede dourada, vejo que é ligeiramente curvada, como uma testa. Há uma colcha grossa de lã pendurada. A mulher de cabelo prateado a abre a partir de uma pequena fenda no meio.

Uma lufada de ar ainda mais frio sai.

Pisco, surpresa, então fico atônita mais uma vez.

A vasta câmara interna é completamente dourada. Sombras engatinham em seu interior pouco iluminado. A visão poderia ter acabado de uma vez por todas com minha sanidade, mas então enxergo, no centro, o sistema de assentos duplos.

Estamos no cockpit. No cockpit do Dragão Amarelo.

Um rapaz está sentado no assento yang, vestindo uma armadura dourada completa que parece constituída de centenas de quadradinhos interligados. Uma coroa de topo longo e achatado e véus adornados por contas na frente e atrás repousa em sua cabeça, sombreando metade de seu rosto. Chifres de dragão se projetam das laterais da coroa como galhos poderosos, folheados em metal. O assento yin aguarda à sua frente, vazio.

Por alguns segundos, não consigo fazer nada além de olhar pela fenda na colcha. Os nômades se aproximam com uma reverência extrema, ajoelhando-se e encostando a testa no chão antes de entrar pela fresta. Paro atrás deles, incrédula. Aguço meu sentido vital a fim de confirmar para o que — não, *para quem* — estou olhando, e tenho uma certeza tão perturbadora quanto a pressão categoria Imperador que senti pouco antes.

É mesmo a droga do Qin Zheng, em carne e osso.

Realmente ainda está vivo. Meridianos negros de *qi* do tipo Água se espalham pelo seu rosto cadavérico.

Junto com a varíola das flores. As marcas em botão que evidenciam a infecção pontilham a pele entre os meridianos.

Lembro-me da conversa com Yang Guang, quando ele sugeriu que Qin Zheng poderia ter escapado mergulhando no *qi* do magma sob o Monte Zhurong. É lá que está a outra parte do Dragão?

Uma mão pousa em meu ombro, provocando um sobressalto. A mulher de cabelos prateados gesticula para onde estou guardando o kit antiviral. Captando a mensagem, abro-o e aspiro o conteúdo da ampola com a seringa.

De repente, os nômades começam a entoar algo que não compreendo. Formam um semicírculo ao redor de Qin Zheng, arrastando-me junto.

Uma mulher clama por alguma coisa enquanto agita uma pequena tocha, que acende em uma tocha maior erguida por outra pessoa. Então, com um grito de arrepiar, enfia o fogo na própria boca.

Para minha surpresa, o fogo simplesmente se extingue. Ela passa a tocha adiante, depois arranca uma das luvas de pelos e pressiona a mão nua contra a mão de Qin Zheng, que repousa com as palmas voltadas para cima nos apoios para o braço. No último segundo, percebo que suas manoplas douradas estão cobertas por agulhas finas.

Sangue espirra sob a palma da mulher, como uma fruta perfurada. Um grunhido de dor brota de sua garganta. A cor negra dos meridianos de Qin Zheng sobe por seu braço, chegando rapidamente ao rosto contorcido. E entendo o motivo da ingestão de fogo — ela estava tentando aumentar seu *qi* do tipo Fogo, necessário para esquentar Qin Zheng.

Posso ajudá-la.

Agarrando a seringa, corro em direção a ele. Metamorfoseio minha manopla de forma a expor a mão, então a pressiono sobre as agulhas de sua outra palma.

Qi do tipo Água se infiltra no meu corpo como uma corrente elétrica, resfriando-me até a medula e enegrecendo meus meridianos. Mas meu treinamento me deu alguma experiência em transformar meu *qi* secundário do tipo Água em tipo Fogo. Com um grito, controlo o fluxo de *qi* e o forço a se esquentar, passando de yin para yang. Meu *qi* do tipo Metal se acende em um segundo circuito, por causa do esforço.

Gradualmente, como trilhas de pó de carvão incendiadas, meus meridianos enegrecidos brilham, vermelhos. Por meio de nossas mãos unidas, o *qi* viaja até Qin Zheng.

Ele inspira uma lufada de ar rascante, um vento fresco que penetra em um mausoléu cheio de poeira abandonado há muito tempo. Seus olhos começam a se abrir nas listras de sombra projetadas pelo véu de contas de sua coroa.

— *Onde está a cura?* — Ele arqueja, fitando ao redor.

Fico chocada quando, apesar de sua pronúncia estranha, consigo entender suas palavras.

Ou talvez... não seja tão chocante, uma vez que meu dialeto e o dos nômades derivaram do mesmo dialeto ancestral.

O espanto me domina outra vez. Estou olhando para — *falando com* — alguém que deveria ter morrido duzentos e vinte e um anos atrás.

— *Onde está a cura?* — repete ele, respirando mais rápido e mais fundo.

Os nômades começam a gritar, frenéticos. Tento deixá-los de lado e dirijo a seringa em direção ao seu pulso. Mas sua armadura me impede de achar uma veia.

— Abra! — Levanto a cabeça.

Metade de seu rosto está derretendo.

Solto um grito, e ele também. Sem mais tempo a perder, enfio a seringa direto em seu pescoço. Ele livra a mão da pegada da nômade engolidora de fogo, então põe sua manopla coberta de sangue sobre a parte do seu rosto que está derretida. O metal primordial se dissolve e se infiltra na pele, espalhando-se como mercúrio, a uma velocidade e com uma fluidez que nunca vi em metal primordial do tipo Terra.

Mas muitas coisas impossíveis aconteceram hoje.

— Você consegue pilotar? — Faço a pergunta urgente enquanto retiro a seringa vazia de seu pescoço. Aperto com força o ponto em que a agulha penetrou para barrar o fluxo de sangue. Não tenho ideia se o remédio vai funcionar, mas a raiva e a tristeza que mal consigo conter latejam contra minha pele, enlouquecendo-me com a necessidade de vingança. — Preciso de seu poder e de sua crisálida. *Agora.*

Para minha surpresa, embora Qin Zheng continue respirando com dificuldade, ele solta uma risada e baixa sua mão.

A metade derretida de seu rosto foi recoberta por metal primordial, deixando seu crânio parcialmente dourado.

Estremeço.

Seu *qi* do tipo Água volta a fluir em um circuito secundário de meridianos, pretos e vermelhos. Então o amarelo do tipo Terra brota em um terceiro circuito. Branco do tipo Metal em um quarto. Verde do tipo Madeira em um quinto.

Por trás do véu dourado reluzente de sua coroa, ele me lança um olhar provocante, seus olhos e sua pele brilhando com todos os cinco tipos de *qi*.

— *Você... não duraria... cinco minutos... comigo.*

Ele tem toda a razão.

Está em um nível muito acima. Não apenas sua pressão vital é única, como pode produzir qualquer tipo de *qi* que desejar. Mesmo que possa voltar a pilotar imediatamente, não faço ideia de como eu sobreviveria...

Não. Na verdade, *faço, sim.* Tenho uma ideia.

Olho para os assentos yin e yang. Não parecem muito diferentes dos assentos modernos. Se a estrutura básica não mudou... se as mentiras do Exército foram sustentadas todo esse tempo...

Minha antiga compreensão do sistema de pilotagem se ergue para resistir à ideia — *rapazes vão no assento yang e garotas, no assento yin* —, mas por que as coisas precisam funcionar assim? Por que o Exército teria se sentido compelido a alterar artificialmente os assentos se houvesse diferenças inerentes?

É tudo ilusão. Outra ilusão arbitrária, inventada.

Uma calma mortal recai sobre mim.

Antes de eu sair do cockpit do Tigre Branco, Yizhi também me deu seu kit antiviral. Retiro-o do traje de condução e o abro para revelar a ampola e a seringa. Qin Zheng vai precisar de algum incentivo para fazer o que quero.

— Sua varíola pode ser tratada, mas não curada — falo, o que não é mentira. — Se quiser continuar recebendo a medicação, *passe para o assento yin*.

As sobrancelhas de Qin Zheng se unem.

— O que... você disse?

— Sei que consegue me entender. — Aponto para o assento yin com o kit de remédios. — Troque de assento. Agora.

Seu peito arfa.

— Eu... não vou sentar... em um assento de *mulher*...

— Quer viver ou morrer? — grito, agitando seu braço graças a nossas mãos unidas. — É uma pergunta simples!

Ele cerra os dentes.

— Você não me deixaria...

— Qin Zheng, tenho duzentos e vinte e um anos a mais de conhecimento sobre o que está acontecendo e não tenho tempo para explicar! — rujo na cara dele. — Sabe que Zhou caiu porque você não estava lá para protegê-la? Sabe que seu precioso Dragão Amarelo foi enterrado próximo a um ninho hundun, e esta é a primeira vez que qualquer pessoa de Huaxia o vê, em mais de duzentos anos? Passe para o assento yin agora, ou você vai ter sobrevivido tanto tempo para *nada*!

— Duzentos... — Choque e terror puros brotam em seu rosto.

Acho que ele não imaginava que teria que esperar *tanto* tempo para ser salvo.

Sua boca se fecha. Trêmulo, ele se levanta do assento yang, com os véus com contas de sua coroa tilintando.

Em outro movimento impressionante, a armadura do assento yin derrete, escorrendo até o chão, então reemerge no assento yang. Puxo a mão das agulhas de sua manopla e ajudo-o a mudar de assento.

Os nômades rapidamente entendem o que está acontecendo e começam a sair do cockpit. Troco um olhar com a mulher de cabelo prateado. Há tantas perguntas que eu gostaria de fazer. Espero, de algum jeito, sobreviver para vê-la de novo.

Depois que a colcha se fecha atrás deles, tiro a armadura do Pássaro Carmim.

— Espere por mim — sussurro, agarrando uma das manoplas vermelhas junto ao peito. Lágrimas caem nela.

Embora a bela coroa alada que Shimin fez para mim não possua uma conexão que a ligue a minha coluna, o que a torna nada mais do que um peso morto, mantenho-a na cabeça. Arrumo o restante das peças da armadura em uma pilha antes de subir no assento yang.

Enquanto faço isso, Qin Zheng se pronuncia de novo.

— Zhou... caiu?

— Caiu. — Minha voz fraqueja. — Era o lar dos meus ancestrais. Estavam contando com você. Não precisa se desculpar, não foi culpa sua ter ficado doente, mas os hunduns que a tomaram ainda dominam a província. Você precisa matá-los.

Ele enrijece sob meus braços, então relaxa aos poucos.

— Sempre.

Solto um sopro trêmulo entre os chifres de sua coroa, então coloco as mãos sobre as dele. Uma sensação surreal me inunda.

É só uma troca de lugares, mas tudo parece diferente. Por um momento, me sinto muito *masculina*, ou seja lá o que significa ser masculino. Mas não importa. Masculino, feminino, isso não importa quando se está pilotando. Não há garantia de que eu vá sobreviver, mas cheguei longe demais para deixar o medo me deter.

Eu me recosto.

No momento em que as agulhas penetram minha espinha, um ataque violento toma meus sentidos. Grito. Resistir seria como tentar manter uma porta fechada contra um vendaval.

Uma nesga de dourado é a última coisa que vejo com meus olhos humanos.

CAPÍTULO QUARENTA E CINCO

QUEM SOU EU?

Quando abro os olhos, água salgada os queima. Um frio inclemente penetra meus ossos. Tento gritar, mas meus pulmões são inundados pela água de imediato, congelando-me de dentro para fora.

O que está acontecendo?

Como cheguei até aqui?

Quem sou eu?

Meu peito arfa com uma necessidade sufocante de ar. Através das manchas em minha visão, uma luz vermelha vítrea brilha logo acima. Agito os braços em sua direção, mas encontro apenas uma camada de gelo que acaba com qualquer esperança de oxigênio. Meus olhos se arregalam. Arranho o gelo até o ponto de arrancar minhas unhas. Mas ele não cede. Golpeio até meus ossos se quebrarem. Mas ele não se parte.

Uma mão pega meu tornozelo.

Minha atenção se volta para ela, e nutro a esperança momentânea de receber ajuda.

Mas não é ajuda.

Um oceano de *egui*, fantasmas famintos, rasteja em minha direção pela água negra, surgindo de toda parte até onde consigo enxergar. Suas mãos putrefatas encostam em mim, me agarram e me puxam para baixo.

Minha boca se abre e se fecha. Um grito fica preso em meu peito. Os *egui* enxameiam ao redor, uma massa se contorcendo, sufocante. Água gelada corta meu corpo como navalhas enquanto eles me puxam cada vez mais para baixo. O pavor me consome, porque não posso fazer nada para…

Faixas radiantes de luz surgem acima, atravessando o pouco de visão que ainda me resta. Pertencem a alguém que vem nadando em minha direção. A água ferve em correntes ao redor dele. As linhas convergem em seu peito como um globo pulsante de luz.

Desesperada, tento afastar os *egui* com o braço. Ele o segura. Com um esforço descomunal, me tira do meio da multidão de fantasmas. Nossas mãos livres se entrelaçam. Seu rosto com padrões flamejantes é tão familiar que me atinge com um choque doloroso, mas não importa o quanto vasculhe minha mente confusa, não consigo lembrar quem ele é.

Ele me puxa e me guia por todo o caminho até a camada de gelo. Pousa a mão sobre a superfície fria. As linhas de lava sob sua pele derretem o gelo em um círculo cada vez maior. Alguns pedaços se partem.

Rompemos a superfície. Arfo em busca de ar como se nunca tivesse respirado, com tanta ferocidade que fico tonta.

Mas os *egui* ainda estão em nosso encalço. Agarram-se a minhas pernas. Eu os chuto enquanto tento subir no gelo sólido. Minhas palmas molhadas ficam grudadas e preciso arrancá-las antes de cada novo movimento.

O garoto em chamas consegue sair da água e me ajuda a fazer o mesmo. Subo aos tropeços, tão vergada de frio que mal consigo me mexer. O céu está vermelho-sangue, vermelho como fogo. Mãos monstruosas surgem do buraco do qual escapamos por pouco, roçando minha pele.

— *Mei-Niang!* — O rapaz me leva para longe, sacudindo meus ombros.

Madame Encantadora? Por que ele está me chamando desse jeito?

— Vamos! — Ele me pega no colo, permitindo que eu me aninhe no calor de seu peito iluminado, e começa a correr.

Os *egui* se lançam atrás de nós. Legiões e mais legiões, gemendo, arranhando e fazendo o gelo tremer. Rachaduras se salientam, irradiando perigosamente sob os passos apressados do rapaz.

Balançando em seus braços, fito seu perfil tenso. O vazio em minha memória no lugar em que a lembrança de quem ele é, de quem *eu* sou, me dá vontade de gritar.

Como pude esquecê-lo?

O que ele significa para mim?

Por que a visão dele faz meu coração doer como se estivesse prestes a explodir?

Os *egui* arranham e rasgam suas costas. Meu peso o está atrasando.

— Me solte! — Golpeio seus ombros.

— Não. — Ele me segura ainda mais firme. Suas íris ardem em um tom de vermelho cruel, mas seu olhar é terno e suave. — Você precisa sair daqui. Você precisa.

Quando estou prestes a gritar de frustração, o gelo abaixo de nós dispara algo em minha mente. Uma memória vaga surge.

Já estivemos no gelo antes. Disparando velozes sobre ele.

Pisco. No segundo seguinte, ele está deslizando sobre patins, com as lâminas raspando ao fazer curvas suaves. Eu me empurro para fora de seus braços. Meus próprios esquis caem sobre o gelo. Ele segura minha cintura, dando-me impulso. Também contorno seu corpo com o braço.

Isso. É, assim é melhor.

Juntos, aceleramos e nos afastamos dos *egui*, abrindo uma distância considerável. Uma margem se aproxima rapidamente.

Mas meu ímpeto arrefece quando outra massa escura chega como uma tempestade vindo daquela direção.

Mais *egui*.

— Precisamos ir até lá! — O rapaz me faz seguir adiante. — É a única saída!

O pavor me sufoca, mas se tem uma coisa da qual tenho certeza, mesmo sem me lembrar de nada, é de que confio nele.

Juntos, avançamos para o segundo enxame.

Os gemidos dos *egui* e seus movimentos enlouquecidos, tentando agarrar alguma coisa, dominam meus sentidos e me sufocam novamente. Segurando-me como se nunca fosse me largar, o rapaz os atravessa em investidas suaves, graciosas e circulares, como uma folha na tempestade. Enquanto isso, me aperta contra seu peito.

— Lembre-se — implora. — Lembre-se de quem você é. Lembre-se *de mim*.

A chama em seu peito brilha mais forte e mais quente sob minha face. Meus sentidos colapsam como o gelo sob seu toque.

As lembranças me inundam.

Estou caminhando a passos largos pela passarela iluminada pelo sol de uma prestigiosa escola, segurando uma pilha de livros gastos, emprestados, junto ao peito. Meus membros roçam uma série de robes de seda pequenos demais para mim. Pilares de mogno passam por mim, projetando sombras. Dou o meu melhor para ignorar os olhares que os outros alunos acham que não consigo notar e os sussurros que acham que não consigo ouvir.

Estou estudando um poema em um cômodo mal iluminado cheio de armários enquanto lutadores rugem e espectadores ricos se divertem na arena do lado de fora. Corro os dedos machucados sobre estrofes antigas, determinada a provar que sou mais do que todo mundo imagina.

Estou de joelhos no meio de um círculo de luzes de drones e soldados que gritam, com minhas mãos ensanguentadas e trêmulas na nuca, perdendo para sempre a chance de ser qualquer outra coisa que não um prisioneiro.

Estou gritando em uma crisálida, com a garota que tentou me amar e me curar morta em meus braços.

Estou no chão de uma cela fria e úmida, com o sangue cheio de álcool, contorcendo-me como se estivesse queimando viva. Uma focinheira sufoca meus gritos.

Mas as garotas gritam.

Muitas garotas.

Estou sendo empurrada por uma ponte de encaixe esfumaçada mais uma vez. Os soldados esperam por mim no final do caminho com outra garota algemada. Minha visão está borrada demais para distinguir suas feições, mas a calma de ferro de suas primeiras palavras me choca.

Ei, pelo menos tenha coragem de me olhar nos olhos antes de me matar.

Depois da batalha, ela estende a mão para mim por cima do encosto do assento yin, com o nariz sangrando, mas viva e me lançando um sorrisinho.

Em um quarto iluminado por uma tela grande, ela coloca a cabeça na mira de uma arma, destemida e convicta, mesmo quando todos ao redor estão em pânico.

Em uma viagem de *shuttle* através da Grande Muralha, ela me encara, suas feições finalmente nítidas. Seu rosto é deslumbrante, mas seus olhos fervem com o ódio mais profundo e sombrio.

❦

Retomo os sentidos. Volto à minha existência. À minha realidade.

— Shimin...

Seguro seu rosto. Estamos nos degraus de um lugar semelhante ao que eu imaginava que seria a Grande Muralha quando criança, um dragão construído pelo homem saltando por cima de montanhas inteiras. O calor do céu vermelho-fogo nos atravessa. Por ora, conseguimos fugir dos *egui*, mas seus gemidos persistem ao longe.

— Zetian. — Sua boca se curva num sorriso que faz meu coração derreter.

Mas enquanto me dou conta da verdade, sou tomada pelo pânico. Um *0* vermelho sólido invade meus pensamentos.

Os meridianos de *qi* em seu rosto se transformam em rachaduras, adquirindo um brilho abraseado, cada vez mais quente. Quente demais. Com um suspiro de vapor, ele cai de joelhos sobre os degraus da Grande Muralha.

— Não! — Caio ao seu lado, tentando encontrar uma forma de salvá-lo. Ele está se desfazendo em cinzas e faíscas. Balanço a cabeça sem parar. — Fique, por favor, fique. Por favor.

Seu sorriso é triste, mas sereno. Ele acaricia minha bochecha com um dedo que parece metal quente.

— Você é a Viúva de Ferro. Este era o nosso destino.

— Eu não quero! — grito, apertando suas mãos e sacudindo seus ombros, fazendo qualquer coisa para impedi-lo de desaparecer. — Não vá! Não se atreva a ir embora!

— Não estou indo a lugar algum. — Ele me pega nos braços, descansando o queixo no topo de minha cabeça. — Você não entende? Eu surgi de dentro de você. Tudo o que eu era agora vive bem aqui. — Ele toca minha têmpora, depois beija minha testa. — Sempre serei parte de você.

— Não! Não, não, não!

Seus lábios encontram os meus. Calor líquido se derrama dentro de mim. Abraço-o o mais forte possível, mas não consigo impedir que se vá. Ele se desfaz em cinzas e fuligem nos meus braços. As partículas são levadas pelo vento quente, até que não sobra mais nada, apenas uma borboleta carbonizada, com uma asa de cada tipo: uma yin e outra yang.

Eu me curvo, com um soluço mudo, mas sei que cada segundo passado aqui é um segundo desperdiçado.

— *Wu Zetian* — sussurra uma mistura de vozes em minha mente. Não apenas a de Shimin, mas a da Irmã Mais Velha. E a de Yizhi. E a de minha mãe. E a de minha vó. E a de tantas, mas tantas garotas anônimas que sofreram por causa das mentiras que preciso revelar. — *Seja o pesadelo deles.*

Os gemidos dos *egui* se aproximam, um vento assustador.

A batalha não terminou. Este reino ainda está tentando me consumir.

Embora tudo pareça perdido, embora eu nunca mais vá ser a mesma, embora meu único desejo seja me deitar e desistir, obrigo-me a seguir em frente. Engatinho e tropeço sobre os degraus da Grande Muralha.

No ponto mais alto, surge um trono. Ofegante, cambaleio e me levanto. Olho para baixo, para o garoto de olhos frios sentado nele.

Qin Zheng levanta a cabeça, surpreso. A mão sobre a qual estava se apoiando cai em seu colo.

— Hum. — Ele solta uma única risada de escárnio. — Isso é novidade.

CAPÍTULO QUARENTA E SEIS

VIÚVA DE FERRO

Quando minha consciência emerge do reino mental de Qin Zheng, é como se libertar das profundezas de um oceano turbulento para deparar apenas com ar tóxico, cheio de ruídos. A angústia e o pânico me envergam tão ferozmente que não parece natural.

Nunca entro em pânico assim.

A forma espiritual de Qin Zheng está sentada diante de mim no reino yin-yang, com as pernas cruzadas sobre o lado preto, yin, enquanto tremo no lado branco, yang. Seus olhos estão fechados em uma expressão concentrada.

Para minha surpresa, ele não faz qualquer esforço para me deter quando minha mente avança, alcançando os sentidos do Dragão Amarelo. As emoções atípicas me dominam ainda com mais força. Minha consciência do mundo exterior oscila tanto que levo alguns segundos para entender o que está acontecendo. Qin Zheng desenterrou o Dragão Amarelo seja lá onde ele estava e o levou à batalha. O Dragão encurralou o Imperador do tipo Água no vale, com o longo corpo serpenteante dando uma volta inteira sobre as encostas chamuscadas das montanhas. O Imperador do tipo Água pode mudar sua forma o quanto quiser, mas não vai conseguir escapar. O Dragão drena seu *qi* em cada ponto de contato, como uma escultura de barro absorvendo água. As emoções extremas devem estar vindo do Imperador do tipo Água à medida que ele perde a batalha inglória.

Fogo pode perder para Água, mas Água perde para Terra.

— *Pare... nos poupe... por favor...*

Tenho certeza de que os pensamentos estão vindo do Imperador do tipo Água, mas não faz sentido. Como seria possível um hundun conhecer nossa língua? Nem sequer consigo entender direito os nômades.

Quando estou prestes a voltar ao reino mental de Qin Zheng para fugir desse pesadelo, as emoções finalmente são cortadas, e é como se eu pudesse respirar novamente. O Imperador do tipo Água cai, imóvel, agora um monte maciço de metal primordial sem vida. Provavelmente daria para convertê-lo em outra crisálida categoria Imperador.

As feições de Qin Zheng relaxam um pouco, mas ele não abre os olhos nem dá nenhum sinal de reconhecer minha presença. Sua forma espiritual se manifestou com os círculos mais escuros que já vi embaixo dos olhos, embora tornem sua figura ainda mais impressionante, de uma maneira gélida e inefável, quase belo. Um padrão de cicatrizes fantasmagóricas cobre um lado de seu rosto. Essa com certeza era sua aparência antes da varíola.

Enquanto ele faz o Dragão avançar pelas Montanhas, esmagando hunduns com os vários pares de garras, começo a me sentir melhor em relação a esta crisálida. O Dragão decaiu bastante ao longo dos séculos, mas Qin Zheng o conserta com uma habilidade que nenhum outro piloto dominou desde então: assimilando outro metal primordial do tipo Terra.

Geralmente, metal primordial de hunduns diferentes não conseguem funcionar juntos, mas o corpo comprido do Dragão atrai hunduns como ímãs enquanto ataca com violência as manadas que restam. Ao contato, a mente assustada das criaturas colide com a nossa, mas suas emoções não são nem de longe tão intensas quanto as do Imperador do tipo Água, e se exaurem rapidamente. Seu metal primordial se torna parte do Dragão, reforçando-o e aumentando seu tamanho de modo indefinido. Novas garras despontam sempre que ele ganha um pouco mais de comprimento.

Manadas de hunduns categoria Nobre maiores nos atacam como os *egui* no reino mental de Qin Zheng, mas o Dragão os destrói sem esforço. Nada pode nos impedir de abrir caminho até a abertura do vulcão do Monte Zhurong. Quando chegarmos, a batalha estará praticamente ganha.

Mas talvez eu não devesse esperar até lá para tomar uma atitude.

As outras crisálidas correm atrás de nós ao longo das montanhas. Devem ter reagido com gritos eufóricos quando o Dragão apareceu pela primeira vez, embora estejam estranhamente silenciosas agora. Quando minúsculos drones com câmeras surgem à frente, me dou conta de que os olhos do Dragão devem estar brilhando em cores diferentes, um sinal revelador de um Par Equilibrado. E um deles deve ser branco do tipo Metal. Seria preciso ser um idiota para não suspeitar que estou aqui dentro.

Quase posso ouvir os estrategistas nos alto-falantes dos outros pilotos, dizendo para tomarem cuidado com a mesmíssima crisálida que está salvando a vida deles.

Uma nova onda de raiva me inunda. Aposto que estão planejando "lidar" comigo assim que a batalha terminar.

Então é melhor atacar primeiro.

Qin Zheng não resiste quando assumo controle total com a desculpa de "preciso fazer algo". É estranho; esperava uma disputa de força maior. Não consigo entendê-lo. De alguma forma, não acessei nenhuma memória do seu reino mental. Só posso suspeitar que sua mente não esteja na melhor forma porque ele acabou de acordar de um sono de dois séculos.

Enquanto esmago hunduns categoria Nobre como cascas de ovo, olho diretamente para a câmera de um drone.

— O Exército mentiu para todos nós! — grito pelo focinho longo do Dragão.

Conto toda a verdade sobre o sistema de pilotagem, enfatizando como sabotou o esforço de guerra ao reprimir metade dos pilotos em potencial. As pessoas só se importam com algo quando se dão conta de que são afetadas de uma maneira concreta.

— Tenho provas e vou mostrá-las logo, mas vocês sabem que faz sentido! Sabem que gênero não tem nada a ver com força espiritual, porque *eu* existo! Sim, aqui quem fala é Wu Zetian, a Viúva de Ferro!

Abro o cockpit do Dragão, mostrando a toda Huaxia o arranjo dos assentos: eu no assento yang, subjugando um garoto que obviamente é o imperador Qin Zheng.

O Exército e os Sábios devem estar surtando e interrompendo transmissões ao vivo neste exato momento, mas falei o que precisava falar. Não perco nem mais um segundo. Com vários saltos, tomo impulso e lanço o Dragão num voo. *Qi* de todos os tipos, que Qin Zheng deve ter recolhido do magma subterrâneo e dos hunduns que drenou, corre por seu corpo oco, erguendo-o como uma lanterna de papel. Tenho a sensação de estar controlando a força vital do mundo inteiro, não só a minha.

Fazendo o Dragão ondular, disparo pelos picos altos para a última linha de caminhões blindados com transmissores de ondas de rádio. Há mais entre as montanhas, mas destruir a última será o suficiente.

Aterrisso sobre eles, esmagando a maioria. Uso as várias garras do Dragão para amassar e lacerar os que escaparam, cortando a conexão entre os pilotos e os estrategistas.

Quando me viro, procurando o vulcão, vejo que os outros pilotos terminaram o trabalho sem a nossa ajuda. As cascas de larvas de hunduns semiformados se amontoam ao longo da encosta do Monte Zhurong. É uma vitória total. O contra-ataque foi um sucesso.

Ainda assim, a confusão toma conta do campo de batalha. Nada de drones com câmeras zumbindo, nada de estrategistas gritando em alto-falantes de cockpit.

Ninguém celebra. As outras crisálidas só olham para cima, parecendo perdidas, à medida que o Dragão se aproxima, deslizando no ar. Alguns dão tapinhas na própria cabeça, esperando, pateticamente, que os estrategistas consigam se reconectar.

Aterrisso com um estrondo diante da Tartaruga Negra, próximo ao topo do Monte Zhurong. Ouço terra caindo na abertura do vulcão. Mais uma vez, a Tartaruga é muito menor do que eu, tão pequena que parece que estou olhando para uma tartaruga de verdade.

— *Por que fizeram aquilo?* — rosno.

O campo de batalha fica em silêncio.

— Zetian, sinto muito, muito mesmo. — A Tartaruga rasteja, recuando pela encosta da montanha, chorando com a voz de Xiuying e com os olhos se apagando e ficando escuros. — Nossos filhos... eles iam... — A Tartaruga para e grunhe. — Se eu fosse você, andaria na linha, ou *sua* família também vai estar em perigo!

Minha fúria se abranda como uma chama recebendo uma lufada de vento, então volta tão intensa e violenta que demoro um segundo para reagir.

Então foi por isso que ela me incentivou a fazer as pazes com minha família? Para que ela pudesse ser usada para *me controlar*?

Não acredito que fiz a única coisa que sempre me enfureceu nas outras pessoas: subestimar uma mulher.

Eu me inclino junto à Tartaruga, quase tocando-a com o focinho do Dragão e seus longos bigodes dourados. Minhas palavras derramam um brilho branco e prateado sobre sua superfície preta.

— Ora, por favor. Você matou minha verdadeira família.

Pouso uma garra no pescoço da Tartaruga e decepo sua cabeça. Esmago-a e pulverizo-a. Trilhas de sangue, tão finas que são quase invisíveis, escorrem da garra. O pensamento de Shimin enfrentando a mesma coisa passa por minha cabeça, e fico mais tensa ainda, cerrando os dentes do Dragão.

Gritos de choque se elevam das outras crisálidas, mas todas ficam imóveis entre as cascas de hundun.

É assim que sei que não tentarão impedir minha próxima ação.

Além disso, vão demorar horas para voltar à fronteira indefesa de Sui-Tang, ao passo que eu consigo voar até lá em muito menos tempo.

No reino yin-yang, os olhos de Qin Zheng se abrem pela primeira vez, arregalados e atônitos enquanto me encaram.

— Você deseja conquistar o seu mundo — pronuncia em seu dialeto de séculos atrás. As palavras são um pouco arrastadas, como se ele estivesse drogado ou sonolento.

— Sim. — Escolho as palavras com cuidado. Este garoto era um imperador em pleno gozo do poder; não vai cooperar se eu o fizer se sentir um mero instrumento. — Há algo que você deveria saber sobre o papel dos pilotos hoje em dia: não somos mais líderes. Se me parar, você vai se tornar apenas uma celebridade, um espetáculo. As pessoas vão cobiçar você, mas não vão reverenciá-lo. Se quer que façam isso de novo, vamos ter que usar a força.

— Tudo bem, então. — Ele dá de ombros, fechando os olhos. — Vamos embarcar.

Dou risada. O som é oco, desprovido de alegria e dura tempo demais, chega a ser enlouquecedor.

História de redenção, é assim que chamam?

Não haverá redenção para mim. Não sou eu que estou errada. São todas as outras pessoas.

CAPÍTULO QUARENTA E SETE

TUDO O QUE MEREÇO

Chang'an, a Cidade da Paz Eterna, agora é tudo, menos pacífica.

Uma parede de sons humanos se ergue no ar fresco, cada vez maior à medida que nos aproximamos no Dragão. Um último rubor do sol se esvai atrás das montanhas, emoldurando o vale de arranha-céus. Ao cair da noite, as ruas salpicadas de neon estão inundadas de pessoas, como se os prédios hiperlotados tivessem vomitado todo o seu conteúdo. As multidões na sombra caem de joelhos e se prostram inúmeras vezes. As aldeias e cidades pelas quais passamos devem tê-los avisado de que estávamos a caminho.

Assim que tirei Yizhi do cockpit do Tigre Branco, deixei o exército de crisálidas na fronteira de Zhou. Vou cuidar disso depois.

Antes que seja tarde demais para reverter o que fiz.

As atitudes impacientes de Qieluo e Yang Jian — e o fato de que Yizhi e eu devemos a eles nossa vida — me fazem acreditar que não tentarão me impedir. Mas mesmo se voltarem para a fronteira Sui-Tang, vão descobrir que destruí a torre de vigia Kaihuang.

Não me importei com quem estava lá dentro. Se os estrategistas são tão inteligentes quanto dizem, teriam saído assim que me rebelei.

Esta é minha estratégia, assumidamente sem graça: aniquilar todos os centros de poder, de forma que tudo desmorone no caos e as pessoas não tenham escolha a não ser obedecer ao que há de mais novo e poderoso: eu.

A sombra do Dragão serpenteia como o rio Wei sobre as massas suplicantes e soluçantes, dirigindo-se ao Palácio dos Sábios, em uma montanha que encima a cidade. Lembro-me de observá-lo do céu na primeira vez que cheguei.

Agora vou fazer tudo que gostaria de ter feito naquela ocasião.

— Piloto Wu! — grita uma voz grave no que soa como o sistema de alto-falantes do palácio inteiro.

— É *imperatriz* Wu! — respondo, rugindo mais alto sem esforço.

Há uma pausa estupefata antes que a voz prossiga.

— Pare aí mesmo! Pense no que está fazendo! Pense nas consequências!

Apenas dou risada. Não consigo acreditar que ele esteja tentando...

— Tian-Tian! — chama a voz.

Paro no ar, quase caindo sobre os arranha-céus e os milhões de pessoas abaixo.

É minha mãe.

Dou um zoom no pátio enorme e iluminado no meio das mansões e dos pagodes do complexo do palácio. Um bando de soldados está prendendo minha mãe e o restante da minha família. Um dos Sábios — não sei qual, todos parecem iguais, com trajes pesados e barbas brancas e compridas — segura um microfone junto à boca de minha mãe.

Meu espírito se esmigalha dentro do Dragão. Está mesmo acontecendo. Estou realmente sendo forçada a fazer esta escolha.

E é tudo minha culpa. Qieluo estava certa; tudo está se voltando contra mim, neste exato momento. Se não tivesse caído na lenga-lenga de Xiuying — *Um pouco de compaixão faz milagres!* —, minha família de merda ainda estaria segura na nossa aldeia fronteiriça de merda.

Ou talvez, de qualquer jeito, os Sábios os tivessem trazido antes da batalha, por via das dúvidas.

Mas uma coisa seria diferente se eu não tivesse aberto o coração para eles de novo: eu não estaria hesitando agora.

Quando o silêncio ameaça trair minha fraqueza, meu pai agarra o microfone.

— Por favor... — diz, chorando e empurrando meu irmão Dalang para longe do grupo. — Puna a *nós*, mas não a ele! Deixe-o ir... Ele é seu *irmão*!

Algo se quebra dentro de mim.

Observo atônita enquanto Dalang soluça mais alto, então tropeça para trás e cai entre nossos pais de novo. Eles gritam, tentando empurrá-lo para longe, iludidos por alguma ideia de que o filho está a salvo de sua irmã má que está tentando tomar a capital em um dragão de metal gigante.

Então é disso que foram capazes o tempo todo.

Isto é o que fariam pelo filho, ao passo que venderam a mim e a Irmã Mas Velha em um piscar de olhos.

Não quero mais estar aqui. Não quero olhar para eles. Não quero pensar. Não quero lembrar, comparar, confirmar que, para estas pessoas, eu nunca, nunca, *nunca* passei de água destinada a ser jogada pela porta. Estas pessoas, que são minha única família de sangue. Que devo amar e defender custe o que custar.

Que vão sempre ser usadas contra mim se eu não renunciar a elas neste momento.

Que tipo de vida seria essa? Ser instrumentos, objetos de chantagem, pelo resto de suas vidas?

Foram eles que me ensinaram o quão terrível é se sentir assim.

Eu sei o que seria a misericórdia verdadeira.

— Lamento — digo, fria como as cinzas da Irmã Mais Velha. — Vocês estão no meu caminho.

Esmago o palácio inteiro com as garras do Dragão.

Pedras, mármore e madeira escura se quebram e caem, levantando nuvens florescentes de fumaça. Gritos tomam conta da cidade. Enormes pedaços de destroços rolam pela montanha, fazendo uma onda de pessoas recuar assustada lá embaixo.

Nada acontece em meu coração.

Não posso fechar os olhos do Dragão, então apenas observo, de forma vaga, quando a fumaça se afasta das ruínas.

Demora muito até que minha mente volte a funcionar, e mesmo assim é só por causa de algo absurdamente patético: o ruído de uma nave flutuante se aproximando, cortando o burburinho dos gritos.

Levanto uma garra para abatê-la.

— Espere! — explode uma voz nos alto-falantes.

Eu espero.

Porque é Gao Qiu.

— Espere um segundo, piloto Wu... Quer dizer, você é a imperatriz Wu agora, não é mesmo? — A escotilha da nave desliza e se abre, revelando-o em um mar de fluorescência. Está cercado por menininhas aos prantos, agarradas às suas roupas de couro preto. Alguns capangas estão de guarda logo atrás.

À visão horripilante, me pego impressionada do modo mais vil e nojento.

Os Sábios deviam ter tomado notas. *Este* é o jeito de me paralisar.

— Agora entendo o que você está tentando fazer — diz Gao Qiu, calmo e impassível. — E entendo que não sobrou nenhuma força bruta em Huaxia capaz de detê-la. Então estou aqui para negociar!

— *Negociar?* — grito, com uma força que faz a nave oscilar para trás.

— Ei, ei, vamos ter uma conversa civilizada. — Ele ri de um jeito maníaco, segurando-se em uma alça no teto da nave. As menininhas soltam mais gritinhos, e detesto perceber que isso me faz fechar de imediato a boca do Dragão. — Ora, duvido que sua mamãe e seu papai a tenham ensinado a dirigir um país, então você vai precisar de ajuda para ter certeza de que as coisas não vão sair do controle. Quero ser o seu regente! Não vou apenas ajudá-la a gerenciar tudo, mas também vou me certificar de que um certo vídeo nunca seja enviado ao meu querido quinto filho.

Congelo.

— Vídeo? — diz Yizhi de dentro do cockpit. — Que vídeo?

— Yizhi, não é nada — respondo, apressada, soando bem menos segura do que gostaria. Nunca pensei que Yizhi precisasse ficar sabendo que seu pai me fez tirar a roupa para selar o acordo, e agora isso... É o pior momento possível!

Infelizmente, Gao Qiu pode ouvir até mesmo o tom mais baixo de minha voz.

— Ah, acho que significa "alguma coisa", sim, já que é óbvio que você nunca contou a ele sobre isso! — diz Gao Qiu, com uma satisfação que quase me faz surtar e esmagar a nave.

Mas, ao olhar para as meninas, trato de recolher as garras. Há limites para minhas ações, e Gao Qiu adivinhou quais são.

O Dragão *tinha* que ser do tipo Terra, o único que não consegue realizar ataques de *qi*. Isso me enfurece. Se fosse de qualquer outro elemento, eu poderia tentar um ataque preciso para acabar apenas com Gao Qiu.

— Ele está aí, não está? — continua ele. — Perfeito! Oi, filho! Você não vai acreditar na gravação que eu tenho!

— Do que ele está falando? — O tom de Yizhi fica mais agudo.

— Explico depois! — grunho, com os pensamentos acelerados. — Agora, só me deixe lidar com ele...

— Depois? — zomba Gao Qiu. — Imperatriz Wu, esta oferta é por tempo limitado. Não posso garantir o que vai acontecer se não aceitá-la nos próximos dez segundos.

A nave começa a recuar.

— Deixe-me sair! — grita Yizhi com um ímpeto súbito. — Deixe-me falar com ele!

— Yizhi, não é o que você...

— *Abra agora!* — exige, frio o bastante para partir meu coração.

Meu mundo se estilhaça em um milhão de pedaços, mas não posso manter Yizhi trancado contra sua vontade.

Com a sensação de que estou cavando um buraco em minha alma, faço uma abertura na testa do Dragão. Yizhi sai sobre seu focinho longo, contra os ventos fortes do crepúsculo.

— Pai! — chama, pelo relógio.

— Filho! — A nave recua, flutuando. Gao Qiu dá um toque em seu relógio e fala também. — Você devia dizer à sua amiga o que é bom para e...

Luzes amarelas e verdes varrem o ar.

Meu fluxo de *qi* para de correr. Até mesmo Qin Zheng soa um alerta em minha cabeça, em meio a seu estado semiadormecido.

Um brilho reluz sob os trajes esvoaçantes de Yizhi. Um grito de guerra límpido parte das profundezas de seus pulmões. *Qi* do tipo Madeira, quente e elétrico, reforçado por *qi* do tipo Terra, explode de seus dedos, apontados como uma arma. Desenha caminhos no ar até Gao Qiu. Um cheiro de carne assada paira no ar.

Em menos de três segundos está acabado, mas o choque deve durar o bastante para uma vida inteira. As menininhas em prantos se arrastam e se afastam do corpo carbonizado e fumegante que uma vez foi Gao Qiu. Seus capangas também parecem surtar, chutando-o para fora da nave. O corpo mergulha na cidade, espatifando-se sobre um telhado qualquer e provocando outra onda de gritos.

Yizhi cai para a frente, arquejando.

Quando se vira, seus olhos brilham, amarelos e verdes, e o mesmo acontece com os meridianos em seu rosto. Sangue escorre de seu nariz. Ele limpa o lábio superior com o polegar.

— Acredito em você — diz, simplesmente.

Com rapidez, desata a faixa da cintura e se livra de seus trajes. O tecido ondula para longe, contra as estrelas que despontam.

Uma fração da minha armadura do Pássaro Carmim brilha em seu peito nu, com a braçadeira espinhal formando uma linha de sangue que desce pelas costas tatuadas, e as peças dos ombros e dos braços parecendo partes de uma carcaça de pássaro estilhaçada.

Uma única expressão me passa pela mente: *Baofeng Shaoye*. Jovem Mestre da Tempestade.

Acho que não era o que Gao Qiu estava imaginando ao usar esse título sem sentido para fazer propaganda do filho.

— Atenção, todos os funcionários das empresas Gao! — grita Yizhi em seu relógio de pulso, ofegante. — Nova negociação: desafiem-nos, e todos vocês e seus familiares morrerão! Obedeçam-nos, e manterão tudo o que têm, e mais!

Os capangas na nave trocam olhares confusos.

Depois caem de joelhos entre as meninas que choram.

— Agora, repitam comigo: Longa vida à Viúva de Ferro! — grita Yizhi, apontando para o céu.

— *Longa vida à Viúva de Ferro!* — O juramento é conduzido por meio dos alto-falantes da nave.

Yizhi fecha a linha de comunicação do relógio, depois olha para mim com um meneio de cabeça.

— Parece que acabei de herdar 1,4 bilhão de yuans.

O melhor jeito de descrever meus sentimentos neste momento é o rosto de Qin Zheng no reino yin-yang: sobrancelhas arqueadas, olhos arregalados e boca aberta.

Então ele balança a cabeça, piscando.

— Espera aí, como anda a inflação? Isso ainda é muito dinheiro?

Explodo numa gargalhada incontrolável, audível através do Dragão. Desta vez, realmente não sei se consigo parar. Yizhi precisa entrar correndo no cockpit para não escorregar e cair, por causa dos solavancos. Emoções me atravessam como um redemoinho: tristeza e euforia, raiva e alívio, dor e êxtase.

Que dia.

Que mês.

Que vida.

Desde que nasci, tenho ouvido tantas mentiras. Que eu não era gentil o bastante, que não tinha consideração o bastante, que não era humilde o bastante, nem honrada, nem bonita, nem *agradável*. E que, se falhasse em suprir as necessidades daqueles ao meu redor, não mereceria viver.

Propaganda. Tudo isso. Propaganda para me fazer correr, com meus pés amarrados e quebrados, incessantemente atrás da aprovação dos outros, como se ser uma boa serva fosse a única coisa da qual eu devesse me orgulhar.

Agora, sei a verdade.

Este mundo não merece meu respeito. Não é digno de minha bondade nem de minha compaixão.

Quando finalmente consigo organizar meus pensamentos, me viro para a multidão que lamenta, de joelhos, lá embaixo. Não consigo acreditar que ainda tenham voz depois de gritar tanto. Será difícil fazê-los aceitar uma nova ordem mundial estabelecida *por mim*, e sei que tomar Chang'an não significa que Huaxia já seja minha, mas é um começo.

— Aquela cabana nas montanhas já era, hein? — murmuro para Yizhi.

— Que se dane a cabana nas montanhas — diz ele, na cabeça do Dragão. — Vamos dominar o mundo.

EPÍLOGO

Ainda no Dragão, aterrisso no vale cheio de cinzas onde combatemos os hunduns categoria Imperador. Precisei voltar para Zhou por três motivos: recarregar, lidar com o Exército e trazer Shimin para casa.

Mas não encontro o que estava procurando.

— O que vocês querem dizer com "*eles* o levaram"? — pergunto, atônita, para o Tigre Branco.

— Estou falando sério! — diz Qieluo pela boca do Tigre. — Uma nave flutuante gigante apareceu do nada. Literalmente se materializou no ar e desceu aqui. Quando chegamos perto, ela já tinha ido embora, junto com os pedaços da cabeça do Pássaro!

Meus pensamentos se aceleram, confusos.

— Será que foi... será que foram os *deuses*?

— Bem, quem mais poderia ser?

— Mas os deuses nunca se mostram! Nunca intervêm! Eles...

De repente, uma força sequestra a voz do Dragão.

— Nunca *me* ajudaram quando precisei! — Qin Zheng explode de raiva.

É a primeira vez que fala pelo Dragão desde que acordou.

O Tigre Branco e as poucas crisálidas logo atrás nos encaram, boquiabertos. Acho que não processaram direito — além de todo o resto — que o imperador Qin Zheng está mesmo de volta, renascido dos portões da morte depois de dois séculos.

Sinto seu espírito se fortalecendo e não gosto nada disso.

Não sei por quanto tempo mais vou conseguir usá-lo.

Um bipe soa no cockpit do Dragão. Ainda estou tentando entender o que Qieluo disse, mas me desconecto e volto para meu corpo humano para checar meu relógio. Mudei os caminhões de transmissões de lugar para manter a comunicação aberta com Yizhi. Se ele está me chamando, algo urgente deve ter acontecido em Chang'an.

Clico na notificação, e seu rosto frenético surge.

— Zetian, é tudo mentira! É tudo mentira!

Encaro-o, confusa.

— Eu sei...

— Não, não é sobre o sistema de pilotos! É o planeta! *Este não é o nosso planeta!*

— O quê...? — falo, arfando.

No assento yin, Qin Zheng fica atento de repente.

Yizhi está tão perturbado que tem dificuldade de falar.

— Meus funcionários recuperaram um drive de quartzo de documentos nas ruínas do palácio. A ideia de que os hunduns destruíram a nossa antiga civilização é mentira! Nossos ancestrais foram largados neste planeta! *Os hunduns são os nativos, e não...!*

A tela fica preta. Surgem letras brancas em caixa-alta, que sobem devagar.

PREZADA WU ZETIAN,

SE CONTINUAR COM SUAS AÇÕES RADICAIS, NÓS, A CORTE CELESTIAL, NÃO TEREMOS ALTERNATIVA SENÃO INTERVIR. PORÉM, RECONHECEMOS SEU PODER, ENTÃO EIS NOSSA PROPOSTA:

SE ACEITAR NOSSA OFERTA COMO OS SÁBIOS ACEITARAM, ENTÃO TEMOS MANEIRAS DE TRAZER DE VOLTA O QUE VOCÊ PERDEU.

MAS, SE NOS DESAFIAR OU REVELAR A VERDADE, PERDERÁ TUDO.

As cores voltam à tela. Vejo um *feed* de vídeo escuro de um tanque cilíndrico, cheio de um fluido borbulhante. Há algo nele, ligado à superfície por um emaranhado de cabos e fios.

Algo com uma cabeça, uma máscara de oxigênio preta e pesada e uma caixa torácica nua que revela um coração batendo devagar e pulmões respirando lentamente. Não vejo mais nada.

Mal consigo assimilar que se trata de uma pessoa. Não consigo entender como… como…

Mas conheço aquele cabelo curto. Conheço aqueles olhos fundos.

Um ruído branco atravessa meu cérebro, junto com o lamento assombroso do Imperador do tipo Metal.

— *Humanos… escória do universo…*

A lembrança disso e a dor, a tristeza e a raiva do Imperador do tipo Água me dilaceram. A montanha cheia de larvas de hunduns, estilhaçadas e fumegantes, surge diante de meus olhos, seguida pela imagem tenebrosa de esperança na tela, como um pesadelo do qual não consigo escapar, não importa para onde tente correr.

Cravo as unhas na cabeça e grito.

AGRADECIMENTOS

Foi uma jornada bizarra, desde tentar desesperadamente fazer com que as pessoas lessem o que eu escrevia até ter pessoas pagando para ler. Bem, se você não pagou, tudo bem, mas, por favor, deixe uma avaliação e um comentário no Goodreads ou na Amazon (risos).

Agradeço, de todo coração, a Rebecca Schaeffer, que me conheceu quando eu era ume escritore-bebê criando histórias tão problemáticas que gostaria de poder apagá-las para sempre da memória (que bom que aqueles livros nunca foram publicados). Não é engraçado que tenha sido tão desconfortável quando trocamos as primeiras impressões por escrito e mesmo assim a gente tenha se dado tão bem quando conversamos ao vivo? Obrigade por ver algo especial em mim quando eu estava naquela fase adolescente, e por estar sempre disponível quando minha saúde mental foi para o fundo do poço. Eu provavelmente não estaria aqui sem sua ajuda. Este livro com certeza não existiria sem você e sem aquela conversa divisora de águas que tivemos em que meus discursos sobre *Darling in the Franxx* se transformaram, bem, nessa COISA toda. (Aliás, confiram a trilogia *Not Even Bones*, da Rebecca, sobre uma garota que disseca criaturas sobrenaturais para sua mãe vender na internet até que ela própria acaba sendo vendida no mercado clandestino sobrenatural!)

A Rachel Brooks, a agente mais atenciosa e atenta que ume autore poderia ter, que precisou lidar com o fato de eu repentinamente jogar este livro para cima dela embora devesse estar escrevendo outra coisa, e que depois precisou me dizer em uma carta de quatro mil palavras exatamente por que aquele rascunho deste livro era muuuuuito tétrico para vender como literatura infantojuvenil. Desculpe-me por aquilo; 2019 foi meu último ano na universidade e minha mente estava uma bagunça, mas acho que as coisas acabaram dando certo, né?

A meus maravilhosos editores, Peter Phillips e Margot Blankier, por acreditarem em mim e me desafiarem a levar este livro a outro patamar. A minha editora de texto, Catherine Marjoribanks, por consertar todas as minhas asneiras gramaticais (o inglês é uma língua tão estranha, juro para vocês…). A minha RP, Samantha Devotta, por sua empolgação tão grande quanto a minha para promover este livro. A Shana Hayes, por ler as provas com um olho de águia e pegar inconsistências que nunca nem me passaram pela cabeça. A Shenwei Chang, por sua valiosíssima leitura sensível. E a Ashley Mackenzie, por superar todas as expectativas ao criar a ilustração deslumbrante da capa e por ler todo o livro para se certificar de que o projeto gráfico fosse fiel à história.

Ao Canada Council for the Arts e ao British Columbia Arts Council, pela bolsa que tornou possível trabalhar neste livro.

A Rebecca Kim Wells, que mudou minha vida para sempre ao me selecionar na Pitch Wars 2018. Eu estava prestes a desistir de escrever quando meu nome surgiu naquele anúncio. (Comprem sua duologia de fantasia raivosa bissexual feminista, *Shatter the Sky* e *Storm the Earth*, agora disponível em todos os lugares em que livros são vendidos!) E, também, muito obrigade a Brenda Drake, por criar a oportunidade incrível que é o programa Pitch Wars.

Aos leitores da primeira versão desta história, especialmente àqueles que sofreram lendo o primeiro rascunho impróprio para menores: Rebecca Schaeffer, Tina Chan, Meg Long, Mary Roach e JR Creaden.

Ao *Squaaaad*: Lee Martin, Natalie Heaman e Megan Poland, que testemunharam toda a minha jornada de aspirante desorganizade a escritore tentando conseguir um agente a autore com contrato para vários livros. A expressão *pau pra toda obra* foi inventada para amigos como vocês. Se eu fosse a Fergie e a gente estivesse no clipe de "Glamorous", seriam vocês comendo Taco Bell comigo no drive-thru, mesmo sujo pra caramba.

A Jen Low, que deu o primeiro impulso à sequência de eventos que me levou a escrever quando me apresentou para... certo anime. E a Dylan Hayes Cross, por ter sido a pessoa que me fez começar a escrever de verdade. Às vezes quero xingar você pelos últimos três anos de estresse e agonia, mas acho que acabou funcionando.

A Vander. Esteja onde estiver, espero que esteja bem.

A VRAINS HELL, por ser a luz caótica da minha vida quando eu estava na pior. Ari, Mac, Lily, Ra, Yusei (Chrono), Treble, Masky, Cookie, Cherie, Nox, CC, Night, Mage e Hungry, nunca vou me esquecer de vocês. Persisti na escrita deste livro para deixar vocês orgulhosos.

Aos novos amigos: Marco, Francesca, Enxi e Haru. Vocês

fazem o Twitter valer a pena, mesmo quando parece improvável.

Aos produtores de *Darling in the Franxx*: obrigade por inspirar o sistema de pilotos rapaz-garota e a ideia de que os mechas podem ser usados como recurso literário para explorar adolescência, gênero e sexualidade.

A minha família, por finalmente aceitarem minha carreira. Ainda gostaria que tivessem acreditado em mim desde o início, mas se me trouxerem um prato de frutas cortadinhas, está tudo certo.

Por fim, à verdadeira imperatriz Wu, por ser um ícone destruidor de papéis de gênero que conseguiu se tornar a única mulher a ter esse título na história chinesa. Embora Zetian seja uma personagem reimaginada que vive em um mundo e em circunstâncias completamente diferentes, espero que sua determinação e sua perspicácia tenham lhe feito justiça.

intrinseca.com.br

@intrinseca

editoraintrinseca

@intrinseca

@editoraintrinseca

editoraintrinseca

1ª edição	FEVEREIRO DE 2022
reimpressão	OUTUBRO DE 2023
impressão	CROMOSETE
papel de miolo	POLÉN NATURAL 70 G/M²
papel de capa	CARTÃO SUPREMO ALTA ALVURA 250G/M²
tipografia	ADOBE CASLON PRO